LE LAMA
AUX CINQ SAGESSES

ŒUVRES D'ALEXANDRA DAVID-NEEL
CHEZ POCKET

AU PAYS DES BRIGANDS GENTILSHOMMES
MYSTIQUES ET MAGICIENS DU TIBET
LA PUISSANCE DU NÉANT
LE LAMA AUX CINQ SAGESSES
VOYAGE D'UNE PARISIENNE À LHASSA
LE SORTILÈGE DU MYSTÈRE
L'INDE OÙ J'AI VÉCU
JOURNAL DE VOYAGE
Tomes 1 et 2
MAGIE D'AMOUR, MAGIE NOIRE

LAMA YONGDEN
ET
ALEXANDRA DAVID-NÉEL

LE LAMA
AUX
CINQ SAGESSES

PLON

© Librairie Plon, 1929, et 1977 pour la présente édition

ISBN : 2-266-03309-3

A LA MÉMOIRE
de
TCHANGPAL

INTRODUCTION

Assis sur un monticule près de notre camp, tandis que nos hommes préparent le repas du soir, le Lama Yongden et moi, nous causons.

Plusieurs séjours hors du pays tibétain ont déjà permis à mon fils adoptif de prendre quelque peu contact avec le monde occidental et certains livres qui s'y publient, concernant le Tibet, lui sont venus entre les mains. C'est de ceux-ci qu'il me parle.

— Pourquoi, me dit-il, des gens qui n'ont jamais pénétré au Tibet, qui ne connaissent rien de l'aspect du pays et des mœurs de ses habitants, s'aventurent-ils à écrire à leur sujet ? Tout ce que j'ai lu de leurs descriptions est complètement incorrect. Tel dépeint des bosquets de palmiers avoisinant Lhassa, tel autre montre nos ermites exécutant, sur le piano, des sonates à quatre mains, avec des dieux pour partenaires ; ne s'est-il pas trouvé un chroniqueur génial pour raconter qu'en certaines occasions, un moine se jette, tout habillé, dans un des grands chaudrons à thé qui existent dans nos monastères et qu'on l'y laisse bouillir, après quoi les religieux, ses confrères, se régalent de cette soupe de cannibales ? Les gens de l'Occident sont-ils donc si naïfs qu'ils ajoutent foi à ces fantaisies ?

— Il est probable qu'un bon nombre de ceux qui en ont connaissance entretiennent quelques doutes quant à leur authenticité, mais les livres dont tu parles sont principalement des romans et leurs lecteurs ne leur demandent que de les amuser pendant un moment.

— Ne peut-on pas trouver autant de plaisir à lire des

récits véridiques ? Les personnages peuvent être en partie imaginaires, mais faits, coutumes et paysages doivent être réels, sinon l'auteur n'est qu'un imposteur qui trompe ceux qui le lisent et leur remplit l'esprit de notions erronées. C'est là un péché

Je pensai en moi-même que nos littérateurs se font une autre idée du « péché » ou le plus souvent s'en soucient peu, mais je ne communiquai pas mon opinion à mon fils. Une autre idée m'était venue spontanément.

— Si tu blâmes tant ceux qui présentent, dans leurs livres, une peinture mensongère et grotesque de ton pays, il faut leur opposer des descriptions correctes des hommes et des choses d'ici. Ecris un livre qui le fera.

Le Lama se mit à rire.

— Comment ferais-je ? répondit-il. Je ne sais que très peu d'anglais et quant à votre langage, il faudra que j'aille en France pour l'apprendre. Je ne puis pourtant pas écrire un livre en tibétain pour des lecteurs européens ou américains ; ils ne pourraient pas le lire.

La nuit venait, des voiles d'ombres bleues commençaient à descendre sur les solitudes. C'était l'heure où les génies des lacs et des rochers sortent de leurs retraites et courent s'ébattre sur les hauts plateaux ; parmi eux, il en est d'espiègles. Une voix menue parut susurrer à mon oreille. « Un livre écrit en tibétain, ou même des notes éparses complétées par des récits faits de vive voix, peuvent prendre forme en une autre langue. » Je m'étais décidée subitement.

— Lama lags, dis-je sérieusement, en donnant à mon fils son titre religieux, j'écrirai votre livre dans mon langage. Commencez à prendre des notes sur ce que vous observerez, rappelez à votre souvenir les événements et les traits intéressants dont vous avez été témoin ou qui vous ont été rapportés, les idées que vous avez entendu exprimer. Formez ainsi un dossier dans lequel nous puiserons...

Yongden souriait de façon singulière.

— Quoi donc... ? demandais-je.

— J'ai déjà un petit manuscrit, avoua-t-il malicieusement.

— Vraiment ! Il nous servira. Nous montrerons le vrai Tibet, des Tibétains et des Tibétaines authentiques, des événements réels, mais nous combinerons notre histoire de telle sorte que, bien que tout y soit véridique, aucun des *personnages ne pourra se reconnaître et ce sera un* roman, *le premier roman qui ait jamais été écrit par un lama tibétain, à la gloire de son Haut Pays des Neiges, pour le monde du lointain Occident.*

Ainsi fut projeté, parmi les solitudes enchantées du Tibet, le livre qui paraît aujourd'hui.

Alexandra DAVID-NÉEL.

Tous les mots tibétains contenus dans ce livre ont été transcrits phonétiquement sans avoir égard à l'orthographe tibétaine qui, le plus souvent, diffère considérablement de la prononciation. Par exemple, le mot « oiseau » prononcé *tcha* s'écrit *bya*, Mipam, le nom du héros du roman, devrait s'écrire Mipham. Les auteurs ont jugé la transcription phonétique préférable parce qu'elle permet aux lecteurs de connaître les noms des choses tibétaines mentionnées au cours du livre, tels qu'ils sont prononcés dans le dialecte de Lhassa, considéré comme langage « académique » au Tibet. Quant à donner, comme en de précédents ouvrages de A. David-Néel, l'orthographe réelle des mots en même temps que leur prononciation, le caractère du présent livre ne permet pas de l'alourdir par tant de notes techniques.

Le lecteur trouvera en fin de volume un glossaire des noms tibétains employés couramment dans le récit

1

DES prodiges accompagnèrent sa naissance. Avant l'aube, une clarté surnaturelle se répandit sous les hautes futaies à la lisière desquelles s'élevait la demeure rustique de ses parents. Sur son toit de chaume, un couple d'oiseaux couronnés de huppes dorées vint se poser, bien que ce ne fût point la saison où leur espèce émigre en ces parages. Après une longue période de sécheresse, dure à la végétation altérée et aux animaux qui vivent d'elle, soudainement, alors que le soleil brillait, une pluie abondante réjouit la terre. Un grand léopard se montra à peu de distance de l'habitation, paisible, digne et sans crainte, considérant de ses yeux attentifs la fenêtre de la chambre où l'enfant venait au monde et la mère du nouveau-né déclara avoir entendu, autour d'elle, les chants d'êtres invisibles.

Akou Puntsog, chef du village, père pour la troisième fois, ayant avidement recueilli tous ces faits, fondait sur eux les motifs d'une incommensurable fierté et d'une enivrante espérance.

Celui qui entrait dans la vie entouré de tels présages ne pouvait être, pensait-il, un enfant ordinaire. En son troisième fils habitait certainement l'esprit de quelque vénérable lama qui, par charité, refusait la béatitude des paradis ou, même, la Suprême libération des Bouddhas, afin de continuer, parmi les hommes ignorants, un ministère de compatissant instructeur et de guide vers la Délivrance de la Douleur (1).

Pourquoi ce très saint, ce très sage, les avait-il élus, lui et sa bonne épouse, pour façonner l'enveloppe périssable dans laquelle il s'incarnerait une fois de plus ? — Puntsog ne peut, tout d'abord, le comprendre ; cependant, à mesure que les jours passaient, il se découvrait des vertus et des mérites qui, jusqu'alors, lui avaient échappé. Un mois ne s'était pas écoulé qu'il ne discutait plus le discernement de celui qui l'avait choisi pour père. En vérité, ce choix lui paraissait pleinement justifié.

Tchangpal, sa femme, accueillit avec plus d'humilité la révélation qu'il lui fit de l'essence supérieure de leur fils, mais elle ne songea pas à le contredire. Les *tulkous* les plus illustres : ceux de Tchénrézigs et d'Eupagméd qui occupent respectivement le trône du Dalaï-lama et celui du Tachi-lama, naissent généralement dans d'humbles familles. Il en est de même de la plupart des autres *tulkous* formant les lignées de réincarnations des Grands Lamas.

Le petit qui suçait gloutonnement son lait était donc un *tulkou ;* il n'y avait là aucun miracle mais, seulement, une grande joie pour elle et l'assurance d'une prospérité matérielle qui déborderait de sa maison sur celles de ses proches, la faisant bénir et respecter par tous ceux de sa famille et envier par les autres.

Bientôt, un certain nombre d'amis et de voisins de l'heureux couple proclamèrent hautement la qualité de *tulkou* du nourrisson et il ne se passa pas longtemps avant qu'ils ne nommassent le lama réapparaissant sous ses traits. A vrai dire, le père triomphant avait habilement contribué à guider leur opinion.

---

(1) Renoncer au *nirvâna* afin de demeurer dans ce monde, d'y alléger la souffrance des êtres et de leur enseigner les moyens de s'en délivrer est un thème religieux favori au Tibet. Cette exagération sentimentale de la compassion repose sur une incompréhension complète de la nature du *nirvâna*. Le *nirvâna* n'est pas un « lieu » où l'on peut refuser d'entrer, c'est un « état » : l'état d'illumination spirituelle consistant à discerner la nature composée du « moi », agrégat impermanent d'éléments divers. Cette connaissance s'accompagne de notions correctes touchant la nature de ce qui est généralement considéré comme « non moi » (les objets extérieurs) et d'une complète absence de passions : désir ou haine. Il en résulte que celui qui a atteint cette illumination ne peut pas « renoncer » à savoir ce qu'il a appris.

16

Or, le lama désigné était un très haut personnage récemment décédé : Mipam rimpotché (1), dix-septième réincarnation de Mipam le Thaumaturge (2), qui, plusieurs siècles auparavant, avait vécu en ascète sur les pentes glaciales de la Djomo Kangkar (Everest). Au cours de ses avatars successifs, l'ex-ermite avait vu fructifier profitablement la vénération que lui attiraient ses austérités passées et les miracles, de date très ancienne, qu'on lui attribuait. Son dix-septième *tulkou*, seigneur de Tcheu Khor *gompa*, de quatre plus petits monastères, dépendant de celle-ci et de tout un territoire peuplé de tenanciers-serfs, avait vécu dans l'opulence et, bénéficiant de la conduite habile du défunt et de l'intelligente administration de ses revenus par des intendants avisés, le dix-huitième *tulkou* de la lignée promettait d'être plus puissant et plus riche encore que son prédécesseur.

Tel était l'avenir dont rêvaient pour leur fils, deux villageois du pays de Tromo.

Lorsqu'il s'était agi de donner un nom à l'enfant, sans hésiter, son père avait choisi celui de Mipam (invincible), allusion à l'origine qu'il lui attribuait et à sa grandeur future.

Deux *tsipas* consultés sur l'opportunité de son choix s'étaient accordés pour le trouver en parfaite harmonie avec l'horoscope qu'ils avaient établi.

Ensuite, le jeune Mipam avait grandi comme tous les petits garçons du monde. Il s'était d'abord traîné à quatre pattes, puis redressé et, sur ses jambes mal assurées, avait circulé en titubant entre les bahuts et les coussins formant sièges, dans la maison d'Akou Puntsog.

On ne lui avait pas appris à parler. Ce n'est point l'habitude au Tibet. L'homme, pensent les Tibétains, arrive aussi naturellement à prononcer les mots de sa langue maternelle que les animaux à pousser les cris propres à l'espèce à laquelle ils appartiennent. Et l'expérience prouve que, sans qu'on le leur ait enseigné, tous les Tibétains parlent. Seulement, ils parlent tardivement. A l'âge de trois ans, Mipam ne faisait encore que crier. Ses

---

(1) C'est-à-dire : Mipam le Précieux. Rimpotché est l'appellation exprimant le plus haut degré de respect.
(2) En tibétain : Mipam le *doubthob*.

cris vigoureux, dénotant une constitution exceptionnellement robuste, étaient fort explicites, assuraient ses
parents, mais avec la meilleure volonté du monde, il eût
été impossible de reconnaître en eux les syllabes mélo-
dieuses de la belle langue tibétaine.

Mipam venait d'atteindre sa troisième année lorsque les
dignitaires de Tcheu Khor gompa se mirent en quête de la
nouvelle réincarnation de leur abbé : Mipam XVIII. La
nouvelle s'en répandit rapidement dans le pays et Akou
Puntsog s'apprêta à dûment exposer et à faire valoir
devant les enquêteurs, les divers signes qui, d'après lui,
indiquaient de façon péremptoire la véritable personnalité
de son fils et, par conséquent, prouvaient la légitimité de
ses droits au siège abbatial de Tcheu Khor.

Afin de préparer les voies en s'assurant l'appui des
dieux tutélaires de ses ancêtres, de ceux de sa femme et
des déités du pays, puis de créer, par des rites propres à cet
effet, un courant de circonstances favorables à son but,
Puntsog fit appel à deux lamas de la secte des *Nyingmapas*,
celle à laquelle il appartenait. Désireux de ne rien
négliger, il convia aussi un sorcier bön réputé habile à
obtenir les bons offices des génies et des démons où, tout
au moins, à les empêcher de nuire. Chacun des officiants
devait être accompagné par plusieurs acolytes.

Un bœuf et un porc furent tués ; leur chair accommodée
de différentes manières devait fournir les éléments du
repas à servir aux lamas et aux böns. Un autre porc et
plusieurs poulets allaient être sacrifiés au cours de la
cérémonie, par le sorcier lui-même.

Tchangpal envoya ses deux fils quêter, chez les fermiers
voisins, quantité d'œufs pour confectionner la « soupe
chinoise » (1) et prépara elle-même la bière et l'eau-de-vie
nécessaire à d'abondantes libations.

Au jour convenu, le sorcier bön arriva avant l'aube pour
commencer son office sous un arbre, hors de la maison.
Un peu plus tard, les deux lamas et leur suite, descendant
d'une cime sur laquelle perchait leur monastère, apparurent à flanc de montagne, au-dessus du village. Devant

---

(1) *Gyatoup*. Une sorte de bouillon dans lequel trempent des nouilles aux
œufs.

eux, trois novices, à tour de rôle, sonnaient du *kangling* pour annoncer leur arrivée.

Chez Puntsog, après s'être dûment réconfortés en compagnie du bön admis dans la chambre mais occupant un siège isolé, tous lurent, bruyamment, des passages de plusieurs Livres saints, accompagnant leur lecture de roulements de leurs petits tambours, de tintements de clochettes et d'exclamations rituelles sonores. De son côté, le bön, retourné sous son arbre, y menait grand tapage devant ses victimes étendues sur un lit de feuillage. Le menu plantureux du déjeuner faisait augurer à tous un véritable festin pour le dîner qui allait le suivre et leur satisfaction se manifestait par la véhémence qu'ils apportaient à la célébration des rites.

En guise d'heureux présage (*téndel*), le superstitieux Puntsog avait érigé un petit trône dans un coin de la pièce. Symbole de la grandeur future de son fils, ce trône représentait celui qui attendait Mipam à Tcheu Khor. A l'issue des cérémonies il y plaça l'enfant vêtu, pour cette circonstance, d'une robe de soie jaune. A ce moment, les *trapas* psalmodiaient les bénédictions finales appelant la prospérité sur les maîtres de la maison, leur famille et leurs biens. Tout en récitant les textes liturgiques, ils circulaient à travers la ferme, jetant à la volée du grain consacré sur les gens, les bêtes et les choses. Une pluie de celui-ci s'abattit sur Mipam, son trône en fut jonché et, sur le plancher, au pied de ce dernier, les grains tombés formèrent un cercle traversé de rayons, ressemblant vaguement à l'image d'une roue (1). Puntsog, continuellement en quête de présages, ne manqua pas de remarquer le fait et d'attirer sur lui l'attention de ceux qui l'entouraient ; tous convinrent qu'il constituait un signe de plus désignant Mipam comme un *tulkou* qui prêcherait la Noble Doctrine.

Tout était terminé. Chacun des officiants reçut, tant en argent qu'en nature, une généreuse rémunération proportionnée à son rang. Le sorcier bön, emportant la meilleure partie des victimes sacrifiées, s'en alla de son côté tandis

_____
(1) En symbolisme bouddhique, la roue est l'emblème de la doctrine. « Tourner la roue de la doctrine » est l'expression classique de la phraséologie bouddhique signifiant « prêcher ».

que, lourdement chargés aussi de viande et de grain fermenté, les *trapas,* enchantés de leur journée, remontaient, en bavardant, les raides sentiers conduisant à leur haut monastère.

Demeuré seul, tandis que ses parents distribuaient à leurs voisins les savoureux reliefs du banquet, Mipam s'était endormi sur son trône.

En dépit des signes, des présages et des rites célébrés, les événements prirent un tour inattendu. Guidés par des oracles, les moines chargés de rechercher leur lama réincarné tournèrent leurs pas vers d'autres régions que celle où vivait Puntsog. Ce dernier n'eut aucune possibilité de leur présenter son fils et les témoins disposés à relater devant eux les prodiges qui avaient marqué le jour de sa naissance.

Après examen d'une douzaine de prétendants, trois garçons furent retenus par les autorités de Tcheu Khor et admis à la triple épreuve habituelle : désignation, parmi d'autres objets semblables, de ceux qui ont appartenu au défunt lama ; — confirmation de l'identité du candidat comme réincarnation de ce dernier, obtenue d'un éminent lama clairvoyant et vérifiée par le moyen de pratiques divinatoires (*tsi*) ; — tirage au sort : le nom du véritable *tulkou* devant sortir le premier d'une urne contenant des bulletins portant les noms de tous les candidats admis aux épreuves, cette urne avec son contenu ayant été placée sur l'autel de la divinité protectrice du monastère.

Vainement, Puntsog multiplia les visites et les cadeaux à des personnalités qu'il jugeait influentes, il ne put réussir à faire inclure Mipam parmi les candidats et perdit, ainsi, toutes chances de démontrer la légitimité de ses prétentions.

Tandis qu'il se lamentait, pleurant la ruine de ses espérances, l'élection eut lieu. Le fils d'un paysan du pays de Yarloung reconnut sans hésiter le rosaire, le *dordji* et le *zen* de Mipam XVII, placés parmi beaucoup d'autres d'apparence identique, trois fois le lama clairvoyant, puis les rites divinatoires et les calculs astrologiques contrôlant ses réponses, le désignèrent et le tirage au sort, répété trois fois, amena aussi, trois fois, son nom le premier hors de l'urne.

Le *tulkou* de Mipam le Thaumaturge était dûment reconnu ; aucun doute ne pouvait subsister. Exultant de joie, ses parents ramenèrent leur fils chez eux, pour y attendre le jour propice, désigné par un savant astrologue, où il ferait son entrée solennelle dans son monastère.

Deux mois plus tard, trois dignitaires de Tcheu Khor, accompagnés d'une suite nombreuse, allaient chercher leur ancien lama sous sa nouvelle forme. A quelques kilomètres de la gompa, des porteurs de bannières, des musiciens, des thuriféraires et un grand concours de clergé et de laïques venus à la rencontre de leur jeune seigneur se formèrent en cortège pour l'escorter.

Au son des *gyalings,* des *ragdongs* et des timbales, la procession se mit en marche. Vêtu d'une robe de drap d'or, monté sur un cheval blanc, deux *trapas* marchant à ses côtés, le soutenant en selle, et un troisième l'abritant sous une large ombrelle au long manche, l'enfant franchit en grande pompe la porte de Tcheu Khor.

A l'intérieur du mur d'enceinte, entouré des maisons basses des moines, mais séparé d'elles par de vastes cours, s'élevait le palais du lama. Un lanterneau coiffé d'un toit doré aux angles retournés et flanqué de deux *gyaltséns* miroitant au soleil, émergeait de la terrasse surmontant les quatre étages de l'édifice.

L'entrée principale de l'habitation s'ouvrait au fond d'un large porche décoré de fresques et surélevé, auquel on accédait par un escalier de pierre. Le cortège fit halte devant ce dernier.

Les *gyalings* enflèrent leur voix plaintive, les *ragdongs* meuglèrent plus puissamment et les timbaliers, redoublant de vigueur, firent courir par l'espace l'impressionnant bruit du tonnerre grondant au lointain : Mipam le Thaumaturge, dix-huit fois réincarné, « *rentrait* » dans sa demeure.

Au moment où le jeune tulkou, soulevé de selle par ses gardes du corps, posait les pieds sur la première marche de sa somptueuse demeure, loin de là, l'autre petit Mipam, rabaissé maintenant au niveau des autres bambins de son village, Mipam, délaissé, tout seul à l'orée des bois proches de sa maison, s'y tenait debout, très droit, et comme pensif. Puis, lentement, il leva sa petite main droite, tenant les cinq doigts écartés, la ramena ensuite vers sa poitrine et lui qui, jusqu'alors, n'avait encore jamais parlé, articula nettement et gravement une syllabe : « nga (1) ».

Une brise légère passa soudain sur la forêt, les arbres s'inclinèrent et balancèrent leurs branches feuillues, semblant saluer l'arrivée d'un héros triomphant ou bien applaudir à son départ pour une aventure glorieuse. La même lumière mystérieuse qui était apparue lors de sa naissance environna l'enfant d'un halo dont le rayonnement s'étendit à perte de vue et Tchangpal, qui travaillait près de là, entendit résonner dans les airs les voix du même chœur invisible qui avait chanté autour d'elle tandis que Mipam entrait dans ce monde.

La brave femme n'avait pas remarqué le geste de son fils, et l'eût-elle fait, elle n'y eût accordé aucune attention — tous les petits enfants remuent leurs mains et leurs doigts sans motif apparent. Mais elle avait entendu les chants et vu l'extraordinaire lumière. Etonnée et troublée, elle songeait, en rentrant chez elle, à raconter ces faits à son mari ; les circonstances l'en empêchèrent, elle trouva Puntsog étendu sur sa couche, ivre et inconscient. Le lendemain, son émotion calmée, la timidité et sans doute aussi la notion obscure que révéler pareils mystères à un profane intempérant serait profanation la retinrent. Elle garda le silence, mais, dans son cœur, s'ancra la certitude que Mipam était promis à quelque haute destinée.

L'avenir de Mipam, quel qu'il dût être, heureux, brillant, humble ou tragique, demeurait encore un secret, mais le passé notoire de son père, Akou Puntsog, donnait à ce dernier la mélancolique figure d'un héros malchanceux.

Puntsog devenu apathique et buveur avait été un chef et un guerrier. Alors que les Blancs, après avoir conquis l'Inde, étaient montés à l'assaut des Himâlayas, le *gyalpo* (roi) du Demadjong avait fait appel, pour l'aider dans sa résistance, à quelques autres *pönpos* (chefs) moins impor-

(1) La syllabe prononcée *nga* a deux sens différents suivant la façon dont elle est orthographiée. Ecrite avec une seule lettre *nga* signifie « moi », écrite avec un *l* superposé et muet *lnga* signifie le nombre « cinq ».

tants des régions avoisinantes. Celui sous lequel Puntsog exerçait les doubles fonctions de chef de village et de capitaine, dépêcha ses troupes au secours de son voisin.

« Ses troupes » se composaient de quelques douzaines de montagnards armés d'arcs et de flèches. A leur tête marchait fièrement Puntsog : le capitaine, animé d'une belliqueuse ardeur et ne doutant pas un instant qu'il n'exterminerait, jusqu'au dernier, les téméraires envahisseurs. En hâte, les hommes franchirent le haut col qui sépare le Demadjong du pays de Tromo et descendirent à travers les forêts jusqu'à la torrentueuse Tista dont les riverains avaient brûlé les ponts en canne. Là, dans l'ombre de la jungle, plusieurs centaines d'hommes, nuit et jour, fabriquaient des armes : des flèches en bambou.

Les plus experts recherchaient le *payouma* dont les nœuds sont largement espacés et en façonnaient des pointes que d'autres travailleurs ajustaient dans la hampe faite d'une autre espèce de bambou.

Pendant ce temps, des chasseurs habiles à préparer la pâte empoisonnée qui rend les blessures mortelles pilaient la racine de l'aconit ajoutant à la poudre ainsi obtenue du tabac, du piment, du sel et d'autres substances encore dont ils gardaient le secret. Avec ce mélange convenablement humecté et transformé en pâte, ils enduisaient les pointes des flèches destinées à garnir les carquois que les combattants portaient suspendus en bandoulière.

Munis d'une provision de ces dangereux dards, les simples hommes des forêts s'égaillaient le long de la rive, se dissimulant derrière l'épais rideau des ramures géantes, des lianes aux larges feuilles et des mousses pâles tendant d'un arbre à l'autre leurs fines draperies aux multiples replis.

En face d'eux, les civilisés, sûrs de vaincre avec leurs fusils et leurs nombreux soldats, s'impatientaient de cette résistance puérile mais fervente des fils de la montagne. Des balles sifflaient à travers les fourrés et l'une d'elles abattit, mort, sur l'épais lit de feuilles humides et pourrissantes, le fils unique du capitaine Puntsog. Mais que la tête d'un tireur imprudent se montrât, qu'un froissement de feuillage décelât la présence d'un ennemi et les guetteurs cachés sur la rive opposée avaient tôt fait de décocher une flèche qui manquait rarement son but.

Ils tinrent les étrangers trois semaines en échec, ces naïfs patriotes d'un territoire vierge et leur exploit, médiocre par sa portée, fut grand par le courage qui l'inspira. En un autre pays le souvenir s'en fût sans doute conservé, on l'eût rappelé aux fils de ceux qui l'avaient accompli, pour stimuler leur énergie et éveiller leur fierté. Dans ces vallées himalayennes, les choses prirent une autre tournure.

Vaincu, le *gyalpo* du Demadjong fut exilé, quelques fidèles suivirent sa fortune. Parmi eux se trouvaient son ami, le petit prince tibétain dont Puntsog était le sujet et Puntsog lui-même, à la suite de son chef.

Plusieurs années s'écoulèrent. Le temps de l'héroïsme était passé ; déchu à la condition de serviteur banal, le capitaine Puntsog végétait mélancoliquement à la Cour minuscule et pauvre de l'ex-*gyalpo*. Pendant son absence, ses terres familiales passèrent aux mains de gens prosaïques, sans prétentions à la valeur guerrière, qui avaient eu la perspicacité de deviner l'issue de la lutte et l'esprit d'à-propos d'offir, avant son terme, leurs services aux futurs vainqueurs.

Quand le *gyalpo* du Demadjong fut autorisé à rentrer dans ses anciens états amputés de larges parties de territoire, son ami le prince Tromopa rentra aussi dans son pays et, toujours fidèle, Puntsog le suivit. Mais tandis que son seigneur se réinstallait dans son petit palais et y reprenait son train de vie accoutumé, pour l'ex-capitaine tout était changé : riche avant son aventure épique, il était, maintenant, presque pauvre. Le *pönpo* condescendait pourtant à le maintenir dans ses fonctions de chef de village mais, là s'arrêtait la reconnaissance des maîtres qu'il avait défendus. Leur bienveillance et leurs faveurs allaient vers ceux qui s'étaient détournés d'eux à l'heure du péril, vers les hommes prudents et bien avisés, à qui leur désertion avait procuré honneurs, pouvoir et profits sous la protection des conquérants.

Dans sa maison délabrée, Puntsog se trouvait seul avec deux femmes : son épouse déjà âgée et la veuve de son fils.

Les mœurs du Tibet n'encouragent pas le veuvage des femmes jeunes, un second mariage s'impose pour ainsi dire à elles. Suivant la coutume du pays, lors du mariage de son fils, Puntsog avait payé aux parents de Tchangpal, sa bru, le prix demandé par ceux-ci comme dédommagement des dépenses faites par eux pour élever leur fille. Par là, il avait acquis sur cette dernière tous les droits d'un véritable père et pouvait, à son tour, réclamer les présents habituels à celui qui voudrait l'épouser. Il lui était aussi loisible de la donner pour femme à un autre de ses fils ou à un de ses neveux, mais Puntsog n'avait eu qu'un seul fils : celui qu'une balle avait abattu dans la jungle du Téraï et ses neveux, tous mariés et pères de famille, n'avaient aucun désir de prendre une seconde épouse. Du reste, une autre idée germait dans son cerveau.

Vingt-cinq ans s'étaient écoulés depuis la naissance de son fils défunt, sa femme ne lui avait pas donné d'autres enfants et il ne pouvait espérer redevenir père qu'en se mariant de nouveau. La polygamie, surtout lorsque le manque de descendants en est la raison, est admise au Tibet, de ce côté nul obstacle n'existait. Mais pour obtenir une fille de bonne famille, il lui faudrait payer un prix considérable à ses parents et Puntsog ne se trouvait pas en mesure de renouveler les dépenses qu'il avait faites pour donner Tchangpal à son fils. Le moyen de s'en dispenser était à sa portée. Tchangpal était jolie, d'humeur paisible, il trouverait difficilement une femme plus agréable qu'elle. Elle avait l'habitude de vivre auprès de sa belle-mère et s'entendait bien avec elle. Qu'il l'épousât, rien ne changerait dans sa demeure, il ne risquerait pas d'en troubler la paix en y introduisant une fille que son épouse âgée supporterait mal ou qui, elle-même, se montrerait agressive envers cette dernière.

Toutes réflexions faites, Puntsog décida d'épouser la veuve de son fils. Rien ne s'y opposait : ils n'étaient aucunement parents, « les sangs étaient différents » et, de plus, Tchangpal n'avait pas encore eu d'enfant.

Que pensa la jeune femme de cette décision ? Probablement eût-elle préféré un compagnon moins mûr que son beau-père, mais son caractère passif ne lui permettait pas de résister, pas même de concevoir l'idée de résistance. Les noces furent célébrées sans éclat, et, chez le chef de village, la vie continua comme auparavant, monotone et active pour les deux femmes, passablement oisive pour lui-même, ainsi qu'il en avait toujours été.

Au cours des années suivantes, Tchangpal donna le jour à un fils qui fut nommé Dogyal, puis à ce Mipam qu'entouraient des prodiges.

Malgré ceux-ci, Mipam ne manifestait aucun signe décelant une personnalité extraordinaire. C'était un garçonnet taciturne, facilement boudeur et exagérément gourmand. Ce dernier défaut trouvait son excuse dans le fait qu'une bien grossière et maigre pitance lui était, seule, dispensée au logis paternel.

Les villageois tibétains n'ont pas pour habitude de gâter leurs enfants. Les meilleurs aliments, la viande, quand le repas en comprend, sont la part du père ; la mère se sert ensuite, puis les enfants, en commençant par le fils aîné, se voient successivement attribuer leur portion. Les mamans au cœur tendre — c'était le cas de Tchangpal — prélèvent facilement sur leur part de quoi apaiser les pleurs d'un gamin ou d'une gamine réclamant un supplément de nourriture ou un meilleur morceau, mais nombreux demeurent pourtant les jours où n'ayant rien de plus elle-même, la mère de Mipam devait se contenter de verser quelques poignées de grain grillé dans l'*amphag* de son fils avant de l'envoyer conduire les vaches paître dans la forêt.

Toute la journée, l'enfant y demeurait avec les bêtes ; pendant quelques mois son frère Dogyal l'avait accompagné, mais ce dernier, devenu capable de se rendre utile comme cultivateur, était maintenant occupé dans les champs. Exceptionnellement robuste pour son âge, Dogyal allait aussi à la chasse, souvent avec ses oncles ou ses cousins, mais, parfois aussi, déjà seul et non sans succès, ce dont Puntsog se montrait fier. L'habileté profitable de l'aîné, qui lui attirait des compliments et fournissait une agréable contribution à la cuisine, pansait légèrement la blessure causée à l'amour-propre du chef de village par la défaite de ses espérances concernant Mipam.

De tout cela ce dernier n'avait naturellement aucune idée. Il arrivait bien, parfois, qu'un villageois se remémorant les prétentions émises par Puntsog, ou un gamin ayant entendu raconter l'histoire des prodiges aperçus lors de la naissance de Mipam, appelât malicieusement celui-ci : « Mipam-*tulkou* », ou « *Kouchogtulkou* », mais l'enfant accueillait ces petites railleries avec la plus complète indifférence : sa colère ne se déchaînait qu'à l'heure des repas lorsqu'il se considérait lésé dans le partage de la nourriture.

Or donc, Mipam passait sa vie, gardant son troupeau, dans la forêt, comme longtemps avant lui le jeune Satyakâma dont l'histoire est narrée par les Brahmines de l'Inde. Mais il ne semble pas qu'aucun taureau l'ait jamais appelé pour lui enseigner la nature de l'*Etre absolu*, ni qu'assis près du feu qu'il allumait parfois pour y griller des champignons ou des racines sauvages, il ait entendu sortir des flammes — comme il arriva au héros hindou — la voix d'Agni lui révélant de profonds mystères. Du moins, s'il en était ainsi, Mipam conservait si cachée la science qu'il acquérait, que nul n'en aperçut jamais le moindre indice. Rien ne le distinguait des autres garçons de son pays et si l'on pouvait lui découvrir un signe caractéristique, c'était celui de l'insignifiance. Mipam était partout une petite figure effacée qui ne comptait pour rien, dont la présence se remarquait à peine.

Pourtant, si le père avait renoncé à tous rêves ambitieux quant à ce Mipam devenu si ordinaire après un début si prometteur, la mère du bambin gardait obstinément au fond de son cœur un espoir timide, indéfini, une foi obscure en la nature exceptionnelle de son silencieux et glouton dernier-né. Le soir, revenant les reins brisés, les bras gourds des champs où elle s'épuisait de travail tandis qu'elle préparait hâtivement, à la seule lueur des flammes de l'âtre (1), le souper de la famille, elle jetait à la dérobée des regards de tendresse sur Mipam étendu sur le plancher, les yeux fermés, serrant son bol entre ses petites mains et ne dormant que d'un œil, prêt à se réveiller dès qu'elle servirait le repas.

Dans la cuisine enténébrée, le père, presque toujours paresseusement assis sur une pile de coussins, attendait que son repas fût placé devant lui. Sa vieille femme, que la goutte rendait incapable d'un travail régulier, se bornait souvent à regarder besogner son ex-bru devenue sa co-

(1) Un grand nombre de paysans tibétains ne font usage d'aucun éclairage artificiel. La lueur de leur foyer leur suffit. Lorsqu'ils désirent une clarté plus vive, ils jettent dans le feu de petites branches très sèches ou des copeaux résineux qui produisent une flamme très vite. Ces fragments de bois résineux sont aussi transportés à la main, en guise de lampe, si de la lumière est momentanément nécessaire ailleurs que dans la cuisine.

épouse. Dogyal, passionné chasseur, et encouragé par son père à l'approvisionner de gibier, était souvent absent, couchant chez l'un ou l'autre des amis de sa famille, au hasard de ses randonnées par les montagnes. D'ailleurs, lorsqu'il était présent, sa condition de fils aîné lui valait une place d'honneur à côté du maître de la maison et, loin d'être d'aucune aide à Tchangpal, il lui donnait la peine de servir un convive de plus. Ce n'était point que Dogyal eût mauvais cœur ou qu'il manquât d'affection pour sa mère, mais sa conduite se réglait sur l'usage général de son pays et personne, pas même celle qui en souffrait, n'y voyait rien à reprendre.

Un événement bizarre rompit de façon inattendue la monotonie de l'existence de Puntsog et des siens et amena, chez Mipam, une extraordinaire transformation de caractère.

Suivant son habitude, l'enfant était dans la forêt et le troupeau paissait, dispersé parmi les taillis. Le soir venait, Mipam commença à rassembler ses bêtes pour descendre vers le village. Accoutumées à rentrer à cette heure, celles-ci se groupaient d'elles-mêmes, se dirigeant vers le sentier qu'elles devaient suivre. Alors, leur jeune gardien s'aperçut qu'une d'elles manquait : le taureau, qui généralement marchait en tête des vaches plus lentes, alourdies par leurs pis gonflés. Toutes les recherches de l'enfant furent vaines, le beau taureau demeurait introuvable. Qu'allait faire Mipam ? — Il se le demandait et non sans angoisse ; son père n'avait pas l'humeur commode, de cuisantes expériences de gifles et de coups de bâton le lui avaient démontré. Il ne doutait pas qu'il ne fût renvoyé immédiatement à la forêt pour continuer à chercher l'animal disparu. De souper, il ne serait certainement pas question... Alors, ne valait-il pas mieux s'épargner une correction et la peine de refaire tout le trajet du village à l'endroit où il se trouvait présentement.

La nuit tombait, les vaches, impatientes, meuglaient en sourdine et certaines d'entre elles commençaient à descendre vers la vallée. Le parti de Mipam était pris. Hâtivement il poussa ses bêtes jusqu'au sentier bien connu d'elles et, certain qu'elles rentreraient seules à l'étable, il remonta la pente de la montagne.

L'insignifiant garçonnet était inaccessible à la crainte. Peut-être était-ce là, de sa part, non pas tant de la bravoure qu'une complète inconscience du danger. Comme tous les autres enfants du pays, Mipam avait entendu raconter de terrifiantes histoires de démons. Il savait qu'il existe des *doring tsé*, des *rongdu*, des *tsonaglou*, des *seundé*, des *chidé*, des *samdongdu* (1), que des êtres vivent cachés dans les arbres, les rochers, les sources, prêts à jouer des tours cruels à ceux qui passent à leur portée. Il n'ignorait point que, parmi eux, sont des démons qui saisissent les enfants et les enfoncent dans les anfractuosités des rochers qui se referment sur eux. Il arrivait, parfois, que se hâtant trop et finissant mal sa besogne, l'un de ceux-ci laissât dépasser, à l'extérieur, un petit pied ou l'extrémité d'une natte de cheveux. A ces épouvantables signes, on reconnaissait qu'une victime du Mauvais était emmurée à cet endroit. Et il savait encore, le petit Mipam, que la forêt recèle des bêtes féroces qui sortent la nuit de leurs tanières et errent, en quête de proies à travers les fourrés. Très instruit était Mipam des périls que gens et bêtes courent à s'aventurer seuls la nuit loin des habitations, entourées de bannières sur lesquelles sont imprimés des charmes protecteurs. Malgré tout, Mipam n'avait point peur.

Mais Mipam avait faim ; Mipam avait toujours faim. Du taureau, pas la moindre trace ; d''ailleurs la nuit était devenue toute noire, sans le moindre rayon de lune. On n'aurait pas pu distinguer la forme de sa main au bout de son bras étendu. Le garçon trébuchait sur les racines saillantes, s'égratignait aux buissons épineux ; il se cogna le front contre un rocher proéminent ; la douleur l'étourdit, il se laissa choir à terre et se mit à pleurer à chaudes larmes parce que son front lui faisait très mal et que son estomac vide le tourmentait. Quand il eut beaucoup pleuré, il s'endormit et passa dans un autre monde où n'existaient ni taureau à retrouver ni père Puntsog à

---

(1) Respectivement : esprits des rocs voisins des sommets, des vallées, des lacs noirs, esprits qui entrent dans les gens et les bêtes et les possèdent, fantômes des morts, esprits habitant près des ponts. Tous ces termes sont orthographiés ci-dessus phonétiquement, sans égard à leur orthographe réelle.

redouter et où les tiraillements d'un estomac exigeant ne parvenaient pas.

Quand il se réveilla, il faisait jour, un jour singulier, plus doré, lui semblait-il, que celui des matins ordinaires et dont la clarté uniforme baignait, sous les arbres feuillus, les endroits qui, naturellement, eussent dû demeurer dans l'ombre. A quelques pas de là, un léopard couché, immobile, le considérait avec ses grands yeux verts attentifs.

Oh! se dit Mipam lorsqu'il eut compris qu'il était éveillé, ce léopard aurait-il dévoré mon taureau ? — Mais il ne lui vint pas à la pensée qu'il courait le risque d'être dévoré lui-même. Et comme le léopard était beau, qu'il n'en avait jamais vu de vivant et savait qu'en approcher un d'aussi près est chose très rare, puis aussi parce qu'il était encore fatigué, Mipam demeura couché regardant la bête qui le regardait.

Chez Puntsog, les vaches étaient rentrées seules. En ne voyant ni leur gardien ni le taureau, Tchangpal n'avait pas eu de peine à comprendre ce qui était arrivé. C'est chose commune qu'une bête s'égare dans la forêt ; peut-être Mipam avait-il retrouvé la sienne tard dans la soirée, trop loin de chez lui pour l'y ramener et avait-il couché dans une ferme existant sur son chemin. La brave femme ne s'était pas beaucoup inquiétée espérant voir revenir son fils au lever du jour. Mais la matinée s'avançait, et il ne paraissait pas.

Puntsog commanda alors à Dogyal de partir à la recherche de son jeune frère et comme l'ex-capitaine était, en tout, un homme pratique, il lui ordonna aussi de se munir de son arc et de flèches de façon à pouvoir abattre une antilope ou une chèvre sauvage si, par hasard, il en rencontrait en battant les bois.

Dogyal n'eut pas grand'peine à retrouver le petit bouvier ; l'endroit où il s'était arrêté la nuit précédente, et où il se trouvait encore, était peu éloigné des parages où d'ordinaire, il menait paître son bétail. Le jeune homme ne remarqua point la lumière mystérieuse dans laquelle baignait ce coin de forêt, mais il vit parfaitement le léopard et Mipam, tous deux immobiles, s'entre-regardant. Il crut que l'immobilité du garçon était causée par la terreur qu'il éprouvait et, tremblant de crainte pour lui, il lui cria, tout en mettant précipitamment une flèche dans son arc :

— N'aie plus peur, Mipam, je suis là !

En l'entendant, Mipam tourna la tête, il vit le juvénile chasseur bander son arc, se leva d'un bond se jetant devant le léopard en criant :

— Ne tire pas !

Il était trop tard, la flèche était lancée, le léopard s'enfuit et ce fut Mipam qui reçut, dans l'épaule, le dard empoisonné.

Epouvanté, sachant que la blessure est mortelle si le poison pénètre dans le sang, Dogyal jeta son arc, se précipita sur son frère, lui arracha sa robe et se mit à sucer vigoureusement sa plaie. Dogyal était lui-même très jeune, il n'avait pas encore quinze ans ; il s'affolait, n'était pas certain qu'il réussirait par la succion à empêcher le poison de s'infiltrer à travers les chairs et pensait qu'il avait peut-être tué son cadet.

Afin d'éviter que la viande des animaux qu'ils tuent avec des flèches empoisonnées ne soit dangereuse pour ceux qui la consomment, les chasseurs ont l'habitude de couper, sitôt l'animal abattu, un large morceau de chair autour de l'endroit où la flèche a pénétré. Ce moyen, seul, semblait à Dogyal d'une efficacité certaine ; mais combien il ferait souffrir le petit ! N'importe, tout valait mieux que sa mort ; le jeune homme était décidé.

— Je dois couper un morceau dans ton épaule, dit-il à son frère, sinon tu mourras. Tâche de ne pas bouger.

Il s'assit, plaça Mipam devant lui entre ses jambes serrées pour l'empêcher de remuer, puis, avec son couteau, il trancha un morceau de chair dans la partie blessée.

Le sang coulait abondamment, l'enfant n'avait ni crié ni bougé. Dogyal le crut évanoui, mais il n'avait pas perdu connaissance ; son visage était empreint d'une singulière expression d'étonnement ; il regardait fixement devant lui.

Son frère, désolé, le chargea tout sanglant sur son dos pour le ramener chez leur père. La lumière dorée illuminait toujours le sous-bois et s'avançait suivant les deux enfants dans leur route, mais, comme précédemment, Dogyal ne la remarqua pas.

2

A la suite de la rude opération pratiquée sur lui, Mipam eut la fièvre pendant huit jours. Cependant il ne se plaignait point, il ne parlait même pas. Ses parents essayèrent en vain d'obtenir de lui l'explication du mouvement singulier qui l'avait jeté devant le léopard pour le protéger. Quelle idée avait-il eue ? Quelle raison l'avait poussé à cette folle action ? Mipam ne répondait pas, demeurant plongé dans une sorte d'extase, contemplant, semblait-il, une vision qui échappait à ceux qui l'entouraient.

Et puis, un matin, Tchangpal, en s'éveillant, ne vit pas son fils. On le chercha dans la maison, autour de celle-ci, chez les fermiers du voisinage. Il demeura introuvable. Dogyal explora les régions de la forêt où son frère avait coutume de se rendre ; il ne l'y rencontra point.

Puntsog appela un *mopa* dont il ne put tirer aucun renseignement utile, « Mipam est vivant derrière un voile », se borna-t-il à dire. De quel voile s'agissait-il ? Cette déclaration paraissait dénuée de sens. Un sorcier bönpo fut appelé. Il demanda un porc qu'il immola en prononçant des formules secrètes. Ensuite, il dépeça l'animal, en étendit les membres sur un lit de feuillage et les offrit à son dieu tutélaire. Tandis que ces offrandes demeuraient au pied d'un arbre, le dieu posséda le sorcier qui commença à trembler puis à s'agiter en chantant des paroles difficiles à saisir. Puntsog et, avec lui, deux hommes intelligents du village comprirent pourtant que l'enfant avait été capturé par un démon qui le détenait

33

comme esclave. Le dieu qui révélait ce fait par la bouche du sorcier informait aussi Puntsog que le démon exigeait une vache comme rançon de son fils. La vache fut abattue avec les mêmes cérémonies que le porc et de même aussi que pour ce dernier, après un simulacre d'offrande, le sorcier emporta, comme part de ses honoraires, les meilleurs morceaux de l'animal. Telle est la coutume du pays.

En dépit de ces sacrifices, le bambin que son ravisseur devait ramener un soir dûment fixé, sous un arbre spécialement désigné, ne reparut pas. Plus de quinze jours s'étaient écoulés depuis sa disparition, les amis de Puntsog en venaient à penser que Mipam avait été dévoré par une bête féroce et Puntsog commençait à le croire aussi. La chose arrive dans ces montagnes et le stupide garçon qui traitait les léopards comme des chiens familiers était bien fait pour devenir la proie de l'un d'eux.

Malgré les supplications de Tchangpal qui conservait toujours l'espoir de revoir son fils et considérait comme propre à lui porter malheur de faire célébrer l'office des morts pour lui, Puntsog porta une robe du petit garçon au monastère voisin afin que, celle-ci tenant lieu du corps du défunt, les rites funèbres soient célébrés sur elle.

Au moment où le lama allait commencer la récitation de l'office dans son oratoire privé, la clochette placée devant lui tinta sans qu'il eût conscience de l'avoir touchée. Un sentiment d'appréhension le saisit. Etait-il prudent de décrire à un enfant qui, peut-être, appartenait encore à notre monde, les chemins qui s'entrecroisent dans le *Bardo* et de lui imposer la vision des esprits désincarnés errant le long de ceux-ci ? — En le faisant, ne risquait-il pas d'influencer « l'esprit » d'un vivant, de l'attirer, avant son heure, hors de sa vie présente ? — La responsabilité qu'il pourrait encourir de ce fait effraya le bon lama ; il fit signe au novice qui devait l'assister de réempaqueter dans leur enveloppe de soie les feuillets du livre qu'il avait déjà déliés et sortit de la pièce tout pensif.

Mipam, que l'on avait failli faire voyager sur les sentiers brumeux du Bardo, cheminait, en réalité, par la montagne. Le silence singulier qu'il gardait depuis son aventure masquait un travail laborieux de sa pensée.

Le matin où il s'était réveillé dans la forêt, en face d'un

léopard qui le regardait, avait déclenché en lui une curieuse activité de raisonnement. Le léopard que l'on disait être si méchant pouvait donc être amical... Quel mal avaient fait à ceux qui les tuaient les grandes belles bêtes à la robe mouchetée qu'il avait vu, parfois, rapporter à son village, sanglantes, suspendues par leurs quatre pattes à une grosse branche supportée sur les épaules de deux chasseurs ? — Peut-être ne leur en avaient-elles fait aucun. Et sans doute, aussi, de même que le léopard gentiment couché près de lui, pouvaient se montrer amicaux tous les fauves de la forêt, tous les êtres habitant les sources, les arbres, les rocs, les lacs noirs, les fantômes des morts et même ce terrible démon qui saisit les enfants et les emmure dans les rochers, ses garde-manger... tous pouvaient être amicaux. Peut-être était-ce parce que les chasseurs les tuaient que les bêtes des forêts étaient devenues farouches et malfaisantes... Peut-être était-ce parce que les hommes les craignaient et les haïssaient que les *dus,* les *tséns,* les *lous* et les autres « *non-hommes* » (1) leur étaient devenus hostiles... Ce beau léopard si sagement couché en face de lui, Dogyal n'avait-il pas voulu le tuer, au lieu de lui savoir gré de s'être conduit en ami envers son petit frère...

Oh ! qu'il eût été méchant de le laisser tirer sa mauvaise flèche contre la jolie bête qui semblait l'aimer ! Mipam souffrait encore de sa blessure, mais il ne regrettait pas son acte qui avait sauvé la vie au léopard. Désolé parce que ses parents et les gens de son village ne comprenaient pas la bonté, il s'était douloureusement senti étranger parmi eux et les avait quittés et, tout petit qu'il fût, il cheminait en quête de sa vraie famille : d'un pays où les hommes ne font pas de mal à ceux qui ne leur en ont point fait et ne se hâtent pas de déclarer méchants ceux qu'ils ne connaissent pas.

Comme le petit bonhomme plongé dans ses réflexions s'en allait sans hâte, à l'aventure, se nourrissant de la *tsampa* dont il avait eu la prudence d'emporter une provision pour son voyage, des racines et des fruits

(1) Les *mi ma yin* qui comprennent diverses espèces de génies, d'esprits, de fées, etc., voir glossaire.

sauvages, il vit venir un *naldjorpa* à la longue chevelure dont le bâton de pèlerin était surmonté d'un trident.

— Où allez-vous ainsi, tout seul, mon jeune ami ? demanda à Mipam l'ascète étonné de cette rencontre.

— Je vais au pays où les êtres s'aiment les uns les autres, répondit sérieusement l'enfant. Puis, questionnant :

— Savez-vous de quel côté je dois aller ? — Voici déjà longtemps que je suis en route et tout ce que je vois ressemble à ce que l'on voit autour de mon village. Les oiseaux et les lièvres s'enfuient à mon approche. Les gens d'ici les tuent, sans doute, comme le font mon frère Dogyal et ses amis. Ces pauvres animaux me croient méchant, ils ont peur de moi ; s'ils étaient plus forts, ils m'attaqueraient peut-être pour m'empêcher de leur faire du mal.

Le *naldjorpa* considérait attentivement le singulier petit voyageur. Il lui semblait voir briller, dans ses yeux, le reflet d'une lumière intérieure et percevait, dans ses paroles enfantines, l'écho d'une doctrine qu'il avait entendu énoncer par certains sages ermites.

— Qui que soit celui qui se dit ton père, tu es, en vérité, un fils de *Tchénrézigs,* dit-il à l'enfant. Le pays que tu cherches n'existe pas où tu vas. Il appartient à ceux de ta race de le créer... Quel est ton nom ?

— Mipam (1), répondit le garçon.

— Bien nommé es-tu ! s'exclama l'ascète. Un nom glorieux ! Justifie-le... Je vais te donner de la *tsampa* et du beurre... Retourne chez toi. Ton père, Tchénrézigs, te montrera, un jour, la route que tu dois suivre...

Mipam mit la *tsampa* et le beurre dans son sac, maintenant à peu près vide, et tandis que le *naldjorpa* s'éloignait à grands pas, il s'assit sur une pierre.

Les paroles du pèlerin l'avaient fortement désappointé. Devait-il le croire ? — Tous les hommes, en tous lieux, ressemblaient-ils à ceux de son village ? — Tous vivaient-ils vraiment en inimitié avec les êtres autres que les humains et, comme les querelles dont il avait été témoin le lui avaient déjà appris, nourrissaient-ils, aussi, de la

(1) Mipam signifie « invincible ».

malveillance envers d'autres hommes semblables à eux ?...
Ceci lui paraissait dur à accepter.

Et pourquoi ce *naldjorpa* lui avait-il dit qu'il était le fils de Tchénrézigs ? Son père, il le savait très bien, s'appelait Puntsog et était, simplement, le chef du village tandis que Tchénrézigs représenté, en peinture, sur les murs des temples, est un très puissant seigneur, pourvu de onze têtes et d'une multitude de bras, à qui l'on s'adresse, après avoir récité « mani » en disant : *Tchénrézigs Kiéno*. Sa mère le disait souvent et, certainement, ce n'était pas alors à son mari qu'elle parlait.

Très bon était cet ascète qui lui avait donné des provisions alors que, depuis plusieurs jours, il se trouvait presque réduit à jeûner, mais savait-il bien ce qu'il disait ?
— Mipam en doutait fortement. Peut-être le pays qu'il cherchait était-il très lointain ; le *naldjorpa* ne le connaissait pas et, dans ce cas, lui, petit garçon, aurait bien du mal à l'atteindre. Il ne marchait pas vite et puis, se nourrir est chose difficile par la montagne, lorsqu'on ne veut ni s'embusquer pour tuer des oiseaux en leur lançant des pierres, ni placer des pièges dans les ruisseaux pour prendre des poissons.

Les villages où l'on peut demander l'aumône sont clairsemés, il n'en avait pas traversé un seul depuis son départ. Son entreprise commençait à lui paraître d'une réalisation peu aisée. Il n'y renonçait certes pas, mais il sentait la nécessité de s'entourer de conseils et de se mieux renseigner.

Conseils et renseignements pouvaient se trouver non loin de son village. A une journée de marche de celui-ci, un ermite vivait dans une hutte adossée à un roc qui la surplombait, la protégeant des neiges hivernales. Mipam n'avait jamais vu l'ermite, mais il avait entendu parler de lui et de sa cabane. Il savait que son père envoyait, de temps en temps, Dogyal porter des vivres à ce *gomchén*. Il connaissait le sentier conduisant à l'ermitage bien qu'il ne l'eût jamais parcouru jusqu'au bout et il se croyait capable de le rejoindre sur les pentes sans descendre jusqu'à l'endroit d'où il partait, dans la vallée. Il consulterait donc l'ermite au lieu de retourner chez son père... Et voici le petit bonhomme reparti à travers la montagne.

— Tu es donc le fils d'Akou Puntsog ? dit le *gomchén* à l'enfant lorsque ce dernier se fut présenté à lui et lui eut exposé son désir.

« Bon ! pensa Mipam, celui-ci voit clairement les choses ; il ne me prend pas pour ce fils de Tchénrézigs dont je n'ai jamais entendu parler », et, mis en confiance, il raconta à l'anachorète son aventure avec le léopard, les idées qu'elle lui avait suggérées et tout ce qui s'était ensuivi.

Il y avait dix-huit ans que Yeuntén Gyatso habitait la hutte sous le rocher, qu'il avait héritée d'un autre solitaire, son maître spirituel. Ainsi, depuis des centaines d'années, disait-on, toujours un *gomchén* vivait à cet endroit, le disciple succédant au maître, en une lignée ininterrompue, afin de protéger les habitants du pays contre les nombreux démons qui l'infestaient.

A mesure que l'enfant parlait, l'ermite se rappelait les rumeurs qui avaient couru concernant les faits surprenants remarqués lors de sa naissance. Même si l'on ne voyait dans ces derniers qu'un produit de l'imagination des parents de Mipam et de leurs amis, il n'en demeurait pas moins que les pensées et la conduite de Mipam étaient extraordinaires. Qui donc les lui inspirait ?... Cet enfant de neuf ans devait être l'incarnation d'un *Bodhisatva* ou celle d'un saint lama défunt, et, puisque l'enchaînement mystérieux mais inéluctable des causes et de leurs effets le lui amenait, il convenait qu'il l'accueillît et s'efforçât de faciliter sa carrière.

— Ecoute, dit-il à Mipam, le voyage que tu as voulu entreprendre est plus ardu et plus long que tu ne l'as imaginé. Il te faut apprendre beaucoup de choses avant de le tenter. Si tu le veux, je t'instruirai, mais tu dois, avant tout, rassurer ta famille que ta fuite a dû affliger. Tu vas coucher ici et puis, demain matin, tu partiras et iras porter à la ferme de Passang, que tu connais bien, une lettre que je te donnerai. Le chemin est bon et descend constamment ; tu marcheras vite et seras chez lui vers le milieu du jour. De là, il te fera conduire à cheval chez ton père à qui j'écris aussi, lui conseillant de te ramener, d'ici peu, auprès de moi.

L'idée de retourner à la maison paternelle ne souriait guère à Mipam ; il venait de goûter aux joies du vagabon-

dage et de la liberté et celles-ci sont t̶...
l'on puisse y renoncer aisément, mais ̶...
moyen de résister. Il obéirait donc au *gom*̶...
puisque celui-ci voulait bien de lui comm̶...
demeurerait pas plus de quelques jours chez ̶...

La nuit qu'il passa dans la hutte de l'ermite d̶...
à jamais gravée dans la mémoire de Mipam.

Après leur repas : du grain grillé et du thé au ̶...re,
Yeuntén Gyatso indiqua à son jeune hôte un vieux
morceau de tapis en lui disant de l'étendre dans un coin et
de se coucher pour dormir. Puis, sans plus s'occuper de
lui, il alluma une petite lampe et quelques bâtonnets
d'encens sur une étagère qui supportait aussi quelques
livres. C'était là son autel. Vers quel Dieu ou quel Sage
montaient les volutes de fumée odoriférante qui s'en
élevaient, nul n'eût pu le dire, car sur les planches,
grossièrement taillées à la hache, de l'étagère, ne se
trouvait aucune statuette et le mur auquel elles s'ap-
puyaient n'était orné d'aucune image.

Assis les jambes croisées, les pieds reposant sur les
cuisses, la tête et le buste droits et rigides, le *gomchén*
méditait, immobile.

A travers les fentes des murs en pierres sèches et les
planches mal jointes de la porte, l'air de la forêt entrait
moite et parfumé, tout imprégné de douceur et de sereine
puissance. De légers craquements de branches sèches, le
bruit des feuilles froissées décelaient la présence d'animaux rôdant aux alentours et, de temps en temps, le cri
d'un oiseau nocturne traversait l'espace. Comme les flots
d'un torrent battent un roc immobile, des vagues de vie
déferlaient autour de la cabane silencieuse.

Mipam avait déjà passé bien des nuits dans la montagne
et sa maison paternelle, au fond de la vallée, s'élevait à
l'orée des bois, mais ayant grandi tout proche de la nature
et habitué à cette ambiance spéciale, les choses qui
l'entouraient n'avaient jamais excité son attention. Maintenant tout lui semblait nouveau. Il écoutait, sentait avec
des sens à la puissance centuplée, ou, plutôt, avec des sens
différents de ceux qui nous servent chaque jour. Et ce qu'il
écoutait, ce n'était pas seulement le pas des bêtes cherchant leur nourriture à travers les taillis ; ce qu il sentait,
ce n'était pas seulement l'odeur de la terre humide, celle

tombées et pourrissantes, la respiration des et le parfum des herbes. Un chœur lamentable et passionné s'élevait de l'ombre environnante, envahissait la hutte, rampait, suppliant, aux pieds de ceux qui l'occupaient. Il disait la douleur des êtres sacrifiés aux besoins des autres : des feuilles broutées, des insectes dévorés et la douleur de ceux qui s'en repaissaient, l'œil aux aguets, les oreilles dressées, le cœur tremblant de crainte, sachant que de plus forts qu'eux les cherchaient pour en faire, à leur tour, leur pâture. D'autres voix déchirantes clamaient l'horreur de certains pour leurs propres actes, quand poussés par la tyrannie impérieuse de la faim ils broyaient les plantes impuissantes ou sentaient palpiter sous leurs dents la créature qu'ils déchiraient. Epouvante! désespoir! hurlaient ou sanglotaient les voix grêles ou puissantes et ce qu'elles n'exprimaient point, ce que les tristes choristes n'avaient point sans doute été capables de discerner au fond de leur pensée obscure, c'était une soif passionnée de la bonté, de l'amitié qu'ils ne rencontraient ni autour d'eux ni en eux-mêmes.

Toujours immobile, enveloppé de son *zen* sombre, le *gomchén* se discernait à peine dans l'ombre. La petite lampe d'autel s'était éteinte depuis longtemps : un seul bâton d'encens rougeoyait encore au ras du socle en terre dans lequel il avait été planté. Le minuscule point de feu qu'il mettait dans les ténèbres jeta, soudain, deux éclats lumineux, puis s'effaça et l'obscurité devint complète. Alors Mipam se mit à pleurer silencieusement...

A l'aube, le *gomchén* dégagea ses genoux de la « corde de méditation » (1) qui leur servait de support et se leva. Avait-il sommeillé? Avait-il passé toute la nuit en contem-

(1) En réalité, cette « corde » est une bande d'étoffe cousue en double. Entre les deux étoffes sont, généralement, insérés de minces feuillets de papier sur lesquels sont inscrits des textes sacrés ou des formules au sens mystique. La longueur de cette bande, dont les deux extrémités sont cousues ensemble, est calculée d'après la taille de la personne à laquelle elle doit servir. On s'en sert en la passant sur les reins, ou plus haut sur le dos, et au-dessus des genoux — les jambes étant croisées dans la position que l'on voit aux statues du Bouddha — de façon à encercler le corps et à lui procurer un soutien qui lui rend plus facile l'attitude de méditation, lorsque celle-ci doit être soutenue pendant très longtemps. Toutefois, l'usage des « cordes de méditation », bien qu'assez répandu au Tibet, n'y est pas général; certains maîtres spirituels le désapprouvent même et l'interdisent à leurs disciples.

plation ? — Mipam était trop absorbé par ses propres pensées pour s'en inquiéter. Il savait seulement que son hôte était demeuré droit et immobile pendant toute la nuit.

— Va puiser de l'eau pour faire du thé, commanda l'anachorète, et le garçonnet, prenant un baquet, alla le remplir au ruisseau voisin.

Quand ils eurent déjeuné avec de la *tsampa* et du thé au beurre, l'ermite s'adressa à Mipam.

— Tu agites en toi des pensées bien lourdes pour un enfant de ton âge, lui dit-il. Bien peu d'hommes faits pourraient en soutenir le poids. Tu sembles promis à une noble destinée. Si je le puis, j'essaierai de t'y préparer et d'éclaircir pour toi le sens de ce que tu pressens obscurément.

« Sache, toi qu'afflige la malveillance, que les êtres s'entre-témoignent, qu'à la racine de chaque acte cruel existe une fausse notion de notre « moi » et de celui d'autrui. Les actions du méchant lui sont inspirées par la crainte de souffrir ou par le désir d'accroître sa jouissance, sans qu'il s'aperçoive qu'en les commettant il risque, au contraire, d'attirer plus de souffrance sur lui et introduit, dans sa joie, le poison de l'insécurité.

« Certains sont devenus méchants pour s'être égarés dans le voyage que tu projettes. Ils ont cru avoir atteint un îlot de la terre où l'amitié règne ; leur fraternelle confiance y a été trahie, ou bien ils y ont découvert l'indignité des héros dont ils s'étaient approchés avec vénération. La douleur poignante causée par la déception s'est muée, chez eux, en haine : ce sont les plus à plaindre.

« L'homme vulgaire aime ceux qui lui paraissent bons, le sage étend sa plus grande sympathie à ceux qu'il voit être méchants parce qu'il a sondé leur misère.

« Sans doute as-tu déjà entrevu ces vérités dans une de tes existences passées, mais dans ta vie présente, tu n'es encore qu'un enfant de neuf ans et tu ne peux pas les comprendre.

« Aujourd'hui, retiens seulement deux mots : Pitié et Bienveillance. Ils sont la clef d'un pouvoir magique, et les noms des premières étapes sur la route du pays dont tu rêves. Conserve-les dans ta mémoire. Quand tu seras devenu mon élève, je t'en apprendrai davantage. »

Mipam n'avait pas compris grand-chose au beau discours du *Gomchén;* cependant, comme il était bien élevé et connaissait les usages, il se prosterna trois fois devant lui en disant respectueusement :

— J'emporte vos paroles sur ma tête, *Kouchog* (1).

Puis l'ermite écrivit deux lettres, l'une pour le fermier Passang et l'autre pour Akou Puntsog. Dans cette dernière il expliquait au chef du village les circonstances qui avaient conduit Mipam chez lui. Il l'informait qu'il avait reconnu en son fils un esprit particulièrement tourné vers la « religion » d'universelle bienveillance des Bodhisatvas et qu'il se chargerait volontiers de l'instruire.

Toutefois, le sage anachorète n'eut point à prendre cette peine. Il ne revit point le petit pèlerin marqué du sceau du Tchénrézigs et celui-ci n'eut jamais l'occasion d'entendre, de sa bouche, l'explication du discours qu'il lui avait tenu. Il devait, sans doute, la trouver lui-même.

Puntsog était assis au-dehors, sur un banc accoté à sa maison, lorsque Mipam, à cheval et accompagné d'un domestique du fermier Passang, apparut. L'irascible ancien capitaine bondit en l'apercevant, et d'un geste prompt, saisit la forte canne qu'il gardait toujours à portée de sa main. L'enfant avait à peine eu le temps de se laisser glisser de sa selle et de mettre pied à terre que son père l'avait saisi et manœuvrait son gourdin avec rage.

— Ne le battez pas ! ne le battez pas ! s'exclamait le domestique. *Djowo Gomchén* l'envoie avec une lettre. Lisez-la !

— J'apporte une lettre du *gomchén,* confirmait le garçon se débattant pour échapper à la correction, mais Puntsog avait la poigne solide et sur le pauvre Mipam, agrippé par un bras, le gourdin paternel continuait à s'abattre.

Lançant à l'ex-capitaine des regards décelant la fureur plutôt que l'amitié, le jeune explorateur en quête du pays où tous s'aiment se mit à vociférer de toutes ses forces :

— Lâche-moi ! Tu n'as pas le droit de me frapper... Tu

(1) *Kouchog :* monsieur avec une nuance respectueuse, comme *sir* en anglais.

42

n'es pas mon père. Puntsog, entends-tu, je suis le fils de Tchénrézigs !...

La stupéfaction éprouvée par Puntsog en entendant cette déclaration extraordinaire lui fit desserrer les doigts et Mipam en profita pour se sauver. Parvenu à une petite distance de son père, il se retourna, la face rouge de colère et recommença à apostropher celui-ci en l'appelant par son nom (1) :

— Hé ! Puntsog, mauvais homme, tu as osé me battre... Mon père te punira. Il te battra avec ses mille bras et te maudira avec ses onze bouches (2).

L'ancien guerrier ne savait plus où il en était. Il se demandait si le petit insolent qui narguait son autorité et le reniait si véhémentement n'était pas un démon qui avait animé le cadavre de son fils mort dans la forêt et sous cette trompeuse apparence venait le tourmenter.

Il n'était pas revenu de sa stupeur lorsque Tchangpal, ayant entendu les cris de l'enfant, arriva sur le théâtre du drame.

La brave femme ne conçut aucun doute sur l'identité de Mipam et, se précipitant vers lui, elle le serra avec tendresse dans ses bras. Le garçon la laissa faire, mais lorsqu'elle voulut l'emmener à la maison, il se rebiffa violemment de nouveau. Il ne rentrerait point chez ce « Puntsog » qui le battait.

Tchangpal n'y comprenait rien. Ce n'était pas la première fois que son mari corrigeait Mipam, il agissait de même avec Dogyal et tous les pères font de même. Mipam, qui s'était enfui de la maison et leur avait causé tant d'anxiété, méritait bien d'être battu. Elle était infiniment heureuse de revoir son enfant, mais ne pouvait pas blâmer son mari pour avoir châtié le jeune vagabond. Et comment Mipam osait-il appeler son père par son nom ; d'où lui venait cette insolente audace ? — Toutefois, la joie éprouvée par Tchangpal en retrouvant le fugitif était trop grande pour qu'elle pût s'attarder à beaucoup de considérations et se montrer sévère.

(1) Appeler ses parents par leur nom constitue, au Tibet, le plus grave manque de respect.
(2) Tchénrézigs, personnification de la bonté et de la charité parfaites, est représenté sous différentes formes. L'une de celles-ci, dérivée de la légende du personnage, lui donne mille bras et onze têtes.

— Viens, dit-elle, je te mettrai dans le *lhakhang* et t'y porterai du thé, ton père n'ira pas t'y battre, je te le promets.

Et, sans attendre sa réponse, la vigoureuse maman souleva son fils de terre et l'emporta dans ses bras. Mipam ne protesta pas et murmura seulement à l'oreille de sa mère :

— Et j'aurai de la *tsampa* et du *pouram* avec le thé ?

— Tu en auras, promit Tchangpal.

Puntsog se laissa facilement convaincre de ne pas poursuivre Mipam dans le *lhakhang*. Les singulières paroles de son fils ne lui sortaient pas de l'esprit. Jamais aucun enfant n'avait tenu un pareil langage. A qui serait-il venu à l'esprit de se prétendre le fils de Tchénrézigs ? — Ceci ressemblait à un blasphème !

« *Aum mani padmé houm !* » récita le capitaine pour se protéger contre la colère du « Seigneur à la vision pénétrante » qui, tout infiniment bon qu'il soit, revêt parfois aussi une forme terrible. Puntsog avait appris ce détail d'un sien cousin appartenant à l'ordre religieux.

Le père de Mipam était loin d'être pieux et même, il ne récitait jamais « *Aum mani padmé houm !* ». Son tempérament violent, prompt à l'emportement, l'entraînait, de par la loi des affinités, à offrir ses hommages à un personnage qu'il jugeait plus mâle que le Grand Compatissant. D'une voix forte, il martelait les syllabes sonores du mantram de Padmasambhâva : « *Aum gourou Padma siddhi houm !* »

Le *houm !* final, exclamation mystique de colère, articulé par lui, faisait trembler la maison et dénotait ordinairement que Puntsog était ivre. L'alcool, seul, suscitait chez lui des manifestations de dévotion.

Par enchaînement d'idées, Puntsog venait, à propos de Tchénrézigs, de penser à son cousin le *tsipa* Chésrab. Il ne l'aimait guère et c'est ce qui l'avait empêché de le consulter à propos de la disparition de Mipam, mais tous s'accordaient à reconnaître en Chésrab un *tsipa* savant et très versé dans les rites religieux les plus compliqués. Dans sa jeunesse, il avait passé plusieurs années au monastère de Mindoling, comme élève d'un lama-*tsipa* en renom. De ce fait, il jouissait d'une véritable notoriété dans son pays natal. C'était, d'ailleurs, pourquoi Puntsog, à la fois doué d'assez de naturel bon sens pour douter de la science de son parent et jaloux de son prestige, ne l'aimait pas et le fréquentait peu.

Cependant, les circonstances étaient graves. La lettre du *gomchén*, qu'il avait enfin lue, le rendait perplexe. Yeuntén Gyatso lui conseillait de laisser Mipam embrasser la vie religieuse et il déclarait avoir discerné sur son front des signes remarquables. Cela cadrait bien avec les circonstances singulières qui avaient accompagné la naissance de l'enfant. Et voici que ce dernier se déclarait fils de Tchénrézigs !...

Puntsog ignorait que le petit tenait cette idée du *naldjorpa* rencontré dans la forêt, le *gomchén*, à qui il l'avait raconté, ayant jugé inutile de mentionner ce détail dans sa lettre. Ainsi, pour lui, cette déclaration de Mipam revêtait un caractère troublant. Se pouvait-il que, malgré le jugement des lamas de Tcheu-Khor, Mipam fût un véritable *tulkou* comme il l'avait cru ? — Alors, qui sait, tout n'était peut-être pas perdu, il pouvait encore espérer finir ses jours dans la prospérité attachée à la condition de père d'un lama incarné.

Oh ! oui, la situation était sérieuse et malgré son habituelle assurance et la bonne opinion qu'il avait de son intelligence, Puntsog sentait le besoin d'un conseiller. Il n'en voyait qu'un à sa portée : son cousin l'astrologue ; ses préventions contre lui ne l'empêchaient pas de constater l'estime en laquelle le tenaient tous les gens du pays et, malgré lui, leur unanime opinion concernant le grand savoir de Chésrab l'impressionnait. De plus, Chésrab était son proche parent, le fils de son oncle paternel, donc, selon l'usage tibétain : un frère. Mieux qu'un autre, il s'intéressait à Mipam dont le succès, en raison de leur parenté, pouvait rejaillir en honneur et en profits sur lui.

Tchangpal fut mandatée et ordre lui fut donné de tenir prêts, pour le lendemain matin, quelques bons morceaux de viande séchée, deux douzaines d'œufs et un sac de grain fermenté pour faire de la bière. Puntsog emporterait le tout comme présents à son cousin chez qui il voulait se rendre.

Le lendemain, le père de Mipam, monté sur son meilleur cheval, quittait sa maison ; devant lui marchait une mule portant les cadeaux qu'il allait offrir à l'astrologue.

Le *tsipa* Chésrab habitait à moins d'une journée de marche de la ferme de Puntsog. C'était un grand gaillard ventru, truculent et retors, mari de deux épouses dont la plus âgée lui était commune avec son frère aîné. Ce dernier, un *trapa* comme Chésrab, mais de caractère paisible, pieux et sans malice, vivait dans une modeste ferme, entourée de champs, dont il était propriétaire. Un de ses neveux, fils de sa sœur, cultivait ceux-ci et prélevait, sur le rapport, de quoi subvenir aux besoins de son oncle. Pendant longtemps, Nordzinma, l'épouse polyandre, avait vécu auprès de son plus jeune et plus brillant mari : le *tsipa*, qui était son cadet d'un bon nombre d'années. Plus tard, méconnaissant le dévouement de sa vieille compagne dont le labeur assidu avait permis de faire rendre à leur terre et à leur bétail de quoi pourvoir à sa subsistance tandis qu'il poursuivait ses études d'astrologie, Chésrab ne l'avait pas associée à sa prospérité et avait épousé une veuve munie de biens que tentait l'honneur d'être la compagne d'un *tsipa* en renom. Nordzinma, se sentant devenue une étrangère dans la maison de Chésrab où elle n'était plus que poliment supportée après en avoir été la maîtresse, avait fini par rejoindre son autre mari et Péma, la seconde épousée, d'un caractère passablement analogue à celui de Chésrab, rusée et âpre au gain comme ce dernier, administrait habilement sa petite fortune et lui faisait une adroite réclame.

— Donnez-vous la peine d'entrer, Akou Puntsog, dit Péma au visiteur en s'empressant de tenir la bride de son cheval. Vous avez pris de la peine. *Djowo Tsipa* (1) sera heureux de vous voir...

Tandis que Puntsog gravissait les marches en pierre brute d'un perron rustique, plusieurs jeunes garçons — les élèves de Chésrab — s'empressèrent de décharger la mule portant les cadeaux destinés à leur maître et de la conduire à l'écurie avec le cheval du visiteur.

— *Atsi !* Je n'attendais pas votre visite, *Adjo* (2), s'exclama Chésrab lorsque son cousin entra dans la pièce où il se tenait. Asseyez-vous doucement et buvez du thé.

(1) Terme poli : « Le seigneur astrologue ».
(2) Frère aîné : appellation polie.

46

Un garçonnet d'une dizaine d'années arrivait déjà portant à hauteur de son épaule, comme la politesse l'exige, la grande théière en cuivre. Il la secoua légèrement, puis versa du thé dans une tasse pourvue d'une soucoupe montée sur pied et d'un couvercle en argent, que Péma avait placée sur une table basse, devant l'épais coussin sur lequel Puntsog s'était assis.

— Votre santé est bonne ? s'enquit Chésrab, s'adressant à son cousin.

— Je vais très bien, répondit Puntsog. Votre santé, à vous, est bonne ?

— Très bonne...

Les garçons entraient dans la cuisine contiguë, apportant les bagages de Puntsog. En les entendant, celui-ci se leva et les rejoignit. Il déballa le contenu des sacs, plaça les œufs et la viande dans les plats que Péma lui tendait, versa le grain fermenté dans un panier et fit signe aux enfants de porter ces cadeaux devant leur maître.

Habitués à ce cérémonial, les garçons déposèrent plats et panier sur le plancher devant la couche sur laquelle Chésrab demeurait assis. Puntsog, qui les avait suivis, tira alors de son *amphag* une petite écharpe de tarlatane blanche, l'étendit sur son offrande et avec une modestie de commande, annonça :

— Je vous ai apporté quelques petites choses, *tsipa lags* (1).

— D'excellentes choses, vous êtes bien bon, *adjo*. Vous avez pris de la peine pour transporter tout cela.

— Aucune peine, nia poliment Puntsog.

— Asseyez-vous donc doucement, et buvez du thé, dit Chésrab.

Sur un signe de Péma, les éphèbes rapportèrent les cadeaux à la cuisine, sauf l'écharpe, qu'ils accrochèrent à un angle de la table placée devant la couche de leur maître.

Un autre garçon entra de nouveau avec la théière, emplit les tasses des deux hommes, puis se retira à reculons, les laissant en tête à tête. Tous deux burent et

---

(1) *Lags*, une syllabe sans signification propre, ajoutant une nuance de respect ou de politesse au mot qu'elle suit : *tsipa lags* : honorable ou respectable astrologue.

demeurèrent silencieux pendant quelques instants. Après quoi Puntsog prit la parole.

— Je suis venu, *tsipa lags*, vous consulter au sujet d'une affaire vraiment extraordinaire.

— Je vous écoute, répondit Chésrab.

— Il s'agit de Mipam... sa conduite est inexplicable...

Et Puntsog raconta en détail, avec maintes redites, tout ce qui s'était passé : comment l'enfant avait été trouvé assis en face d'un léopard et comment il s'était fait blesser pour protéger l'animal. Puis son mutisme singulier, sa fuite, son retour muni d'une lettre du *gomchén* Yeunten Gyatso, qui offrait de le prendre pour élève et de l'instruire dans la Précieuse Doctrine des Bouddhas. Enfin, les paroles stupéfiantes de Mipam le reniant, lui, Puntsog, et se déclarant fils de Tchénrézigs.

— *A-la-la* (1) *!* s'exclama le *tsipa* lorsque son cousin eut terminé son récit, voici qui est merveilleux, à moins que le tout ne soit qu'illusion créée par un démon malfaisant.

— Ceux de Tcheu Khor ont dû se tromper, reprit Puntsog, Mipam est véritablement un *tulkou* comme le dénotaient les signes vus lors de sa naissance.

— A moins qu'il ne soit un démon incarné, répéta le *tsipa*. La chose arrive. Dougpa Kunlégs n'a-t-il pas découvert un de ces mauvais êtres chez de braves gens dont tous les enfants étaient morts en bas âge ? Leur dernier fils, seul, semblait grandir en bonne santé. Le clairvoyant Dougpa Kunlégs discerna sa nature et prévit qu'il tuerait un jour ses parents s'il n'était pas détruit avant qu'il n'en devienne capable. Il ordonna à la mère de jeter l'enfant dans un lac. Celle-ci hésitait, mais le père, plein de foi dans le *doubthob*, se saisit du garçon et le précipita dans l'eau où celui-ci se transforma immédiatement en un chien noir qui s'échappa à la nage.

— *Lags, lags*, c'est effrayant, concéda Puntsog, mais Mipam n'est pas un démon, à moins qu'il ne soit mort et que l'un de ceux-ci ne soit entré dans son cadavre et l'ait, ainsi, ranimé... Ou bien encore un malfaisant *ngagspa*, ou un *bön* devenu vieux et sentant sa fin proche, pourrait avoir rejeté son propre corps et transféré son esprit dans le corps de Mipam, soit qu'il l'ait tué, soit qu'il l'ait trouvé

_____

(1) Exclamation tibétaine dénotant que l'on est émerveillé.

déjà mort... Ces idées me sont venues, mais je n'y crois pas. Mipam n'est pas mort. Toutes ces histoires de démons ou de magiciens s'introduisant dans le corps d'un mort remontent à longtemps... On ne voit plus rien de semblable de nos jours...

Et revenant à l'idée qui lui était chère : « Décidément, conclut-il, Mipam est bien un *tulkou*.

« Il s'agit, maintenant, d'être habiles. Comment le rendrons-nous capable de démontrer son identité et de prendre possession de son siège ? — Dois-je l'envoyer au *gomchén* ?... Par toutes sortes de pratiques qu'ils tiennent secrètes, ces ermites acquièrent de grands pouvoirs. Le *djowo* de Tagkar riteu passe pour être un *doubthob;* Mipam apprendrait peut-être de lui le moyen de faire reconnaître ses droits à la succession de Mipam le Thaumaturge et de s'asseoir enfin sur son trône à Tcheu Khor ?...

— Mipam n'apprendrait rien de tout cela, interrompit brusquement le *tsipa*. Votre tête, *adjo,* est remplie d'idées folles. Les gens de Tcheu Khor ont choisi leur lama. Voici plus de six ans qu'il a été assis solennellement sur son trône. *Kyabgön rimpotché* l'a reconnu comme le véritable *tulkou*. La question de cette succession est réglée. Vous nourrissez de folles idées, vous dis-je. N'y pensez plus et envisageons un plan raisonnable.

Puntsog poussa un soupir de regret, mais il était venu demander conseil, il convenait donc qu'il écoutât ceux qu'on lui donnait.

Chésrab croisa ses jambes plus étroitement, redressa son buste massif, arrangea les plis de son *zen* autour de ses épaules et, d'un air d'autorité, s'adressa à son cousin :

— Tandis que vous me racontiez les faits singuliers se rapportant à votre fils, dit-il, ma clairvoyance m'a montré la voie qui lui convient. Vous ne m'avez pas demandé d'établir son horoscope quand il est né, c'était un tort, mais vous étiez alors si fier à cause des prodiges que vous et votre femme croyiez avoir contemplés que vous dédaigniez ma science. Comme nous sommes parents, je réparerai le mal, mais, dorénavant, fiez-vous à moi.

« Envoyer Mipam chez le *gomchén* serait absurde. Tous nous vénérons le *Djowo gomchén,* mais de quel profit un *gomchén* est-il à sa famille ? — Si votre fils, dont le caractère semble être bizarre, allait se mettre dans l'esprit de succéder à son maître et d'occuper, après lui, sa hutte sous le rocher, il vous faudrait le nourrir toute sa vie. Est-ce là votre désir ?...

Sans qu'il eût besoin de parler, la contenance de Puntsog indiquait clairement que cette perspective ne lui souriait point.

— Votre fils, reprit Chésrab, manifeste du penchant pour la religion...

— Je n'ai point spécialement remarqué cela, répliqua son cousin, mais *Djowo gomchén* le croit.

— Peu importe, trancha Chésrab. Vous avez un fils aîné pour hériter de votre bien ; il sera honorable pour vous que le cadet porte l'habit religieux. Ceci n'exclut plus une carrière lucrative. Que diriez-vous si j'en faisais un *tsipa ?*

— Un *tsipa*... hé ! ce n'est pas mauvais, déclara Puntsog. Votre situation est enviable, *tcheupa lags*.

— Je la dois à mon savoir, répliqua dignement le *tsipa*. Mipam devra montrer beaucoup d'intelligence et d'assiduité à l'étude s'il veut m'égaler un jour. Je l'y aiderai parce qu'il est votre fils.

« Amenez-le-moi, je le ferai recevoir dans mon monastère par notre lama Ringtchén Tinglégs ; ensuite il deviendra mon élève et habitera chez moi, je l'y instruirai.

En silence, Puntsog pesait dans son esprit les avantages et les inconvénients de cette proposition. L'accepter, c'était tout d'abord s'imposer une forte dépense. Le *gomchén* se contenterait sans doute qu'il pourvût à la nourriture de Mipam et celle-ci, auprès de l'ermite, pouvait être frugale. Chésrab était un maître d'un autre genre. Il vivait grassement, ainsi que sa cupide épouse. Les parents de ses élèves devaient lui fournir d'abondantes contributions de vivres de premier choix... quelque argent aussi, s'ils voulaient que Chésrab s'intéressât aux études des garçons et leur épargnât les besognes manuelles trop dures. Il fallait aussi intercéder auprès de la dame du logis qui régnait à la cuisine et à l'heure des repas mesurait la part des enfants proportionnellement aux cadeaux qu'elle recevait de leurs familles. Un rouleau de *pourouk* ou de soie pour confectionner une robe ou une chemisette, une boule de corail pour attacher à un collier devaient forcément lui être offerts en certaines occasions. Tout cela fournissait matière à de sérieuses considérations.

D'autre part, le caractère singulier de Mipam présageait des difficultés pour sa famille. Il y avait lieu de craindre que le garçon montrât peu d'aptitudes pour les travaux des champs. Tout jeune qu'il fût, on discernait déjà, en lui, une tendance à la flânerie paresseuse et sa gourmandise était évidente. Il venait de se montrer coléreux et audacieusement insolent envers son père, qu'adviendrait-il lorsqu'il serait devenu capable d'user de réelle violence ?...

Son entrée dans l'ordre religieux résolvait le problème. Etant suffisamment instruit, Mipam pourrait sans doute être admis dans quelque important monastère où le *gyai* est abondant et y vivre sans être à la charge des siens. S'il réussissait à devenir *tsipa*, sa situation serait encore cent fois plus belle. Il avait, alors, toutes chances d'acquérir une large aisance. Quant à son père, outre l'honneur qui lui reviendrait d'avoir un fils savant, il pouvait espérer partager son bien-être. Une vieillesse confortable, de gras repas largement arrosés d'eau-de-vie se peignaient dans l'imagination de Puntsog. Cette agréable perspective valait bien quelques sacrifices momentanés.

Le père de Mipam sortit de ses réflexions, il avait pris une décision.

— C'est entendu, *tsipa lags,* déclara-t-il. Je vous amènerai Mipam dans quelques jours. J'espère que, sous votre direction, le savoir lui viendra rapidement.

Chésrab frappa ses mains l'une contre l'autre. A ce bruit, un garçon entra, portant la théière.

— *Tchang* (eau-de-vie), commanda le *tsipa* avec un geste qui renvoyait l'enfant.

Quelques minutes plus tard, Péma apparut, portant deux tasses. Au bord de chacune d'elles, à trois endroits différents, un peu de beurre était collé comme un ornement. C'étaient là des signes de bon augure appelant le succès et leur nombre indiquait que trois tasses devaient être successivement vidées.

Après avoir posé une tasse devant chacun des hommes, Péma sortit et revint immédiatement portant un flacon en poterie contenant l'eau-de-vie. Cérémonieusement, elle servit d'abord son mari à qui sa qualité de *tsipa* donnait un rang social plus élevé que celui de son cousin, puis versa le fort breuvage à ce dernier. Tous deux vidèrent leur tasse. La maîtresse du logis les emplit de nouveau dans le même ordre. Ceux-ci burent encore ; une troisième rasade suivit, puis Péma ayant rempli les tasses une quatrième fois, rapporta le flacon dans la pièce voisine. La quatrième tasse, et celles qui suivaient, pouvaient être dégustées à loisir, le rite était accompli.

Comprenant que l'entretien privé des deux hommes était terminé, la femme du *tsipa* revint s'asseoir près d'eux sur un coussin, se fit apporter du thé et tous les trois, satisfaits de l'affaire conclue, bavardèrent amicalement.

Ainsi fut-il décidé que Mipam, juvénile aspirant à l'amour universel, deviendrait astrologue.

3

RENTRE chez lui, Puntsog communiqua à sa femme la décision qu'il avait prise à l'égard de Mipam. Il le fit en quelques mots laconiques ne prêtant à aucune discussion. Tchangpal ne se sentait, d'ailleurs, nullement portée à élever des objections. Le parti qu'avait pris son mari lui paraissait sage et, bien que peinée de se séparer de son fils, elle le voyait avec plaisir devenir un *tcheupa*.

Des voies nombreuses, les unes matériellement profitables et les autres spirituellement excellentes, s'ouvrent devant les membres du clergé. Sous l'habit religieux, toutes les aptitudes peuvent être déployées avec fruit et, même, un manque total d'aptitudes n'empêche pas un *trapa* de goûter, au monastère, la douceur d'une vie végétative d'où l'effort est banni. Ainsi pensait la mère de Mipam, mais elle ne doutait pas de l'intelligence de son fils. Lui, ne somnolerait pas à l'arrière-plan ; il deviendrait un astrologue à l'air important, bien considéré, bien rémunéré, comme l'était le *tsipa* Chésrab et peut-être plus considéré, encore, et plus grassement rémunéré que lui. Ou bien, une plus noble carrière attirerait ce garçon étrange. En esprit, Tchangpal le voyait monter vers des cimes imprécises et disparaître mystérieusement au lointain dans une clarté surnaturelle pareille à celle qui avait illuminé la chambre où il naissait, pareille à celle dont elle l'avait vu nimbé, un matin, à l'orée des bois et — ce qu'elle ignorait — pareille aussi à celle qui avait enveloppé la clairière où l'enfant et le léopard s'étaient amicalement entre-regardés.

La bonne mère s'abandonnait, alors, à de longues rêveries qu'alimentaient d'incommensurables espoirs et une tendresse infinie pour son dernier-né.

Mipam chevauchait à travers la montagne, accompagné de son père et d'un serviteur conduisant une mule portant les provisions destinées au futur écolier et des cadeaux pour son maître. A ceux-ci Tchangpal avait joint un coupon de soie de Chine qui devait être offert, de sa part, à Péma qu'elle priait de veiller maternellement sur son fils.

Naturellement, nul ne s'était enquis de l'opinion de Mipam quant à la profession vers laquelle on le dirigeait. Au Tibet, ce sont les parents qui choisissent une carrière pour leurs enfants. Le jeune garçon avait accueilli, avec une apparente indifférence, la nouvelle qu'il devait quitter la maison paternelle pour aller vivre et s'instruire chez son oncle (1). En réalité, cette feinte insouciance masquait l'élaboration de plans, complètement opposés à ceux de Puntsog. Tout en chevauchant, Mipam envisageait des chances d'évasion. La demeure du *tsipa* était située à peu de distance de la route suivie par les convois des marchands allant de Lhassa à l'Inde. Beaucoup de pèlerins y passaient aussi. Certains de ces grands voyageurs devaient, pensait l'enfant, avoir visité le pays bienheureux où gens et bêtes sont tous bons et mutuellement amis. Tout au moins, quelques-uns d'entre eux s'étaient-ils approchés de ses frontières ou savaient-ils dans quelle direction il se trouvait. Il patienterait. Pour s'informer ouvertement, il attendrait d'être plus âgé, d'avoir, enfin, figure de pèlerin sérieux. Mais d'ici là, il pourrait guetter le passage des caravanes, s'approcher de leur camp lorsqu'elles feraient halte pour la nuit à proximité de chez son oncle. Il écouterait les propos tenus autour du feu pendant le repas du soir, causerait, questionnerait de façon détournée. Tôt ou tard, il apprendrait quelle route il devrait suivre... Il partirait et, cette fois, il ne reviendrait plus. Tandis qu'il se berçait de ces rêves, le souvenir des jours passés à cheminer seul, à travers les montagnes,

_____

(1) Chésrab était le cousin germain — le « frère », dit-on, au Tibet — du père de Mipam ; d'après la façon indigène de dénommer les degrés de parenté, il était, par conséquent, l'oncle paternel (*akou*) du jeune garçon.

s'avivait dans sa mémoire, allumant en lui une flamme qui lui brûlait le cœur. Oh ! goûter encore cette joie d'être libre, de s'éloigner des méchants, d'aller vers ceux qui savent aimer !...

Pour le moment, il se rejouissait de quitter ce Puntsog qui se disait son père et osait le battre. Quant à interroger son oncle, le savant astrologue, au sujet du pays où la bonté règne, l'idée ne lui en venait pas. D'instinct il l'excluait du nombre de ceux à qui il pouvait se fier.

Chésrab accueillit aimablement ses hôtes, bien qu'un rêve, fait la nuit précédente, troublât sa quiétude. En songe, il s'était vu étendu sur le plancher dans son *lhakang;* Mipam, entrant dans la pièce, l'avait traversée, enjambant irrespectueusement le corps de son futur maître, puis il avait disparu en pénétrant dans l'armoire aux *tormas* dont les portes s'étaient ouvertes d'elles-mêmes pour le laisser entrer et s'étaient, ensuite, refermées derrière lui. Un franchement mauvais rêve ! La plus anodine explication que l'astrologue put lui trouver fut que la grandeur de Mipam — de quelque ordre qu'elle dût être — surpassait la sienne. Cette perspective ne lui plaisait nullement. Il regrettait d'avoir promis à son cousin de recevoir le garçon, mais il ne pouvait guère se dédire au moment où lui étaient versées des arrhes très libérales sur le prix de ses leçons. Péma qui, pour l'instant, remisait le riz, la farine et un porc gras, tué de la veille, apportés par Puntsog, eût difficilement consenti à les lui laisser remporter. L'avenir s'annonçait inquiétant, pensait le *tsipa;* il lui faudrait être sur ses gardes, toutefois, il avait le temps d'aviser aux moyens de conjurer le danger : Mipam n'était encore qu'un enfant.

Pendant deux jours, Chésrab, Puntsog et Péma festoyèrent ensemble. Mipam prenait part à la bombance, dans la cuisine, avec ses futurs condisciples et observait ceux-ci. Ils étaient quatre, d'âges et de caractères différents. Leurs bavardages, en l'absence de la maîtresse du logis, mirent promptement le nouveau venu au courant de la vie qu'ils menaient. Le travail ne manquait pas chez le *tsipa* et, suivant l'usage général consacré par des siècles de pratique, ses élèves lui servaient de domestiques. Les leçons étaient brèves ; l'autoritaire Péma réclamait promptement les écoliers pour son service. Il leur fallait mener paître le bétail, couper du bois dans la forêt, chercher de l'eau au ruisseau, allumer du feu avant l'aube, préparer le thé matinal pour le porter aux époux encore couchés et vaquer à maintes autres besognes.

Mipam restait songeur. Comment le traiterait-on après le départ de Puntsog ? — Il se le demandait avec un peu de curiosité, un peu d'inquiétude noyées dans beaucoup d'indifférence. Qu'importait cela qui durerait si peu. N'était-elle pas là, proche de la maison, cette route qui menait loin, très loin et conduisait, sans doute, au pays qu'il cherchait si on la suivait plus loin encore que là où s'arrêtent les marchands... Il s'enfuirait ; il en était certain.

Lorsque Puntsog quitta son cousin, tout était convenu entre eux quant à la cérémonie d'ordination de Mipam. Le *tsipa* irait voir, à ce sujet, le lama chef du monastère auquel il appartenait lui-même et le consentement de celui-ci à l'admission du garçon ne faisait aucun doute.

Tout se passa comme il l'avait prévu.

La *gompa* dont Mipam allait devenir membre ne ressemblait en rien à l'opulent monastère de Tcheu Khor où son père avait espéré le voir assis sur le trône abbatial des *tulkous*.

Rab-dén-tsi très haut perchée au-dessus de Chartong, le village natal de Mipam, était cette même *gompa* d'où, quelques années plus tôt, étaient descendus les *trapas* qui avaient célébré, chez Puntsog, les rites devant assurer à son fils l'appui des déités et amener son élection comme seigneur de Tcheu Khor.

Ce souvenir ne laissa pas que de jeter une ombre sur la satisfaction éprouvée par Puntsog le jour de l'ordination. Pour Mipam il n'eût pas été un enfant s'il n'avait pas trouvé plaisir à être le centre d'une fête, à revêtir des habits différents de ceux qu'il avait portés jusque-là et à recevoir les cadeaux des amis de sa famille. Il savait aussi que sa nouvelle qualité de membre du clergé lui conférait une importance et des privilèges dont il ne jouissait pas auparavant. Il aurait, dorénavant, droit à une place d'honneur, à un siège plus élevé que celui de son frère aîné, demeuré simple laïque, et le chef du village, qui se disait son père, n'oserait plus le battre car c'est un gros péché que de frapper celui qui porte l'habit religieux (1).

Ce saint habit, tel que Mipam en était affublé ce jour-là, donnait au gamin une tournure passablement grotesque. Les paysans regardent à la dépense. Faire confectionner des vêtements monastiques à la taille d'un enfant qui grandissait et ne pourrait plus les porter l'année suivante semblait à Puntsog une inconcevable absurdité. Pourtant il les lui fallait pour être ordonné et, de plus, pour satisfaire la vanité de sa famille, il convenait que le novice fût *bien* habillé. En ceci, l'astrologue vint charitablement à l'aide de son cousin. Pour le jour de la cérémonie, il prêta à Mipam son plus beau costume : la *chamthab*, la *teugag* et le *zen*, les trois vêtements réglementaires.

Que le *tsipa* fût un homme corpulent et de haute taille et Mipam un mince petit garçonnet, nul n'en fit l'objection ; la chose est courante pour les novices de porter, en de telles occasions, les effets de parents ou d'amis ayant l'âge d'homme. La forme du costume lamaïque s'y prête un peu. La *chamthab*, une pièce d'étoffe dont les deux bouts sont cousus ensemble, forme une jupe que l'on serre à la taille au moyen d'une ceinture. Par-dessus celle-ci, le haut de la jupe retombe à la manière d'un volant, plus ou moins haut, suivant que l'on remonte davantage l'étoffe ou lui laisse plus de longueur. Il en résulte qu'en doublant complètement cette dernière, l'on en réduit la longueur de moitié et qu'un enfant peut, en se fagotant dans un double jupon, porter la *chamthab* d'un adulte. La *teugag*, une veste sans manches, dont la partie inférieure s'enfonce sous la *chamthab* et demeure serrée par la ceinture, peut, elle aussi, s'adapter à toutes les tailles, et quant à la toge : le *zen*, il suffit de l'enrouler une fois ou deux de plus qu'il ne le faut régulièrement, pour en draper toute la longueur autour d'un bambin.

Habitués à des arrangements de ce genre, les braves

---

(1) Lorsqu'un moine a encouru un châtiment corporel on le dépouille de ses vêtements monastiques et l'habille d'effets laïques avant de le lui infliger. Telle est la règle, mais dans la pratique on se contente généralement de lui faire enlever son *zen*, la toge qui faisait partie du costume originel des religieux bouddhistes dans l'Inde et que tous les moines bouddhistes, en tous pays, ont conservé, tout au moins comme vêtement cérémoniel, pendant la lecture des Écritures, la méditation et les offices.

gens du peuple n'y voient point matière à rire. Engoncé dans les beaux habits de son oncle, le pauvre Mipam ressemblait à une balle d'étoffe ambulante d'où émergeaient, en dessous, deux larges bottes dans lesquelles se perdaient les pieds du petit et, au-dessus, une tête menue luttant contre le col de la veste et le *zen* épais qui menaçaient continuellement de l'engloutir.

Au milieu des *trapas* assis en rangs dans le temple illuminé par quantité de lampes brûlant sur l'autel, Mipam s'avança en titubant jusqu'au siège du lama abbé de la gompa. Sa longue chevelure avait été coupée la veille ; le lama n'eut qu'à esquisser le simulacre de la couper et de la lancer en l'air (1) comme une offrande, en prononçant des paroles liturgiques. Son geste consacrait la séparation de Mipam d'avec le monde des laïques et son entrée parmi celui des religieux (2). Timbales, gyalings, tambours et sonnettes résonnèrent bruyamment, actionnés par des musiciens aux poumons et aux bras robustes et, au milieu de ce tintamarre, le garçon fut conduit d'abord à l'une des places d'honneur, en tête de la rangée des moines, où il put s'asseoir un instant, puis, ensuite, à l'extrémité de cette rangée. Là, le dernier près de la porte, parce que le dernier reçu dans l'Ordre, il s'installa définitivement sur la bande de tapis rembourré, les jambes croisées, le buste droit, immensément fier se sentant devenu « quelqu'un ».

Un banquet offert par Puntsog clôtura la fête et, le lendemain, Chésrab ramena Mipam chez lui : sa vie d'étudiant allait commencer.

— Viens ici, Mipam ! appelle le *tsipa*.

Mipam vide rapidement son bol de thé, quitte le morceau de tapis sur lequel il était assis dans la cuisine et entre dans la chambre où son oncle siège sur sa couche.

(1) On peut voir là un rappel de la tradition d'après laquelle le Bouddha, après avoir quitté son palais pour mener la vie religieuse, jeta en l'air sa chevelure qu'il avait coupée avec son sabre.
(2) Il ne devenait toutefois que novice ; *gégnien*. Il faut avoir vingt et un ans pour recevoir l'ordination supérieure comme *gélong*. La plupart des moines tibétains ne dépassent pas le grade de *gétsul*, intermédiaire entre celui de *gégnien* et celui de *gélong*. Le célibat est enjoint à tous les *gélongs* à quelque secte qu'ils appartiennent. Le mariage est permis aux *gétsul* dans certaines sectes des « bonnets rouges ».

Ce dernier reçoit en silence les prosternations habituelles de son élève puis d'un ton important :

— Tu vas commencer à apprendre. Ecoute bien, dit-il. Et il prononce fortement et lentement :

— *Di ké. Di ké...* Répète !

— *Di ké,* fait Mipam.

— Bien ! *Da ki...* Répète !

— *Da ki,* dit l'enfant.

— *Di ké da ki...* Répète !

Mipam reste muet, il regarde bizarrement son maître.

— Ah ! tu as déjà oublié, dit ce dernier. Ecoute, je recommence.

Mais avant qu'il ait eu le temps de prononcer la première syllabe, l'enfant a récité rapidement :

— *Di ké da ki teu paï.*

— Lama kiéno ! s'exclama Chésrab, surpris et apeuré. Je... Je ne t'en ai pas encore appris autant !

Son rêve lui revenait à la mémoire ; il soupçonnait une manifestation surnaturelle.

— ... *tus tchig na* (1)... continuait le petit garçon. Et le miracle s'arrêtait là.

Pendant les jours qui avaient précédé sa première leçon, Mipam, assis dans la cuisine ou devant la porte de la maison, avait entendu un de ses camarades ânonner des syllabes incompréhensibles. Doué d'une excellente mémoire, il les avait retenues et ayant deviné, dès les premiers sons prononcés par son maître, ceux qui allaient suivre il ajoutait, de lui-même, les cinq syllabes de plus constituant l'érudition, supérieure à la sienne, de son commensal.

Profondément troublé, le *tsipa* ne s'avisait pas de cette très simple explication du prodige.

— Va, va, commanda-t-il, retourne à la cuisine. Ani te donnera de l'ouvrage... Demain, tu répéteras ta leçon.

Mipam salua en s'inclinant et sortit. Péma envoyait précisément deux des garçons couper du bois dans la forêt.

(1) *Di ké da ki teupaï tus tchig na :* « Ces paroles ont été une fois entendues par moi. » C'est le commencement habituel des écrits religieux rapportant des discours du Bouddha ou de ses disciples.

— Va avec eux, dit-elle au fils de Puntsog, tu rapporteras un faix de branches sèches.

Le lendemain Mipam se présenta de nouveau devant son maître.

— Récite ! commanda ce dernier.

— *Di ké da ki teu païtus tchig na,* dit le garçon.

Le *tsipa* ignorait toujours l'origine du « miracle » de la veille, mais il avait eu le temps de se ressaisir.

— Voilà qui va bien, dit-il à son élève. Tu es intelligent, aussi vais-je te donner quatre nouveaux mots à apprendre ; à tes camarades je n'en donne que deux. Demain tu me les « rapporteras » (1). Nous verrons si tu sauras les retenir. Ecoute !...

Mipam l'interrompit.

— Qu'est-ce que cela veut dire, ce que vous me faites répéter ? demanda-t-il tranquillement.

Le *tsipa* demeura confondu. Jamais, au grand jamais, aucun enfant tibétain, en aucun temps, ne s'était avisé de poser pareille question à son maître.

— C'est... c'est de la religion, répondit-il avec impatience. Et oubliant, qu'il ne lui avait point donné de nouvelles syllabes à apprendre, il congédia son déconcertant élève.

— Va-t'en, maintenant, dit-il, Ani te donnera de l'ouvrage.

Mais Mipam ne bougea point. Il continuait à regarder fixement son oncle avec une insistance où Chésrab crut discerner une nuance narquoise. La colère saisit, alors, l'astrologue.

— Va-t'en ! hurla-t-il ! Va-t'en ou je te casse les os !

Et comme le garçon ne faisait toujours pas mine de bouger, il saisit le premier objet qu'il trouva à portée de sa main, un lourd bol de cuivre servant à recevoir le thé refroidi laissé au fond des tasses, et le lança à la tête de l'impertinent questionneur. Celui-ci esquiva le choc. « Oh ! » fit-il seulement d'un ton calme tandis que le bol heurtait bruyamment le plancher, puis il sortit paisiblement de la chambre, sans saluer.

Chésrab se fût volontiers débarrassé de son gênant

_____
(1) Traduction littérale de l'expression tibétaine.

60

écolier, mais, aux premiers mots qu'il en toucha à sa femme, celle-ci se récria. D'après la générosité déjà manifestée par Puntsog dans ses premiers cadeaux, l'on pouvait augurer un large paiement des leçons données à son fils ; ce serait grand dommage d'y renoncer et de s'aliéner, en même temps, l'amitié d'un parent aisé et influent dans le pays. L'habileté avec laquelle ce dernier avait su refaire, aux dépens de ses administrés, la fortune qu'il avait perdue par l'ingratitude des chefs qu'il avait servis, était grandement appréciée par le *tsipa* et il hésitait à se faire un ennemi d'un homme capable d'employer la même habileté à lui nuire. D'autre part, il demeurait toujours sous l'impression de son rêve relatif à Mipam. S'il avait à craindre que celui-ci menaçât un jour de le supplanter, ne valait-il pas mieux qu'il le gardât aussi longtemps que possible sous son autorité, surveillant sa conduite, ne lui dispensant qu'un extrême minimum d'instruction et veillant, surtout, à ce qu'il ne s'initiât point aux rites secrets de la magie. Si Mipam le quittait, il pourrait acquérir ce savoir auprès d'un autre maître et s'en servir au détriment de l'oncle qui l'aurait chassé de chez lui. Tout considéré, Mipam devait rester.

Mipam resta donc à la ferme, proche de la route tentatrice conduisant aux pays lointains. Il ne se montrait nullement désagréable. Il refusait seulement — mais, cela, obstinément — de couper du bois vert dans la forêt. « Les branches sont les membres des arbres », disait-il. « Les couper vivantes, c'est causer des blessures aux arbres et les faire souffrir. » Péma finit par n'exiger de lui que la garde du bétail dont il prenait grand soin. Autre bizarrerie : dans ce pays où, seuls, de saints lamas et quelques très pieux laïques pratiquent le végétarisme, Mipam s'abstenait strictement de nourriture animale, parce que, expliquait-il, il est cruel de tuer des êtres qui, comme nous, aiment à vivre. Après quelques molles tentatives faites pour vaincre ses scrupules, Chésrab et Péma n'avaient pas insisté. Tous comptes faits, la sobriété de leur pensionnaire constituait une économie pour eux.

Toutefois, la sobriété de Mipam ne concernait que la viande ; en réalité il était gourmand, très gourmand, les *kabzès* (une pâtisserie), le *pouram* (mélasse compressée en forme de gâteau) et les autres douceurs dont le comblait sa bonne mère lui manquaient beaucoup chez son oncle, mais il n'en disait rien. Il demeurait taciturne, renfermé en lui-même, ne prenant point plaisir aux jeux où ses camarades voulaient l'entraîner, ne témoignant ni curiosité ni envie pour les plaisirs que prenaient les grandes personnes lorsque des amis de l'astrologue se réunissaient chez lui pour boire, jouer aux dés et raconter des histoires gaies.

Assis dans les bois, gardant le troupeau, il songeait parfois au temps où il menait paître le bétail de Puntsog. Il se rappelait son tête-à-tête amical avec le léopard, sa blessure, sa fuite à travers la montagne, la rencontre du *naldjorpa* qui l'avait appelé « fils de Tchénrézigs » et la nuit tragique et merveilleuse passée dans la hutte de l'ermite. Cependant, à mesure que les mois passaient, ces images s'effaçaient, peu à peu, de sa mémoire. Il songeait de moins en moins au « pays où tous sont amis » ; son désir de fuir diminua graduellement et finit par s'éteindre.

Par contre sa volonté concentrée, maintenant, tout entière sur un seul but se faisait de jour en jour plus forte : il voulait s'instruire. Les méthodes employées par le *tsipa* et communes à tous les maîtres tibétains n'étaient malheureusement point de celles qui conduisent rapidement au savoir.

Tout en se livrant à des travaux domestiques, les garçons répétaient les mots prononcés par leur professeur durant la brève leçon matinale afin de les lui répéter le lendemain, faute de quoi ils étaient battus. Ainsi, peu à peu, s'allongeait la file des syllabes qu'ils chantonnaient, jusqu'à ce que celle-ci formât le contenu d'un livre tout entier, après quoi ils commençaient à en emmagasiner un autre dans leur mémoire, toujours sans rien comprendre de ce qu'ils récitaient.

La lecture leur était enseignée de façon analogue.

Après s'être exercés à reconnaître les formes des trente consonnes et les signes représentant les cinq voyelles, les écoliers étaient lentement initiés aux complications des lettres doubles et triples, celles qui se juchent sur la tête de leurs sœurs et celles qui s'accrochent à leur pied. On leur apprenait, ensuite, à distinguer les lettres muettes précédant ou terminant les mots et celles qui modifient le son des consonnes qu'elles précèdent ou des voyelles qu'elles suivent. Cette étude terminée, ils épelaient plusieurs centaines de pages avant d'être jugés capables de prononcer directement les syllabes. Beaucoup s'arrêtaient là et, souvent, ne soupçonnaient point que ces syllabes pussent être groupées pour former des mots et que ces mots avaient une signification.

Ces niais étaient déjà considérés comme « sachant lire » et jouissaient, de ce fait, d'une certaine considération parmi les villageois. L'homme capable d'assembler les mots en lisant un texte religieux passait presque pour un savant (1).

Il s'en faut qu'il en soit de même dans les villes où résident des lamas lettrés, des fonctionnaires et de grands marchands avec le personnel de leurs bureaux, mais les montagnards des forêts, commes les pasteurs des solitudes herbeuses, sont désespérément ignorants.

Mipam dut se plier au système pédagogique en usage dans son pays. Jamais plus il ne lui arriva de questionner son maître sur le sens de ce qu'il lui faisait apprendre par cœur ni sur aucune autre chose, cependant Chésrab ne parvint pas à limiter l'instruction de son élève autant qu'il l'avait projeté. Le garçon était doué d'une mémoire prodigieuse, il retenait immédiatement, et de façon durable, tout ce qu'il entendait, soit que le *tsipa* s'adressât à lui pendant les leçons, soit qu'il psalmodiât les textes sacrés ou la liturgie des offices. Dès qu'il sut lire, il apprit rapidement par cœur tous les livres qu'il put saisir dans la bibliothèque de son oncle.

En dépit des appréhensions qu'il continuait à nourrir quant à l'ombrage que Mipam pourrait, un jour, lui porter, sa vanité de professeur induisait Chésrab à produire son élève prodige dans les villages, lorsqu'il s'y rendait pour célébrer des cérémonies religieuses : offices

(1) Tout ce qui précède paraîtra obscur à quiconque ignore comment s'écrit le tibétain Tandis que dans les langues de l'Occident chaque mot est séparé et forme un groupe distinct de lettres, en tibétain, chaque syllabe est séparée de la suivante par un point sans qu'aucun signe indique celles qui doivent s'agglomérer pour devenir un mot ; effectuer ces groupements est laissé à la sagacité du lecteur. On peut remarquer, ici, qu'en sanscrit non seulement les mots, mais les syllabes elles-mêmes ne sont point séparées, les lettres se suivant l'une l'autre pendant des phrases entières. La difficulté présentée par ce système est moins grande que ne seront portés à le penser ceux qui ignorent ces langues.

des morts, rites attirant la prospérité sur les familles et sur leurs biens, exorcismes, propitiations des déités ou subjugations des démons. Dans ces occasions, son neveu lui faisait grandement honneur. Par la dignité précoce de sa tenue, la grâce de ses gestes rituels et les notes de basse profonde que son gosier juvénile parvenait déjà à émettre en psalmodiant les textes saints, Mipam se montrait un admirable acolyte pour le vaniteux *tsipa*. Quant à l'étude de l'astrologie, ce dernier en différait encore le commencement. En lui-même, il comptait bien ne jamais y initier son inquiétant élève.

Puntsog ne manifestait aucune curiosité embarrassante à ce sujet, les succès déjà flatteurs de son fils lui suffisaient pour le moment et sa confiance dans le maître à qui il croyait les devoir était entière. Entre deux bols d'eau-de-vie, dégustés avec ses amis, il proclamait orgueilleusement : « Le sort de Mipam est dès maintenant assuré ; il peut gagner sa nourriture ! »

A l'issue de chaque cérémonie à laquelle il participait, Mipam recevait, en effet, une part des honoraires versés par les villageois pour qui celle-ci avait été célébrée. Ces honoraires se payaient généralement en nature : grain, *tsampa*, thé et viande ; parfois un peu d'argent, aussi. Péma s'appropriait toutes les provisions pour les besoins de son ménage, conservant ce qu'il y avait de meilleur pour son mari et pour elle. Chésrab se faisait remettre l'argent reçu par ses élèves et le gardait pour lui seul.

Une chose contrariait infiniment ce dernier. Sur un point, Mipam se montrait irréductible ; non seulement il refusait de manger de la viande dans les repas offerts aux officiants, mais il ne voulait pas en accepter pour l'emporter à son départ. Refuser une cuisse de bœuf ou un quartier de porc gras semblait au *tsipa* le comble de l'imbécillité. Il s'arrangeait adroitement pour que la part du garçon soit jointe à la sienne mais, souvent, les madrés paysans profitaient de cette dérogation aux usages habituels pour n'ajouter qu'une portion bien moindre que celle qu'ils auraient offerte au sympathique Mipam lui-même. Ceci enrageait le rapace astrologue et sa non moins rapace ménagère, mais un autre fait, s'ils en avaient eu connaissance, les eût exaspérés encore bien davantage.

Lorsqu'une offrande en argent était attendue, Mipam,

tout aussi bien doué de finesse que de mémoire, savait trouver le moyen de prendre à part l'hôte ou l'hôtesse — souvent les deux l'un après l'autre — et de leur exposer avec des mots câlins et irrésistiblement persuasifs qu'un garçon aussi savant et pieux que lui ne devait point être laissé dénué de ressources personnelles. Il lui fallait du papier, de l'encre pour copier des traités religieux, chose utile à son instruction et essentiellement méritoire, il leur en transférerait les mérites. Ani Péma, ses interlocuteurs ne l'ignoraient probablement point, était tout autre chose que prodigue et la chère était maigre chez le *tsipa* pour un garçon vertueux qui vivait de *karzés* tout le long de l'année. Ne fallait-il pas, afin de conserver la force nécessaire pour poursuivre sa sainte carrière, qu'il pût acheter de temps en temps aux marchands de passage quelques douceurs profitables à sa santé : des fruits secs, du sucre candi ou des gâteaux de mélasse. Ces denrées n'étaient pas seulement utiles à lui-même, mais constituaient une partie indispensable des offrandes journalières présentées aux déités tutélaires à qui il rendait hommage chaque matin. Ses généreux donateurs ne manqueraient pas d'avoir part aux mérites attachés à la célébration de ce culte... Le petit fripon débitait son boniment avec gravité et une persuasive onction ; sa voix était douce, sa physionomie agréable, on ne le croyait qu'à demi mais il amusait les fermiers et touchait le cœur de leurs bonnes épouses qui toutes eussent été heureuses d'avoir un fils aussi gentil et aussi malin. En cachette, on lui glissait quelques piécettes de cuivre, parfois même un *tranka* d'argent. A l'insu de Puntsog et de Chésrab, le gamin thésaurisait.

Mipam avait, maintenant, plus de treize ans. Fidèle à la réserve que lui dictaient ses craintes d'être supplanté par lui, son oncle ne l'avait encore initié à aucun des mystères de l'astrologie. Il ne devait jamais le faire. Le destin de son bizarre neveu était en marche.

Le premier envoyé de ce destin parut, un soir, à la porte du *tsipa* sous la forme très ordinaire d'un marchand de Lhassa, ami de Puntsog, qui revenait, avec sa fillette, d'une visite chez un de ses beaux-frères, habitant à la frontière du Dougyul (le Bhoutan). Puntsog l'avait chargé d'y acheter une pièce de soie épaisse — une spécialité de l'industrie textile de cette région. Il comptait l'offrir lui-même à son cousin Chésrab, mais au moment où son ami la lui apporta il se trouvait très occupé par le recouvrement des impôts dont le soin lui incombait en sa qualité de chef du village. Il avait donc prié le marchand de se détourner un peu de sa route pour remettre son cadeau au *tsipa*.

Le *tsongpa* Ténzing était un négociant cossu. Il possédait un bon nombre de mules pour effectuer le transport des marchandises et tenait ouverts, outre sa maison principale à Lhassa, des comptoirs d'exportation et d'importation à Dangar, à Sining et à Pékin, en Chine, et à Calcutta, dans l'Inde, plus quelques boutiques dans certaines villes tibétaines... Chésrab, ardemment épris des biens de ce monde et plein de considération pour ceux qui en jouissaient, reçut Ténzing avec une courtoisie déférente.

Mipam connaissait le marchand pour l'avoir rencontré quelquefois chez ses parents, quant à sa fille, il ne l'avait jamais vue. Il était tout à fait exceptionnel qu'elle accompagnât son père. Seul, le désir très pressant de voir l'enfant, exprimé par la grand-mère maternelle de celle-ci, avait pu décider Ténzing à l'emmener en allant traiter une affaire avec le frère de sa défunte femme — un marchand comme lui — qui vivait avec ses parents : les grands-parents de la petite.

Cette dernière revenait émerveillée de son premier voyage. Chevaucher seule « femme » avec son père et quelques serviteurs lui avait fait concevoir une idée toute nouvelle de son importance : elle se sentait devenue une véritable « grande personne ».

Elle s'appelait Dolma, comme une quantité de Tibétaines, ce qui ne l'empêchait pas d'être très fière de son nom et de s'imaginer que Dolma, la déesse, la regardait avec des yeux particulièrement attentifs et affectueux. Peut-être était-ce faute d'avoir pu satisfaire son besoin de tendresse maternelle que la fillette prêtait à sa divine patronne les sentiments qu'elle eût inspirés à sa véritable mère. Celle-ci était morte quelques jours après la naissance de Dolma. Ténzing avait sincèrement aimé sa femme ; il refusa d'abord de se remarier, mais après trois années de solitude, il finit par vivre en union libre avec la veuve d'un marchand, une femme capable, sérieuse, de bonne réputation et s'entendant aux affaires. La veuve n'avait point d'enfants ; elle possédait, de son chef, une jolie fortune et avait aussi hérité de son mari. En s'unissant, Ténzing et elle effectuaient une fusion, profitable à tous deux, de leurs intérêts commerciaux ; ils s'estimaient réciproquement et vivaient heureux. Tséringma, la seconde femme de Ténzing, était demeurée sans enfants et s'était prise de grande affection pour sa petite belle-fille.

Quant à Ténzing, tout en se montrant un père excellent, il regrettait, à part lui, que Dolma ne fût pas un fils capable de le remplacer à la tête des convois de marchandises lorsque l'âge lui interdirait la fatigue des longs et ardus voyages ; un fils capable, aussi, de lui succéder lorsqu'il quitterait ce monde. Toutefois, pensait-il, le mal n'était pas sans remède. Dolma manifestait une vive intelligence ; auprès de son habile belle-mère elle était à bonne école, vraisemblablement, elle deviendrait capable de gérer les affaires au Tibet tandis que son mari se chargerait des transactions à l'étranger et de la direction des caravanes. Il s'agissait seulement pour lui, Ténzing, de découvrir un gendre qui, au lieu d'emmener Dolma dans sa famille, entrerait, par adoption dans celle de son beau-père et lui tiendrait lieu de fils (1).

Il tenait à donner à Dolma un mari aimable autant qu'intelligent. Il fallait que celui-ci appartînt à une bonne famille mais qu'il pût néanmoins trouver avantage à en sortir pour entrer dans celle de sa femme. En examinant ceux qu'il pourrait élire, il avait songé à Dogyal, le frère aîné de Mipam. Celui-ci approchait de sa dix-huitième année ; c'était un beau gars au visage ouvert et agréable, à l'esprit vif. Robuste chasseur, coureur de montagnes, il ne devait pas craindre la fatigue des voyages. Sous prétexte de lui faire remplacer un de ses hommes occupé par ailleurs, Ténzing avait mis Dogyal à l'épreuve ; le garçon s'était montré adroit, fort, prompt à comprendre ce que le métier demandait et son inaltérable bonne humeur avait

---

(1) Les combinaisons de ce genre, importées des mœurs chinoises, sont fréquentes au Tibet. Le gendre sort alors de sa famille propre, perd ses droits à l'héritage paternel et devient héritier de son beau-père. Cette « sortie » de sa famille n'implique pas du tout la rupture d'affection entre le jeune homme et ses parents.

conquis le marchand. Dolma serait certainement heureuse avec un tel mari.

Pendant son séjour chez Puntsog, le marchand l'avait pressenti au sujet de ses projets d'alliance. Celui-ci hésitait à y acquiescer ; Dogyal était son aîné et ce sont généralement les cadets qui font l'objet de combinaisons de ce genre, l'aîné devant continuer la lignée paternelle. Cependant, le chef du village avait un autre fils : Mipam, qui promettait de lui faire grand honneur comme savant astrologue. La secte à laquelle il appartenait ne défendait pas le mariage aux membres du clergé. Chésrab était marié, Mipam se marierait à son tour, il assurerait la continuation de la famille, et resterait seul héritier du bien paternel. En somme, la proposition de Ténzing était avantageuse pour les deux frères : Puntsog y donna son acquiescement.

Ténzing aida sa fille à descendre de cheval devant la porte du *tsipa,* puis ne s'occupa plus d'elle, s'en remettant pour ce soin à son hôtesse. Celle-ci s'empressa de faire entrer la petite Dolma dans la cuisine et, aidée par elle, prépara un thé amplement beurré pour ses visiteurs. Ensuite, ayant rempli plusieurs fois les tasses des deux hommes, elle demeura auprès d'eux, dans la chambre de Chésrab, examinant la pièce de soie offerte par Puntsog et divers autres menus cadeaux que le marchand y avait ajouté de son chef. Ce dernier, à la demande de la bonne Tchangpal, s'était aussi chargé d'un volumineux paquet de *kabzès* qu'elle avait confectionnés à l'intention de son gourmand Mipam, mais la non moins gourmande épouse du *tsipa* s'en était emparée dès qu'elle l'avait aperçu. Mettant immédiatement de côté la moitié des pâtisseries pour les manger elle-même, elle avait disposé l'autre moitié sur une assiette et placé celle-ci à la portée de Ténzing, l'engageant à se servir et comptant un peu sur sa politesse pour ne pas profiter trop largement de l'invitation.

Dans la cuisine voisine, Dolma demeurait seule, assise près de l'âtre, un bol de thé et un sac de *tsampa* posés devant elle, sur une table basse.

L'heure approchait où les élèves de Chésrab rentraient au logis après leur travail au champ ou dans la forêt.

Volontiers, leur besogne terminée, ils s'attardaient à jouer ou à bavarder au-dehors, mais Mipam se joignait rarement à eux. L'ambiance dans laquelle il vivait avait agi sur lui, endormant les instincts généreux et la lucidité singulière qui avaient empreint son enfance d'une si étonnante originalité. Maintenant, la petite notoriété qu'il devait à son exceptionnelle mémoire, chatouillait agréablement sa vanité enfantine et il ne songeait qu'à l'accroître en apprenant par cœur le contenu d'un nombre toujours plus grand de livres, pour les réciter bruyamment devant les villageois émerveillés. Il s'était vite convaincu qu'à cela se réduisait le plus clair du savoir de son maître et doutait à présent, qu'il en existât un autre. Ainsi, poursuivant le but secret d'égaler son oncle, ramenait-il, chaque jour, le troupeau d'aussi bonne heure qu'il osait se le permettre, afin de reprendre plus vite ses livres et d'en apprendre le texte, assis près du foyer.

Ce soir-là, encore, il rentra longtemps avant ses camarades. L'ombre crépusculaire rendait la cuisine presque entièrement obscure ; afin de l'éclairer, Mipam se disposa à ranimer le feu (1). Il approchait du foyer lorsqu'une branche crépita parmi les cendres rougeoyantes, une flamme s'éleva, bleuâtre et frangée de langues d'or, elle s'allongea, se tordit, se noua, s'élargit, flotta comme un voile sous la brise et à travers cette mouvante fantasmagorie, Mipam, interdit, distingua une invraisemblable apparition. Une mignonne princesse était assise à l'autre bout de la pièce.

De sa robe de *pourouk* bleu sombre sortaient les larges manches de deux chemises superposées, l'une de soie rouge, l'autre de soie verte, un long collier de corail pendait sur sa poitrine et un reliquaire en or ouvragé, orné de turquoises, scintillait à son cou... C'était vraiment une princesse, peut-être même une fée. Que faisait-elle là ?

Mipam fit timidement quelques pas en avant et gagna ainsi l'autre coin de l'âtre. Le rideau ardent ne s'interpo-

(1) L'usage des lampes était encore peu répandu au Tibet. Les gens riches faisaient usage de bougies importées de l'étranger ; une mèche trempant dans de l'huile ou du beurre contenus dans une lampe de métal ou de terre servait fréquemment à la fois d'offrande pieuse devant les saintes images et de luminaire pour la chambre. Dans beaucoup de régions le bois flambant dans le foyer était le seul mode d'éclairage.

sait plus entre lui et l'étrange apparition : il ne vit plus qu'une petite fille tenant un bol de thé dans ses mains.

L'élève de Chésrab comprenait très bien qu'il s'agissait d'une véritable fillette, venue, probablement, avec des visiteurs que le *tsipa* recevait en ce moment. Il ne pensait pas qu'elle disparaîtrait, comme dans les contes, s'il s'approchait d'elle ; pourtant il n'osait plus avancer davantage.

La petite « fée » reposa son bol sur la table et se mit à rire.

— Es-tu le fils d'Akou Puntsog ? demanda-t-elle. Je viens de chez toi ; ta mère t'a envoyé un gros paquet de kabzès... Je l'ai apporté dans le sac de ma selle, ajouta-t-elle avec importance...

Elle se leva, marcha vers Mipam, toujours immobile et l'examina. Le feu était devenu vif et illuminait toute la cuisine.

— Tu es bien mal vêtu, remarqua la fille de Ténzing avec une petite moue. Es-tu, vraiment, le fils d'Akou Puntsog ?

Mipam sursauta, offensé. On ne garde pas les vaches en habits de fête ; sa robe était sale, il l'avait, en plus d'un endroit, déchirée aux épines, dans les bois, mais il n'avait jamais prêté attention à ces détails : ses condisciples n'étaient pas mieux nippés que lui. Une sotte impertinente était cette gamine qu'il dominait de toute la tête : il savait comment lui répondre :

— Je suis le fils de Tchénrézigs, déclara-t-il avec hauteur en détachant les syllabes.

Ce fut au tour de la petite de rester interdite. Elle réfléchit un long moment puis :

— Kyabgön rimpotché (le Dalaï lama) est Tchénrézigs, dit-elle. Est-ce ton père ?

— Mon père est le Tchénrézigs dont on voit l'image dans les temples, avec mille bras et onze têtes, répondit-il gravement.

Cela était encore plus merveilleux. La fillette demeurait abasourdie. Mipam prenait sa revanche et s'amusait sous cape de la confusion où il avait jeté l'effrontée critique de ses habits.

— Et toi, qui es-tu ? interrogea-t-il.

— Je suis Dolma, annonça-t-elle avec solennité.

— Cela ne m'apprend pas grand-chose, railla le garçon. Il existe des centaines de Dolma au Tibet.

— Elles ne sont pas Dolma *comme moi,* répliqua avec irritation la fille de Ténzing qui avait repris son aplomb.

Les deux enfants se regardaient droit dans les yeux dans une attitude de défi.

Qu'elle était jolie ainsi, la petite Dolma, ses joues rosies par la colère ; qu'elle était jolie, l'enfantine princesse avec ses manches vertes et rouges, souples et chatoyantes comme des ailes de papillon et les parures qui luisaient sur elle à la clarté du feu !

Trop jolie était-elle, en vérité, pour que l'on pût demeurer fâché contre elle, trop frêle pour que l'on osât lui faire de la peine. Et puis, Mipam n'était pas méchant.

— Alors, Dolma, dit-il, conciliant, tu m'as apporté des *kabzès ?*

— Les *kabzès* sont pour le fils de *némo* Tchangpal, répondit prudemment Dolma.

— Son fils c'est moi, affirma Mipam, et je veux que tu manges des *kabzès* avec moi. Où sont-ils ?

— Je n'en sais rien, répondit la fillette. J'ai entendu mon père commander à notre domestique de porter tous les sacs dans la maison. Veux-tu que je l'appelle, ou bien veux-tu aller lui parler toi-même... Son nom est Tseundup. Il doit être dans l'écurie, donnant à manger aux chevaux.

En entendant que les sacs, y compris celui dont le contenu l'intéressait, avaient été apportés dans la maison, Mipam soupçonna ce qui avait dû se passer.

Les bagages des visiteurs demeuraient, habituellement, entreposés dans un couloir voisin de l'appartement du *tsipa.* Le père de Dolma y avait probablement déballé les cadeaux qu'il offrait à son hôte et cela, sans doute, sous les yeux de la femme de l'astrologue dont la curiosité n'avait pas de borne. Dans ce cas, le sort des *kabzès* était réglé. Nombre d'expériences précédentes en assuraient l'élève de Chésrab. Mais aujourd'hui, il n'en serait pas de même. Il s'était montré résigné tant qu'il était seul privé des friandises que sa mère lui envoyait, mais il entendait que Dolma en profitât. Elle aimait les *kabzès,* il avait remarqué son petit sourire de convoitise lorsqu'elle en avait parlé et son évidente satisfaction quand il lui avait annoncé qu'il voulait qu'elle en mangeât avec lui. Il ne la décevrait pas. Elle croquerait les *kabzès* avec ses jolies dents blanches. Il se sentait de force à les reprendre à l'insatiable Ani, à se battre, s'il le fallait, pour les reconquérir. Des *kabzès !*... il en eût été chercher au bout du monde pour que Dolma soit contente et lui sourie...

Mipam n'avait pas encore quatorze ans, mais il venait, soudain, de devenir un homme. Une femme était entrée dans sa vie.

— *Ani lags,* je viens prendre les *kabzès* que ma mère a envoyés pour moi ; je veux en donner à Dolma, dit Mipam entrant brusquement dans la chambre de Chésrab et parlant avec une assurance inaccoutumée.

Sa voix était changée ; elle était devenue plus forte, plus grave ; le ton des paroles qu'il avait prononcées décelait une volonté ferme, presque une menace, et l'attitude du garçon hardiment campé devant la femme de son maître, corroborait la transformation qui venait de s'opérer en lui.

Abasourdis, le *tsipa* et son épouse le regardaient sans répondre, mais Mipam avait déjà aperçu les *kabzès* posés devant Ténzing. Il devina où se trouvait le reste de l'envoi ; tout s'était passé comme il l'avait pensé.

— Ne vous dérangez pas, *Ani lags,* dit-il, toujours du même ton décisif, je les prendrai moi-même.

Et sans plus attendre, il marcha vers un bahut, en ouvrit la porte et rafla les pâtisseries qu'il mit dans un pan de sa robe.

La scène amusait le marchand. Ce petit gars résolu, un peu brutal, lui plaisait. Il voyait en lui le futur beau-frère de sa fille, un allié lettré que son audace conduirait à une situation influente dans le clergé et qui ferait honneur à sa parenté, voire même dont la protection serait profitable à celle-ci

— Il y a encore des *kabzès* ici, dit Ténzing s'adressant à Mipam et désignant, en souriant malicieusement, le plat posé devant lui. Tu peux les emporter aussi.

— J'ai grand plaisir à vous les offrir, *tsongpa lags,* répondit Mipam, en s'inclinant devant l'hôte de son oncle.

Il s'exprimait, maintenant, avec la plus exquise politesse, mais il avait accentué de singulière façon le « *j'ai* » de sa phrase. « J'ai grand plaisir à vous les offrir. » Le propriétaire des pâtisseries c'était *lui,* indiquait-il ; c'était *lui* qui les offrait.

Mipam emporta à la cuisine les *kabzès,* cause minime de graves conséquences futures, et s'en régala avec sa nouvelle amie.

Ténzing devait partager, cette nuit-là, la chambre du *tsipa.* Ani Péma lui cédait la place et dormirait à la cuisine. Laissant les deux hommes boire, en tête à tête, un dernier bol d'eau-de-vie avant de se coucher, elle disposa près du foyer des coussins et des couvertures pour la jeune Dolma et pour elle-même. Mipam et ses condisciples traînèrent à l'autre bout de la pièce les lambeaux de tapis et les couvertures qui leur servaient de couches et bientôt le silence régna dans la maison dont tous les hôtes s'étaient endormis. Tous, sauf Mipam qui rêvait tout éveillé. Son imagination l'emportait à travers le temps ; il voyait la petite princesse sous les traits d'une grande jeune fille et lui-même, sous ceux d'un homme : un homme important, bien entendu, il ne pouvait pas s'imaginer autrement. De quelle nature était son « importance », il ne le discernait pas clairement. Sa vision se faisait vague sur ce point, mais pour imprécises que fussent les images qui surgissaient dans son esprit, elles comportaient toujours notoriété et richesse. Ensuite, comme une conséquence désirable et logique, il voyait Dolma grandie, vivant avec lui dans une maison aussi belle qu'il était capable de la concevoir.

La nuit s'écoulait. Les yeux attachés à l'étroite fenêtre dont le papier (1) déchiré laissait apercevoir un coin du ciel où des étoiles passaient en lente procession, Mipam, immobile, poursuivait inlassablement le même rêve. L'aube vint, elle insinua sa clarté pâle par tous les interstices des boiseries mal jointes ; les garçons s'éveillèrent. Ils bâillèrent, s'étirèrent avec de petits grognements, des gémissements de jeunes animaux, rompirent des branches sèches et firent du feu. Deux d'entre eux sortirent, portant des baquets, pour chercher de l'eau au ruisseau et par la porte laissée ouverte derrière eux, la

---

(1) A l'époque, au Tibet comme en Chine, du papier était collé sur les fenêtres en guise de vitres.

clarté du jour et l'air frais et humide des bois pénétrèrent ensemble dans la maison.

La femme du *tsipa* rejeta ses couvertures, passa une robe sur son jupon et sa chemisette qu'elle avait gardés pour dormir et tout en marmottant des formules pieuses elle surveilla l'ébullition du thé, qu'elle désirait particulièrement bon en l'honneur de son hôte. A son tour la petite Dolma se dressa, secoua ses manches vertes et rouges, remit sa robe de *pourouk,* rajusta ses parures, puis sa toilette ainsi terminée, elle s'assit sagement, murmurant l'invocation liturgique à Dolma sa patronne, tout en attendant que l'on serve le thé.

Mipam, l'air absorbé, avait replié ses couvertures et effectué quelques besognes avec ses condisciples ; il ne rêvait plus. La nuit lui avait suffi pour prendre une résolution et quand Mipam avait décidé quelque chose, il allait droit à son but.

Leur déjeuner terminé, Ani Péma distribua de l'ouvrage aux garçons ; la leçon quotidienne n'aurait pas lieu, Chésrab étant retenu par son visiteur. Cependant le rusé *tsipa* désirait faire montre, devant un ami de son cousin, de la sollicitude qu'il témoignait à Mipam et du soin particulier qu'il prenait de son introduction. Il comptait bien que ceci serait rapporté à Puntsog qui lui en témoignerait sa reconnaissance de façon tangible.

— Mipam ! appela-t-il.

Et lorsque celui-ci fut devant lui :

— Ta leçon sera retardée aujourd'hui, lui dit-il, je te la donnerai après le départ de Kouchog Ténzing. D'ici là, prends tes livres et étudie, tu ne dois pas sortir.

— *Lags so,* répondit poliment Mipam, qui retourna à la cuisine et transmit à la femme de son maître l'ordre qu'il avait reçu de rester à la maison.

Les autres écoliers allaient partir pour couper de l'herbe et du bois dans la montagne. Ani Péma délégua l'un d'eux à la place de Mipam pour conduire paître le troupeau, puis elle passa dans la chambre de son mari, portant elle-même un grand plat de bœuf bouilli pour le déjeuner substantiel qu'elle offrait au marchand avant son départ.

Mipam demeurait seul avec Dolma dans la cuisine.

— Dolma, commença-t-il d'un ton assuré, je veux te parler.

— Dis, répondit la fillette.

Mipam jeta un regard autour de lui. Il ne se sentait pas tranquille dans cette pièce où la maîtresse de la maison pouvait rentrer d'un moment à l'autre. Inconsciemment, le cadre vulgaire de cette cuisine lui répugnait, aussi ; ce qu'il avait à dire ne pouvait pas être dit là.

— Viens ! commanda-t-il impérieusement en saisissant fortement la main de Dolma.

— Où ? demanda celle-ci.

— Viens ! répéta le garçon nerveux et autoritaire en l'entraînant vers la porte.

Curieuse d'apprendre ce dont il s'agissait, subjuguée aussi, à son insu, par la volonté de son ami, Dolma se laissa conduire à quelque distance de la maison sous le couvert des grands arbres.

Là, Mipam, lui retirant la main, la regarda dans les yeux et prononça :

— Dolma, j'ai pensé à toi toute la nuit. Tu seras ma femme ; moi je suis savant, je vais devenir un homme riche et important. Bien plus riche et plus important que le *tsipa* Chésrab, que ton père ou que Puntsog ; nous habiterons une très belle maison que je ferai construire pour toi. Dis oui !

La fillette était un peu étonnée, pas trop pourtant. Elle n'avait certes pas imaginé que Mipam la demanderait, ce matin-là, en mariage, mais elle s'attendait toujours à ce que, par la faveur de sa puissante patronne, elle fût l'héroïne d'événements singuliers qui distingueraient sa vie de celle des autres jeunes filles.

— Dis oui, répéta Mipam d'un ton de commandement.

— Mon père ne me permettrait pas de me marier, répondit-elle enfin. Je n'ai que dix ans.

— Assurément, répliqua le garçon. Moi aussi je suis trop jeune pour t'épouser. Mais dans cinq ans j'aurai presque vingt ans et, toi, tu seras une tout à fait grande personne.

— C'est vrai, répondit sérieusement Dolma.

— Eh bien ! tu as compris, continua Mipam, je serai alors, beaucoup plus savant que Chésrab et, déjà, peut-être aussi riche que ton père...

— Et puis, tu es le fils de Tchénrézigs, dit pensivement la petite fille.

Mipam ne s'attendait pas à s'entendre rappeler, en ce moment, sa parenté avec le divin Seigneur de la Pitié infinie. Son cœur se serra soudainement. Cette mystérieuse parenté le rapprochait-elle de Dolma, ou l'en éloignait-elle ? Il ne le savait pas, mais un doute angoissant s'était levé en lui et l'image de la belle maison où il devait vivre avec son aimée lui paraissait avoir reculé, s'être effacée presque hors de vue.

— Oui, je suis le fils de Tchénrézigs, affirma-t-il lentement à voix basse. Dis oui.

Il n'ordonnait plus, maintenant ; sa voix s'était faite presque suppliante, une crainte irraisonnée l'étreignait.

— Oui, dit Dolma. Mais elle prononça le mot sans cet accent d'énergique volonté, de détermination inébranlable que Mipam eût voulu entendre.

D'un geste brusque il prit la fillette dans ses bras et la serra fortement contre lui ; elle se mit à rire.

— Il faut rentrer, dit-elle, mon père doit partir tout de suite après le déjeuner, il va me chercher.

— Et toi, tu as vu le grand plat de viande bouillie et tu en veux ta part avant de t'en aller, répliqua Mipam pour la taquiner.

— Assurément, j'en veux manger, dit sérieusement la petite. Viens !

Cette fois, c'était elle qui ouvrait la marche, Mipam la suivait, une sourde inquiétude teintant de mélancolie la joie qu'il s'était promise.

Ténzing prenait congé du *tsipa* et, voyant le fils de Puntsog près de Dolma, qui était déjà en selle, il lui mit la main sur l'épaule.

— Ton père a raison d'être fier de toi, Mipam, lui dit-il affectueusement. Ton maître m'a raconté combien tu es studieux. Continue à apprendre ; tu es déjà savant pour ton âge, tu deviendras un grand *tsipa*, un *géchés* que tout le monde louera et respectera. Si tu veux, un jour, aller étudier à Lhassa, ma maison t'est ouverte. Sans nul doute, tu feras honneur à ta famille et à tes amis, continue à bien travailler.

Mipam exultait. Personne n'avait jamais aussi éloquemment reconnu ses mérites, et en aucun autre moment des éloges ne lui eussent été aussi précieux. A la dérobée, il regardait Dolma qui, les yeux brillants de plaisir, écoutait avidement son père.

— Vous êtes très bon, *tsongpa lags,* répondit-il. Je ferai comme vous le dites.

Le marchand enfourcha son cheval dont son hôtesse tenait la bride pour le guider pendant un bout de chemin (1) et s'éloigna.

— *Kalé jou den jag* (2), cria Dolma à l'astrologue au moment où sa monture allait se mettre en marche, et se penchant vers Mipam demeuré près d'elle :

— Oui, je dis oui ! murmura-t-elle avec une ferveur enthousiaste. Tu seras un grand homme !

---

(1) Une marque usuelle de déférence.
(2) Salutation polie en quittant un hôte. Littéralement elle signifie : « Asseyez-vous doucement. »

4

LE *gyalpo,* dont le *tsipa* Chésrab et son cousin Puntsog étaient les sujets, décida qu'une lecture de tout le *Kandjour* aurait lieu, chez lui, pour attirer la prospérité sur sa famille et sur ses biens et le garantir, lui et les siens, contre la malignité des démons qui causent les maladies.

Tous les *trapas* des monastères situés sur le territoire soumis à son autorité étaient convoqués au palais. La lecture des cent huit gros volumes formant le *Kandjour* et la célébration de divers rites devaient durer un mois. Comme d'usage le *gyalpo* nourrirait, pendant ce temps, les moines occupés pour son bénéfice et, à leur départ, il leur ferait remettre un petit cadeau servant d'honoraires.

L'apparente générosité de l'invitation qui leur était adressée ne dupait aucun des *trapas.* Ils savaient, par expérience, que les rapaces intendants du prince prélèveraient la meilleure part des vivres réquisitionnés chez les campagnards pour les repas des officiants. La viande servie à ces derniers serait avariée, habitée par des vers qu'ils trouveraient flottant dans leur soupe et la *tsampa* vieillie sentirait probablement le moisi. Comme d'ordinaire, s'ils voulaient être rassasiés, il leur faudrait se munir de provisions. Les excellentes coutumes de Lhassa, où le clergé vit grassement, n'avaient point cours en cette vallée et, depuis l'ascension au pouvoir temporel du chef des « bonnets jaunes », les moines « bonnets rouges » font figure de parents sacrifiés, parmi le monde clérical du Tibet. Bien qu'il se déclarât disciple du Gourou

Padma (1), le prince local traitait d'assez haut les fils spirituels de cet illustre Maître et prenait, avec eux, des libertés qu'il n'eût pas osé se permettre avec les moines au chapeau jaune, pouvant se réclamer de lamas puissants. Toutefois, bien que l'invitation prît, pour eux, l'aspect d'une corvée, les *trapas* désignés ne pouvaient s'y soustraire ; une forte amende, infligée par le *gyalpo,* leur eût dûment appris qu'il convenait d'apprécier l'honneur qu'on leur faisait.

Les *trapas* de Rab-dén-tsi dont étaient le *tsipa* et ses élèves, se rendirent donc au palais. Là, un triage s'opérait ; certains moines étaient admis à former le chœur à l'intérieur du temple, tandis que d'autres se voyaient exclus de ce privilège et confinés dans une galerie couverte précédant la porte du sanctuaire. Le « savoir » des *trapas* constituait la base du classement. Aux moines, connus comme lettrés il n'était rien demandé ; ils prenaient place, sans examen, sur les banquettes couvertes de tapis, réservées au clergé. Mais au menu fretin : jeunes novices ou vieux paysans n'ayant du moine que l'habit, une page du livre à lire était présentée. Pouvaient-ils lire ou non (2) ? S'ils en étaient capables, ils rejoignaient les « lettrés » dans le temple. Dans le cas contraire, leur place était marquée dans la galerie où, pendant un mois, du matin au soir, ils répéteraient continuellement *Aum mani padmé hum !*

Il ne déplaisait nullement aux gamins de s'asseoir dans la galerie ; ils y jouissaient de quelque liberté, leur tenue n'était pas aussi strictement surveillée qu'à l'intérieur du temple, ils pouvaient, en sourdine, parler et rire entre eux. Mais les moines d'âge mûr relégués parmi ces galopins turbulents ressentaient cruellement cette humiliation.

Mipam n'avait pas à redouter d'être consigné au-dehors. Lorsqu'un corpulent secrétaire, vêtu d'une belle robe de soie bleue à ramages, le mit à l'épreuve, il ne se contenta pas de *lire* le texte qu'on lui présentait ; il commença à le *psalmodier* avec une voix de basse profonde et les

(1) Qui prêcha au Tibet au VIIIe siècle.
(2) Se rappeler ce qui a été dit précédemment à ce sujet. Lire signifie, ici, connaître les lettres de l'alphabet et savoir prononcer le son correct de chaque syllabe. Il ne s'agit point de comprendre la signification des sons que l'on prononce.

inflexions des lamas récitant au chœur. En l'entendant, le secrétaire perdit son assurance habituelle. D'où sortait ce prodige ? — Néanmoins, croyant que s'en informer nuirait à sa dignité, il fit taire le précoce *oumdzé* et lui désigna simplement la porte d'un geste signifiant qu'il était admis à s'asseoir dans la compagnie des « lettrés ».

Les séances de lectures se succédèrent monotones et bruyantes, jour après jour. La demeure du *gyalpo* résonnait et tremblait au bruit de plusieurs centaines de voix jetant pêle-mêle aux échos des théories philosophiques, des histoires baroques, de sages préceptes et des règles disciplinaires à l'usage des moines (1).

Mipam faisait sa partie dans le bourdonnement du chœur, se régalait aux heures des repas avec les friandises envoyées par sa bonne mère et pensait à sa future femme.

Il était là depuis plus de quinze jours lorsque, flânant autour du palais, pendant le repos du milieu du jour, il aperçut Dolma jouant dans le jardin avec les cinq enfants du *gyalpo*. Etait-ce donc une habitude chez elle de se montrer soudainement, de façon singulière ? — Le fils de Puntsog gardait toujours, fortement imprimée dans sa mémoire, l'image de la petite fée qui lui était apparue à travers un rideau de flammes. — Que faisait-elle chez le *gyalpo* ? — Ne se trompait-il pas ? — Etait-ce bien elle ? — Mais la fillette l'avait aperçu et, poussant une exclamation joyeuse, accourait vers lui.

— Oh ! Mipam, tu es venu avec ton maître pour lire le Kandjour, dit-elle.

— Oui, répondit Mipam, conscient de son importance.

Les autres enfants s'étaient approchés.

— Qui est-il ? demanda l'un d'eux en s'adressant à Dolma.

Celle-ci se recueillit pendant une seconde, sa gentille figure prit une expression ultra-sérieuse, puis elle déclara avec solennité :

— C'est le fils de Tchénrézigs.

— Quoi ? demanda l'aîné des princes, très surpris, y a-t-il donc des gens qui s'appellent Tchénrézigs ? — Je ne l'ai jamais entendu. Et étant déjà un grand garçon plus âgé

(1) Les 108 volumes du Kandjour forment une collection d'ouvrages de différents caractères.

que Mipam, il ajouta moqueusement : « Est-il le fils de Tchénrézigs dont la statue est dans notre *lhakhang*?

— Précisément, il l'est, répondit Dolma toujours grave.

Mipam se sentait embarrassé. En grandissant, il avait compris que Puntsog, le chef du village, était véritablement son père. Pourtant, en sens contraire, sa foi dans la déclaration du *naldjorpa* rencontré dans la forêt s'était fortifiée. Il avait appris que certains de ces ascètes possèdent une clairvoyance qui leur permet de discerner des faits cachés au vulgaire. Celui qui lui avait parlé paraissait très sûr de ce qu'il affirmait. Donc, lui, Mipam, devait être, véritablement, le fils de Tchénrézigs, mais il l'était d'une manière particulière, mystérieuse, qu'il ne pouvait pas saisir clairement. Ces réflexions incitaient l'élève de Chésrab à la prudence ; il ne convenait pas, jugeait-il, de se targuer ouvertement de son extraordinaire filiation devant les laïques ou le commun des moines. Ces ignorants n'y comprendraient rien et tout ce qu'il gagnerait serait d'être raillé par eux. Toutefois, dans les circonstances présentes, il ne pouvait esquiver une déclaration confirmant celle de Dolma. Le fils du *gyalpo*, déjà autoritaire, le questionnait :

— Est-ce vrai ? Es-tu le fils de Tchénrézigs qui est dans le *lhakhang*?

Dolma le regardait, attendant la confirmation de ses paroles. Il ne pouvait la démentir.

— Je le suis, dit-il.

— Merveille ! s'exclama le plus jeune des princes, un bambin de neuf ans, et il se sauva à toutes jambes, rentrant dans le palais pour rapporter à sa mère la nouvelle étonnante qu'un fils du céleste Tchénrézigs se trouvait dans son jardin.

La *gyalmo* se mit à rire en entendant l'étrange communication que lui faisait son fils, mais celui-ci, très excité, et tenant à prouver ce qu'il annonçait, saisit sa mère par la main et l'entraîna à la fenêtre.

Malheureusement pour lui, quand elle y arriva, les enfants étaient passés de l'autre côté de la maison et, l'heure de reprendre la lecture approchant, Mipam était retourné au temple. La *gyalmo* ne vit devant elle qu'un pré désert et se mit à rire derechef.

— Le fils de Tchénrézigs est retourné à *Noub Déoua Tchén*, dit-elle.

Le petit prince n'aimait pas qu'on se moquât de lui.

— Vous demanderez à Dolma, répliqua-t-il, elle le connaît.

Ténzing, le père de Dolma, était le chef marchand attitré du *gyalpo* qui, comme la plupart des riches Tibétains, laïques ou membres du clergé, faisait fructifier ses capitaux en les plaçant dans le commerce. Habile et heureux en affaires, Ténzing jouissait de la confiance de son noble commanditaire avec qui il entretenait des relations amicales. De son côté, la *gyalmo* portait de l'affection à Dolma et la faisait souvent venir chez elle pour passer quelque temps avec ses filles.

L'impérieux petit prince ne manqua point d'amener Dolma devant sa mère pour témoigner de la véracité de son rapport et celle-ci étant interrogée dut renseigner la *gyalmo* au sujet de Mipam. Il était, disait-elle, élève du *tsipa* Chésrab et très savant, elle l'avait entendu plusieurs fois se déclarer fils de Tchénrézigs et certainement il devait l'être, elle n'en doutait nullement.

La curiosité s'éveilla chez la *gyalmo*, elle fit mander le *tsipa* et apprit de lui que son élève était le fils de son cousin, un chef de village nommé Puntsog qui le lui avait confié pour l'instruire. Elle se fit ensuite amener Mipam et celui-ci, bien qu'ennuyé par la question, ne put s'abstenir d'affirmer, de nouveau, qu'il était le fils de Tchénrézigs.

— Comment le sais-tu? s'informa la châtelaine moqueuse.

Mipam perçut de la raillerie dans la voix de la dame et dans son demi-sourire, sa fierté en fut piquée. Puisqu'on l'y forçait, il saurait se faire prendre au sérieux.

Alors, gravement, il raconta sa rencontre avec le *naldjorpa*, embellissant les faits de détails fantastiques de son invention. Ainsi, il avait vu que les pieds du pèlerin ne touchaient pas terre, de la lumière émanait de ses yeux et, tandis qu'il parlait, sa taille, pendant un moment, était devenue gigantesque... Ah! elle commença à devenir attentive, la belle *gyalmo*, elle ne songeait plus à railler. Mipam triomphait intérieurement. Inconsciemment il avait frappé juste, la dame était superstitieuse et se trouvait disposée, maintenant, sinon à croire tout à fait à la paternité de Tchénrézigs, du moins à penser que Mipam n'était pas un garçon ordinaire. Elle le régala de thé beurré et de riz pilé et desséché, puis le renvoya, mais elle continua à penser à lui. Le garçon s'était montré poli et intelligent ; son sérieux, l'air important qu'il se donnait, amusait la dame et, en même temps, sans qu'elle en fût consciente, lui en imposait un peu. Elle désirait se l'attacher, il ferait d'abord un agréable page à son service personnel et tiendrait compagnie à ses enfants, puis, par la suite, il pourrait devenir un excellent intendant.

La *gyalmo* n'avait pas l'habitude d'envisager longtemps ses projets avant de les mettre à exécution, ses vœux devaient être satisfaits sans retard. Quelques jours après sa conversation avec Mipam, elle faisait de nouveau mander le *tsipa*.

— Mipam ne retournera pas chez vous, lui annonça-t-elle. J'ai envoyé un message à son père pour l'informer que je le gardais à mon service.

Au pays de Mipam on ne discutait pas les ordres de ce genre. Le *gyalpo* avait coutume de se faire servir gratuitement, pendant quelques années, par les fils des notables de la région. Si, par hasard, l'enfant d'un paysan était appelé par lui, ses parents exultaient. Non seulement ils ne songeaient pas à réclamer des gages pour prix de son travail, mais ils le chargeaient, de temps en temps, d'offrir de leur part au seigneur un porc gras, un panier de grain fermenté pour faire de la bière ou tout autre cadeau acceptable. Ce n'était point, là, tout à fait un marché de dupe. Un garçon en situation de parler directement au chef ou à son épouse, devenait un protecteur pour sa famille, voire même, une source de revenus pour elle. Passablement nombreux étaient les solliciteurs réclamant justice ou quémandant une faveur, qui s'adressaient aux proches du jeune serviteur, les priant de faire présenter, par son intermédiaire, des suppliques qui, par les voies ordinaires de la procédure du pays, n'avaient aucune chance de parvenir au *gyalpo*. De tels services, bien entendu, étaient rémunérés. Et s'il advenait que leur fils, ayant atteint l'âge d'homme, restât au palais comme intendant, secrétaire, introducteur des visiteurs, premier valet de chambre ou cuisinier en chef, bien que toujours non régulièrement rétribué, les profits considérables qu'il pouvait faire, indirectement, grâce à son emploi, compensaient au centuple les sacrifices faits par ses parents. En plus, existait, pour les petites gens, la question d'amour-propre ; leur conception bizarre des grandeurs de ce monde leur faisait estimer la situation d'employé au service personnel d'un seigneur, comme bien plus haute que celle d'un particulier ou même d'un moine instruit. De telles notions sont courantes au Tibet et, à son tour, un *zimpön* (premier valet de chambre) du Dalaï Lama y regarde de haut les minimes seigneurs tels que celui dont Mipam était le sujet.

Puntsog fut enchanté d'apprendre que le caprice de la *gyalmo* élevait son fils au rang de serviteur personnel et de commensal des enfants du chef. Il ne doutait pas que débrouillard et « savant » comme il l'était, Mipam ne fût capable de conquérir graduellement, au palais, une situation de beaucoup préférable pour lui et pour son père à celle d'astrologue. D'ailleurs, rien n'empêchait le cumul ; un fonctionnaire pouvait être *tsipa* et Mipam, pour aller vivre chez le *gyalpo*, ne quittait pas l'ordre religieux. Afin de rester membre de son monastère, il lui suffirait d'y aller passer une quinzaine de jours, chaque année à l'époque des grandes cérémonies religieuses.

De même qu'on avait omis de le consulter lorsqu'il s'était agi de faire de lui un astrologue, on ne demanda pas davantage l'avis du garçon pour le transformer en page de la châtelaine. Mipam n'était d'ailleurs pas fâché de quitter le professeur qui le nourrissait mal et ne lui apprenait plus rien. Et puis, au palais, il verrait de temps en temps Dolma...

La *gyalmo* habitait une grande salle prenant jour par une loggia donnant sur le jardin. Le plafond bleu sombre, traversé par des grosses solives peintes en rouge, contribuait, avec la teinte foncée des murs et l'éclairage indirect par la loggia, à rendre la pièce passablement obscure, et plusieurs piliers massifs, rétrécis par le haut et surmontés de chapiteaux sculptés, lui donnaient l'aspect imposant d'un sanctuaire. Un autel, sur lequel brillait perpétuellement la flamme jaune d'une grosse lampe d'argent alimentée au beurre, confirmait le caractère religieux de l'endroit. L'effigie du Gourou Padma, flanqué de ses deux épouses-fées : Yéchés Tsogyal et Mandara, y trônait à la place d'honneur. Autour de ces trois personnages se voyaient des statuettes de diverses déités, plusieurs petites lampes qu'on allumait à la tombée du soir et des bols en argent, destinés à contenir l'eau pure et les différentes offrandes rituelles.

A l'autre extrémité de la vaste pièce, quatre rangs superposés de coussins épais et durs, posés sur une estrade pourvue d'un haut dossier en bois laqué rouge, simulaient une sorte de trône devant lequel était placée une table en laque rouge, sculptée, ajourée et enjolivée par des dorures. Vis-à-vis de ce trône, contre la muraille opposée, deux coussins et quelques carrés de tapis étaient posés sur le plancher pour servir de sièges aux visiteurs. Des bahuts et des coffres laqués rouge ou décorés de dessins représentant des fleurs de diverses couleurs complétaient l'ameublement. Courant tout le long du mur, d'un côté de la salle, une planche supportait une série de petites malles en fer, de fabrication étrangère. Chaque malle était scellée avec le cachet particulier de la dame et remplie de monnaies d'argent : roupies de l'Inde, anciennes pièces chinoises du Szetchouan et *trankas* tibétains. Lorsque la dernière malle disponible était pleine, la *gyalmo* en faisait acheter une autre à Calcutta et, peu à peu, la remplissait avec le produit des offrandes reçues de ses sujets et les bénéfices du commerce qu'elle faisait par l'intermédiaire de quelques marchands qu'elle commanditait. Toute comptabilité se trouvait ainsi évitée. Ce qui entrait dans les malles n'en ressortait jamais ; quand la princesse désirait acquérir un objet à Lhassa, en Chine, ou dans l'Inde, elle s'arrangeait, généralement, pour le payer avec des marchandises qu'elle avait reçues comme présents.

Lorsque Mipam fut introduit dans la chambre de la *gyalmo,* il eut quelque peine à garder le calme requis par l'étiquette. Jamais il n'avait rien vu d'aussi beau. Comme acolyte du *tsipa* il était entré chez des gens aisés pour y célébrer des cérémonies religieuses, mais le luxe de leurs demeures ressemblaient à celui qui s'étalait devant lui, comme la lumière d'une chandelle ressemble à celle du soleil.

Il allait vivre là, participant au bien-être de la jolie *gyalmo*. Finies les corvées imposées par la rapace épouse de son oncle le *tsipa*, finis les repas qu'elle dispensait d'un air maussade. La belle vie allait commencer pour lui. Emporté par son admiration enfantine, Mipam ne donnait plus une pensée à la forêt, sa vieille amie ; il oubliait même Dolma.

Les jours, les semaines, les mois passèrent calmant peu à peu l'enthousiasme joyeux du garçon. Sa besogne était légère, la *gyalmo* ne le battait jamais et il mangeait abondamment des mets choisis, plus quantité de friandises qu'il s'appropriait adroitement. Cependant la liberté dont il jouissait dans la forêt commençait à lui manquer et il s'apercevait que, faute de les répéter, il oubliait les textes qu'il avait si laborieusement appris par cœur et de la connaissance desquels il tirait tant d'honneur. Le souvenir de Dolma n'avait pas tardé non plus à s'imposer, de nouveau, impérieusement à sa pensée. Avant qu'il entrât au service de la princesse, sa jeune amie était retournée chez son père et il ne l'avait plus revue.

La monotonie des jours tous pareils et ses fonctions l'amenant à accomplir, quotidiennement, des gestes identiques, pesaient parfois à Mipam. Chaque matin, au réveil de sa maîtresse, il lui servait un déjeuner comprenant de la *tsampa*, de la viande séchée et du thé beurré que des domestiques apportaient de la cuisine et déposaient dans une pièce, servant d'office, contiguë à la chambre de la *gyalmo*. Celle-ci procédait ensuite à ses dévotions, elle offrait rituellement de l'eau aux *Yidags* misérables que la soif tourmente et préparait le *mandala* d'offrande au Gourou Palma. Ce *mandala* consistait en un large plat en argent sur lequel diverses denrées étaient arrangées dans l'ordre prescrit. On y voyait des raisins de Corinthe, du sucre candi en gros morceau, du riz cru, différentes sortes de fruits frais ou secs et des pâtisseries. La princesse aspergeait légèrement le tout avec de l'eau-de-vie, en récitant les formules consacrées et Mipam plaçait ensuite le *mandala* sur l'autel devant la statue du Gourou.

De cet autel, il était le sacristain, c'est à lui qu'incombait le soin de remplir, chaque matin, d'eau claire, les bols alignés devant les statues et de vider ceux-ci au coucher du soleil. La présence de cette eau, la nuit, devant elles, effraie les effigies des déités. Par un effet particulier d'optique, chaque bol d'eau prend, alors, à leurs yeux, les proportions d'un océan ; ce voisinage surprenant les inquiète et elles ne reposent pas (1). A la place des bols que l'on retourne, le fond en l'air, après les avoir vidés, l'on allume une ou plusieurs lampes, en plus de la lampe perpétuelle qui, chez les gens pieux et aisés, brûle nuit et jour, comme c'était le cas chez la *gyalmo*.

A la nuit tombante, on enlève aussi le *mandala* et les autres offrandes qui ont été déposées sur l'autel pendant la journée. C'est le moment qu'attendent les sacristains gourmands, du genre de Mipam, pour puiser dans celles-ci et faire provision de friandises à grignoter entre les repas.

Au palais, ces repas étaient plantureux. Les seigneurs déjeunaient confortablement en particulier, dès leur réveil ; vers le milieu du jour on servait un dîner dans la chambre du prince et le plus souvent, sa femme et ses enfants se réunissaient chez lui pour manger. Suivant l'habitude du Tibet, parents et enfants ne s'asseyaient pas à une même table. Le chef demeurait sur un trône du genre de celui qui existait dans l'appartement de sa femme, mais encore plus haut et plus large. Son fils aîné se plaçait à côté du trône sur une haute pile de coussins et le cadet se mettait près de son frère, sur un siège moins élevé que le sien. Du côté opposé du trône, la mère s'asseyait à la tête de ses trois filles étagées en gradins descendants, d'après leur âge, sur des sièges différents. Devant chacun des dîneurs se trouvait une petite table individuelle sur laquelle les domestiques posaient les plats et les bols contenant les mets composant le menu du jour.

Une quantité de nourriture beaucoup plus considérable que celle qu'ils étaient capables d'absorber — bien que tous fussent de solides mangeurs — était servie à chacun des membres de la famille. Le repas terminé, l'homme

---

(1) Ce ne sont pas les personnalités que représentent les statues qui éprouvent de la crainte, ce sont leurs effigies elles-mêmes. Celles-ci passent pour être animées d'une sorte de vie indépendante. Cette « vie » leur est infusée au moyen de certains rites et, aussi, en introduisant à l'intérieur de la statue des formules magiques ou des textes sacrés inscrits sur un ruban de papier ou d'étoffe enroulé autour d'un bâton dressé au centre de la statue, de ses pieds à sa tête (le plus grand nombre des effigies sont assises les jambes croisées). Les textes sacrés ou magiques placés de cette manière sont dénommés la « vie » de la statue. Il est à noter que dans l'Inde aussi les statues des divinités sont « animées » par un rite spécial. Avant que celui-ci ait été accompli, la statue ne doit pas être l'objet d'un culte.

faisant fonction de maître d'hôtel vidait dans un grand récipient tout ce qui restait sur les plats et dans les bols. Ces restes mêlés constituaient le *seula* princier qui était partagé et envoyé comme une marque toute particulière d'estime à d'importants fonctionnaires du palais ou à des visiteurs notables. Par une faveur spéciale, la bonne *gyalmo* qui avait pris Mipam en affection lui tendait souvent, après le dîner, son beau plat d'argent plus qu'à demi rempli. Le garçon devait, alors, s'incliner très bas en signe de remerciement, puis transférer dans son propre plat le contenu de celui de sa maîtresse. S'il était libre il pouvait manger immédiatement, à l'office, ce qui lui était donné, sinon, il lui fallait cacher ces friands reliefs afin que nul domestique ne les lui vole tandis que son service le retenait.

Mipam avait donc bonne vie, comme il l'avait prévu ; il engraissait, il continuait même à thésauriser, car au petit magot amassé à l'insu du *tsipa,* il ajoutait, presque journellement, de menues gratifications que lui offraient les femmes désireuses d'être admises en présence de la *gyalmo.* Pourtant Mipam n'était pas heureux. Il souffrait dans sa vanité. La notoriété dont il avait joui parmi les paysans chez qui il allait lire les Livres Saints lui manquait grandement. Il ne faisait pas figure de savant au palais, loin de là. Le chapelain du prince, - un lama qui avait étudié dans les collèges de plusieurs grands monastères — ne lui accordait pas la moindre attention lorsqu'il rendait visite à la *gyalmo.* Un jour, croyant l'étonner, et forcer son admiration, Mipam, assis dans le corridor, à la porte de sa maîtresse, s'était mis à réciter à voix très haute, un abstrus traité philosophique qu'il avait, autrefois, appris par cœur. Son initiative n'avait obtenu aucun succès : le lama s'était mis à rire et la princesse, vexée par l'impudence de son page, dont la déclamation couvrait sa voix, lui avait sévèrement intimé l'ordre de se taire.

Depuis ce jour, Mipam qui digérait mal sa mortification, aimait moins la jolie *gyalmo.* Décidément, il s'ennuyait, il eût voulu quitter le palais, mais comment, et pour aller où ?...

Souvent ses préoccupations le tenaient éveillé pendant la nuit. Il couchait dans la chambre du prince, beaucoup plus vaste encore que celle de sa femme. Après avoir été, tour à tour, dans la journée, salle à manger et salle du trône où le chef donnait audience, celle-ci abritait, pendant la nuit, le repos de toute la famille.

Chaque soir, les domestiques affectés au service particulier des seigneurs, transportaient dans cette salle de nombreux coussins au moyen desquels ils construisaient une haute et large couche pour les époux. D'autres coussins fournissaient les éléments de cinq autres couches, d'inégale hauteur, pour leurs cinq enfants. Le fils aîné s'étendait sur trois coussins superposés, son cadet sur deux seulement. La couche de l'aînée des filles comportait aussi deux coussins, mais un peu moins épais que ceux attribués à son jeune frère, les deux sœurs cadettes devaient se contenter d'un seul coussin et celui de la plus jeune était le plus mince de tous.

Avec les coussins, les domestiques apportaient aussi des couvertures, les unes de fine laine bouclée imitant une toison d'agneau, les autres en soie rembourrée de laine. Celles des époux étaient en brocart de Chine, les unes rouges, les autres bleues. Toute cette literie était fort luxueuse et passablement sale. Les mains crasseuses des serviteurs y laissaient leurs empreintes et en les transportant avec peu de soin ils la traînaient sur les parquets souvent imbibés de thé beurré.

Mipam s'étendait sur un simple tapis, s'enveloppant dans une couverture, sans se déshabiller, les jeunes princes, fatigués de jouer, se laissaient souvent aussi tomber sur leurs matelas sans ôter leurs beaux vêtements de soie. La *gyalmo,* aidée par ses servantes, enlevait, dans sa chambre, ses bijoux, sa robe de dessus et la partie supérieure de sa haute coiffure à la mode de Tsang, mais les deux cornes de bois qui supportaient celle-ci étant fortement fixées par des tresses de sa chevelure ne pouvaient être détachées qu'une fois par mois, lorsque la princesse se faisait laver les cheveux et recoiffer par ses femmes de chambre. Ces deux baguettes d'environ quarante centimètres de long, pointant en l'air avec un léger écartement de chaque côté, obligeaient la dame à toujours dormir immobile, étendue à plat sur le dos. Y étant habituée depuis sa jeunesse, elle ne paraissait en ressentir aucune gêne et son mari acceptait avec confiance le voisinage de cette compagne encornée dont un mouvement brusque eût pu l'éborgner.

Dans le dortoir princier une lampe brûlait perpétuellement sur l'autel où siègeait le rouge Amithâbba-Amitayur, déité mystique de la lumière et de la vie infinies. A la lueur de cette lampe, certaines nuits, à la clarté plus puissante de la lune argentant le papier de la fenêtre. Mipam, durant ses heures d'insomnie, contemplait ses maîtres endormis. Un dégoût subit lui venait, alors, de ces gens étendus inconscients sur leurs couches, respirant ou ronflant bruyamment et un pareil dégoût de lui-même l'envahissait péniblement. Que faisait-il chez eux, dans cette chambre, couché à leurs pieds ? Etait-ce là sa vie ?... N'avait-il pas rêvé de s'enfuir vers un « ailleurs » différent de tout ce qui l'entourait maintenant ? De vagues réminiscences de l'agonie merveilleuse qu'il avait vécue, tout enfant, dans la hutte de l'ermite, au cœur de la forêt, surgissaient alors dans son esprit et tandis que les heures passaient, Mipam, détournant la tête du spectacle qui l'écœurait, demeurait immobile, regardant fixement devant lui.

— Mipam ! Apporte-moi de l'eau-de-vie !

La voix du chef à moitié endormi, faisait sursauter le garçon ; il lui fallait se lever rapidement, aller prendre le pot toujours prêt sur une table avec le bol de jade du *gyalpo* et lui servir à boire. Parfois, c'était la dame qui réclamait de la bière ou de l'alcool. Le prince héritier s'efforçait aussi de se réveiller pour imiter ses parents et montrer son importance en se faisant apporter une boisson au milieu de la nuit. Heureusement pour Mipam, le lourd sommeil de la jeunesse ne lui permettait guère de satisfaire cette fantaisie.

La princesse était dévote d'une manière particulière. Les pratiques ordinaires de la piété lamaïque à l'usage des laïques ne satisfaisaient pas ses visées ambitieuses. Elle aspirait à être initiée aux exercices singuliers auxquels se livrent certains *naldjorpas*. Ayant entendu dire qu'un maître *naldjorpa* en renom, venant du pays de Kham et se rendant au Kang Tisé (1), s'était arrêté et séjournait à

_____

(1) Une haute montagne située à l'ouest du Tibet, qui est un lieu de pèlerinage pour les Tibétains et pour les Hindous, ces derniers la dénomment Kailasa et y placent la demeure de Çiva.

Nétang, elle lui envoya un messager portant des présents et une lettre le priant de se détourner de sa route pour lui faire l'honneur d'une visite prolongée.

De telles invitations sont fréquentes. Les pèlerins tibétains, ceux surtout qui appartiennent au clergé, sont libres de leur temps. Ils demeurent souvent plusieurs années en route, voyageant à petites journées et s'arrêtant partout où il leur plaît. Leur marche est, ainsi, loin de se poursuivre en ligne directe, ils effectuent de nombreux détours, soit pour visiter des endroits intéressants, soit pour se rendre chez des hôtes hospitaliers qui leur offrent un gîte pour se reposer pendant un temps plus ou moins long ou pour célébrer des rites religieux ou magiques à leur intention.

Kouchog Yéchés Kunzang, le maître *naldjorpa,* accepta l'invitation sous réserve qu'il ne logerait pas au palais mais aurait une demeure isolée dans laquelle il pourrait être tout à fait chez lui et entouré des gens de sa suite. Cette suite comprenait un secrétaire, un intendant, deux disciples qui s'occupaient du service particulier de leur maître, un cuisinier, son assistant et quatre domestiques prenant soin des chevaux, des bagages et, d'une façon générale, mettant la main à tout travail. Un *yoguin,* au Tibet, n'est pas nécessairement un ascète se glorifiant d'avoir rejeté tous les « biens de ce monde ». Kouchog Yéchés Kunzang était riche et se targuait d'avoir atteint un degré de détachement du haut duquel il pouvait se regarder vivre dans l'opulence ou dans la misère avec une égale et complète indifférence. Quoi qu'il en pût être de cette prétention, le fait était qu'il voyageait en pèlerin de marque. La *gyalmo* dûment renseignée à ce sujet en concevait d'autant plus de respect pour le maître dont elle espérait obtenir d'intéressantes instructions.

Aucune des habitations existant à une distance convenable du palais ne satisfaisant aux conditions énoncées par le lama, le prince, tout aussi désireux que sa femme de l'avoir pour hôte, en fit construire une en grande hâte. Des arbres furent abattus, des planches taillées et, par les efforts d'une cinquantaine de travailleurs réquisitionnés à cet effet, un rustique chalet, comprenant deux chambres, s'éleva bientôt sur un petit plateau émergeant de la forêt, à une heure de marche de l'habitation du *gyalpo*. De celle-ci l'on apporta, ensuite, des pièces d'étoffe pour tapisser les murs et une quantité de coussins et de tapis devant servir de sièges et de couches. Quelques tables basses et une autre plus haute, propre à faire office d'autel, complétaient l'ameublement. La chambre du fond allait être réservée au lama ; ses deux disciples logeraient dans l'autre pièce à laquelle on accédait directement du dehors.

Une hutte fut aussi construite à quelques pas du chalet. Comme ce dernier, elle était divisée en deux parties. L'une d'elles aurait le double usage de cuisine et de dortoir des domestiques, l'autre complètement séparée de celle-ci par une forte cloison, deviendrait le logis commun du secrétaire et de l'intendant. Un abri pour les chevaux fut, en dernier lieu, ajouté à ces installations.

Tous ces travaux avaient été effectués dans l'espace d'un mois. Après les avoir inspectés lui-même, le *gyalpo* envoya son secrétaire à Nétang pour informer le lama que tout était prêt pour le recevoir et qu'il l'attendait.

Quelques jours plus tard, Kouchog Yéchés Kunzang se mit en route. La veille du jour où il allait arriver à sa résidence improvisée, le prince lui fit conduire, pour effectuer la dernière étape, un superbe cheval isabelle. Généralement, une monture de rechange est envoyée à un visiteur de qualité, à une petite distance seulement de la demeure des hôtes, chez qui il se rend, mais le *gyalmo* avait insisté auprès de son mari pour qu'il témoignât un respect exceptionnel au maître dont elle espérait obtenir de merveilleuses instructions.

Kouchog Yéchés Kunzang daigna se déclarer satisfait des installations que l'on avait faites pour lui. Son intendant prit possession des provisions de tous genres déposées dans les cabanes, pour l'usage du lama et de sa suite, et leur existence s'organisa tranquillement en vue d'un long et confortable séjour.

Le troisième jour après son arrivée, Yéchés Kunzang, dûment reposé, se rendit au palais, monté sur le beau cheval isabelle, dont il avait déjà apprécié les mérites pendant une journée tout entière de chevauchée. L'usage est que la bête prêtée par courtoisie retourne dans l'écurie de son propriétaire dès l'arrivée de l'hôte qui l'a montée, mais en descendant de selle, le lama avait si impérativement commandé à ses domestiques de l'attacher sous l'abri où demeureraient ses propres chevaux, que les hommes du *gyalpo* n'avaient point osé l'emmener.

— Kouchog désire sans doute faire quelques promenades sur cette bête, dit simplement la *gyalmo* quand le fait lui fut rapporté, qu'on la laisse à sa disposition pendant tout le temps qu'il demeurera ici.

Héberger un lama-naldjorpa célèbre flattait la vanité du prince. Peu de gens importants lui rendaient visite ; il n'était qu'un bien minime roitelet, comme on en compte des douzaines au Tibet ; la noblesse de U et de Tsang le regardait de haut ou, même, ignorait son existence et, quant aux fonctionnaires du Dalaï Lama que les devoirs de leurs charges amenaient à traverser son territoire, ils se comportaient envers lui en supérieurs autoritaires et exigeants.

Quelque heureux qu'il se sentît d'avoir Kouchog Yéchés pour hôte, le *gyalpo* ne se souciait pourtant pas de l'entendre discourir sur des thèmes philosophiques. Grand, bel homme, chasseur passionné, il ne se piquait d'aucune tendance à l'intellectualité ou au mysticisme. Il aimait courir la montagne en quête d'ours ou d'antilopes à abattre, tirait à la cible dans son jardin, jouait aux dés avec les gens de sa maison, ne répugnant pas à leur gagner de l'argent, mangeait copieusement, buvait de même et s'abandonnait ingénument à une paillardise, sans vice et sans malice, d'animal puissant et sain.

Quand il crut avoir consacré au lama un temps suffisant pour répondre aux exigences de la politesse, le *gyalpo* le fit conduire, par son chambellan, auprès de son épouse. En vue de cette visite, celle-ci avait convoqué le chapelain chez elle, lui recommandant de diriger habilement la conversation de manière à amener le *naldjorpa* à révéler quelque chose des pratiques secrètes qu'il enseignait à ses disciples. Comme la plupart de ses collègues, Kouchog Yéchés Kunzang se montrait extrêmement réticent sur ce sujet. Il éluda toutes questions. Un mois s'écoula, le lama rendit encore quelques visites à la princesse, de son côté le chapelain alla fréquemment causer avec lui à son campement ; ces entrevues n'avancèrent en rien leur enquête. Cependant, plus que jamais, la *gyalmo* brûlait d'envie de se livrer à des exercices pieux différents de ceux pratiqués par le commun des fidèles et le chapelain, bien que plus mou qu'elle dans cette poursuite, commençait pourtant à considérer qu'il pourrait lui être avantageux d'ajouter à son savoir livresque des connaissances pratiques qui le rendraient peut-être capable d'accomplir des prodiges.

Dix ans plus tôt, un lama aux allures singulières était passé par le pays. On le disait natif du Dougyul (le Bhoutan) et expert en magie ; partout où il s'était arrêté, il avait laissé des marques de son passage. Chez le *gyalpo,* il avait fait croître un champignon sur l'un des piliers du temple et, devant témoins, il avait noué la lame large et dure d'un sabre tibétain. Le champignon s'était peu à peu desséché, mais le « sabre noué » demeurait suspendu dans le temple.

A cette époque, le chapelain étudiait au monastère de Sakya, il n'avait donc pas vu le lama opérer ces miracles, il n'avait même jamais vu ce lama. Le *gyalpo* chassait dans une région voisine tandis que ces prodiges s'opéraient chez lui et sa femme prenait des bains dans une vallée voisine de Phari Dzong où existent des sources thermales. Pour ne les avoir pas directement contemplés, leur foi dans les miracles du *doubthob* n'en était que plus ferme.

Et voici que le chapelain se rappelait la gloire du Dougpa et rêvait de l'égaler.

Il fallait cesser de tergiverser. Après avoir discuté la question avec la princesse, le chapelain se rendit auprès du *naldjorpa* et lui ayant préalablement offert un cadeau substantiel, il lui présenta leur double requête. Tous deux souhaitaient être instruits par lui et guidés dans la pratique des méthodes secrètes.

— L'œuvre est difficile, déclara gravement Yéchés Kunzang après avoir entendu son frère en religion. Ma très secrète doctrine est profonde et subtile à l'excès, une intelligence supérieure est nécessaire pour la comprendre. Elle est brillante et dure comme le diamant, il faut une vue puissante pour ne pas être aveuglé par son éclat et un cœur énergique pour s'attacher à elle. Je possède, d'ailleurs, beaucoup de doctrines convenant à des caractères différents et adaptés à des buts d'ordre divers. Que désirez-vous ? — Que désire la *gyalmo* ?

Ainsi que la plupart des membres érudits du clergé tibétain, le chapelain était passablement sceptique quant aux connaissances extraordinaires et ultra-secrètes que la plupart des *naldjorpas* se vantent de posséder, néanmoins, celui-ci l'avait impressionné. Il répondit donc que, pour son compte, il souhaitait acquérir la maîtrise du souffle dans la pratique de *loung-gom,* de façon que son corps devienne super-normalement léger et puisse demeurer assis, sans support, dans l'air.

Quant à la princesse, il croyait que son but était analogue.

Il avait parlé avec assurance tant qu'il s'était agi de lui mais lorsqu'il en vint à la *gyalmo,* son ton changea ; des inflexions railleuses modifiaient le sens de ses paroles. Il ne doutait pas qu'il fût, lui, apte à atteindre son but et, par conséquent, qu'il méritât la considération de celui qu'il honorait, somme toute, en devenant son élève. Quant à la *gyalmo,* elle n'était qu'une laïque sans culture monastique, une femme présomptueuse visant trop haut et préjugeant de ses capacités.

Le *naldjorpa* lisait clairement les pensées de son interlocuteur ; il sourit. Approbation, encouragement, moquerie ? A quoi correspondait l'inscrutable sourire de son futur maître ? Le chapelain ne pouvait guère le discerner, mais il n'hésita pas à l'interpréter à son avantage.

— Tous deux, vous devrez au préalable recevoir un *angkour,* dit le lama. Puis il faudra que, pendant trois mois, vous pratiquiez divers exercices sous ma direction. Durant toute cette période vous vivrez en reclus, sans voir ni la clarté du jour, ni la moindre lumière. Faites construire, près d'ici, une cabane contenant deux chambres complètement séparées et parfaitement obscures. J'irai voir la *gyalmo* pour lui enseigner la manière dont elle doit se préparer à cette retraite ; quant à vous, je vous donnerai mes instructions ici.

Il s'exprimait avec autorité. Dorénavant le chapelain et la princesse cessaient d'être, pour lui, un collègue et une hôtesse à qui il parlait avec une déférente cordialité ; ils devenaient ses disciples, lui devaient la triple prosternation symbolisant l'offrande et la soumission absolue de leur esprit, de leur parole et de leur corps. Yéchés Kunzang, assis les jambes croisées sur une haute pile de coussins, avait redressé son buste puissant et fixait sur le chapelain interdit des yeux durs et volontaires assez semblables à ceux que les peintres donnent aux déités terribles dans les fresques décorant les murs des temples.

— Maintenant, allez ! dit le *naldjorpa*, congédiant son visiteur.

Celui-ci se leva et, sachant ce qu'exigeait la situation où il s'était placé, il se prosterna trois fois, puis, les mains jointes et la tête inclinée, il sollicita la bénédiction du *naldjorpa*. Ce dernier posa la main droite sur la tête de son nouveau disciple et celui-ci se retira.

Le chapelain n'était qu'à demi content. Kouchog Yéchés Kunzang avait consenti à l'instruire, mais il le prenait de bien haut avec lui. Lorsqu'il avait respectueusement demandé sa bénédiction, le *naldjorpa* eût bien pu lui rendre politesse pour politesse, se souvenir qu'après tout il avait devant lui un érudit occupant, dans le clergé régulier, un rang plus élevé que le sien. Il aurait dû répondre à l'humilité manifestée par son distingué disciple en touchant sa tête avec la sienne, en signe d'égalité, ou tout au moins, l'honorer de la bénédiction conférée avec les deux mains... Il avait simplement effleuré ses cheveux d'une seule main !... Kyabgön rimpotché lui-même bénit, avec une main, tous les membres de l'Ordre religieux, même les plus infimes. Ce *naldjorpa* le traitait de même ; n'allait-il pas, en une prochaine occasion, lui caresser le crâne avec son plumeau en rubans (1), comme à un paysan ou à une femme... Mais il n'y avait plus moyen de reculer ; l'humiliation était subie, il s'agissait de la rendre profitable et d'apprendre au plus vite du maître qu'il s'était donné les moyens par lesquels s'acquièrent les pouvoirs supranormaux qu'on lui attribuait et dont il dérivait son renom et sa fortune.

La *gyalmo* accueillit avec enthousiasme la réponse du *nadjorpa*. Enfin ! elle allait dépasser le cadre des dévotions ordinaires. L'idée de s'enfermer en *tshams* dans une

(1) L on a, ici, les différentes manières de conférer une bénédiction suivant le degré d'estime témoigné à celui qui la reçoit : 1° les deux mains posées sur la tête ; 2° une seule main ; 3° en dernier lieu, le flot de rubans attaché à un manche que le lama passe légèrement sur la tête du fidèle. Toucher la tête d'un autre avec sa propre tête est plutôt une salutation qu'une bénédiction. Ce geste n'est en usage que parmi les lamas ; il n'a pas cours chez les laïques. Si un religieux sollicite la bénédiction d'un autre membre de l'Ordre, celui qui est sollicité témoigne, en touchant la tête du solliciteur avec la sienne, qu'il ne se croit pas supérieur à lui.

chambre où le jour ne pénétrait pas lui paraissait merveilleuse. Que ferait-elle dans cette obscurité ? — Elle ne se le demandait pas. Son chapelain avait déclaré au lama qu'elle souhaitait parvenir à demeurer assise dans l'air, sans aucun support. C'était bien à lui de lui avoir prêté une telle intention, mais elle ne se croyait guère capable d'accomplir jamais cet exploit. Elle n'y tenait, du reste, pas ; faire une longue retraite parmi les bois et dans les ténèbres suffirait à son besoin d'une activité religieuse singulière.

Le jour même, elle fit part à son mari du projet qu'elle avait formé. Le prince s'étonna un peu. Il n'était rien moins que dévot. Pour se conformer aux usages de son pays il faisait parfois lire des Livres Saints ou célébrer des rites pour maintenir florissante sa santé et celle des siens et attirer la prospérité sur ses biens. Comme le père de Mipam, mais plus mollement que ce dernier, il éjaculait aussi, parfois, le mantra du Gourou : *Aum gourou Padma siddhi hum !* mais là se bornaient les manifestations de sa piété. Toutefois, il n'était point incrédule, il estimait ceux qui s'adonnaient aux pratiques mystiques dont le sens est soigneusement caché aux non-initiés ; sa femme obtint immédiatement toutes les permissions qu'elle désirait.

Dès le lendemain, celle-ci chargea l'un des intendants du palais de faire rapidement procéder à la construction d'une demeure d'après les indications que Kouchog Yéchés Kunzang lui fournirait. Ordre fut de nouveau donné aux chefs des villages d'envoyer des travailleurs en corvée et, tandis que, dans les champs qu'ils avaient dû abandonner, leurs récoltes se perdaient, ces paysans bâtirent, pour leur dévote princesse et pour son ambitieux chapelain, le chalet où ceux-ci allaient s'exercer à la lévitation.

En plus de la demeure destinée aux deux *tshampas,* l'on construisit, assez loin de celle-ci, une cabane devant servir de cuisine et, comme chez le lama, de dortoir pour les domestiques.

La veille du jour fixé pour l'entrée en retraite de ses nouveaux disciples, Yéchés Kunzang s'enferma dans les chambres qu'ils allaient occuper et examina soigneusement s'il ne demeurait aucune fissure par où la lumière pût y pénétrer. Cet examen avait déjà été fait plusieurs fois par ses gens et toutes les crevasses et les interstices qui leur étaient apparus avaient été bouchés. Le maître *naldjorpa* ayant trouvé l'état des lieux satisfaisant, brûla de l'encens et célébra des rites secrets pour amener, dans la maison, des courants d'influences favorables et y attirer certaines déités. De l'extérieur, on entendit le tintement de sa clochette et le roulement de son petit tambour, mais nul ne put le voir officier.

L'entrée de la *gyalmo* et du chapelain dans leurs cellules fut l'occasion d'une autre cérémonie. Pendant la nuit, en grand secret, avec l'aide d'un seul de ses disciples, le lama traça un *kyilkhor* symbolique sur un carré de coton blanc fixé au plancher de sa chambre ; divers objets emblématiques et des offrandes étaient disposés en plusieurs endroits du dessin représentant les demeures de certaines déités. On y voyait de petites lampes, des drapeaux en miniature, des bâtons d'encens, du grain, de l'eau, du thé et de la bière dans de petits bols.

Au lever du jour, les deux futurs *tshampas* furent introduits dans la pièce et demeurèrent seuls avec leur gourou qui leur conféra une initiation. Ensuite, tous deux, guidés par le lama, s'acheminèrent vers l'habitation préparée pour eux. Tout en récitant des *mantrams,* le maître *naldjorpa* fit gravir à la *gyalmo* les marches conduisant à un balcon couvert sur lequel s'ouvrait la chambre qu'elle allait occuper et l'y fit entrer. C'était une pièce longue, sommairement meublée de coussins formant une couche pourvue de couvertures et d'une table basse placée devant celle-ci. Les murs étaient entièrement tendus de drap de couleur sombre. Un guichet à doubles portes permettait de faire tenir ses repas à la recluse, sans la voir ni être vu par elle. Dans un angle de la pièce, un trou pratiqué dans le plancher et fermé par une planche formant couvercle, servait aux nécessités naturelles, leur produit tombant dans une fosse creusée sous la maison.

Lorsque la *gyalmo* fut entrée dans sa chambre, son gourou en ferma la porte et la scella avec son seau.

Le chapelain fut conduit chez lui de la même manière. Beaucoup plus petite que la chambre de la *gyalmo*, la sienne en était séparée par une épaisse cloison. La composition du mobilier était la même que chez la princesse ; coussins et tentures étant, toutefois, de moindre qualité. Un guichet à deux portes et un trou pratiqué dans le plancher servaient, respectivement, aux usages qui viennent d'être mentionnés.

De même qu'il l'avait fait pour la princesse, Kouchog Yéchés Kunzang scella la porte du chapelain, puis se retira.

Les deux reclus se trouvaient seuls, maintenant, dans leurs cellules obscures et ce qu'ils y faisaient, nul, à part leur *gourou,* ne devait le savoir.

Mipam, préposé au service de la *gyalmo,* frappait quatre fois par jour au guichet de sa chambre pour l'avertir qu'il y avait déposé le plateau sur lequel son repas était servi. Il attendait ensuite que la dame, ayant fini de manger, eût replacé le plateau sur la tablette existant entre les deux portes du guichet. Elle indiquait ceci en frappant quelques coups sur la porte intérieure. Mipam reprenait alors le plateau, le passait au domestique qui l'avait apporté de la cuisine, puis, ayant soigneusement refermé la porte extérieure, il s'en allait, sans s'écarter trop loin, ou bien s'asseyait sur le balcon où il dormait aussi, pendant la nuit, couché sur un morceau de tapis.

Cette très minime besogne lui laissait beaucoup de loisirs. Il flânait, songeait et avait fait connaissance avec les deux disciples du *lama naldjorpa.* Ceux-ci lui parlaient de leur pays de Kham et de la Chine où ils avaient accompagné leur maître en pèlerinage à Omi-chan. Mipam les écoutait attentivement, des désirs de vagabondage renaissaient en lui, et en voyant les deux jeunes gens lire pendant une grande partie de la journée, le désir de s'instruire lui revenait aussi.

Un jour, entrant chez ses amis, il les trouva en grande discussion. Kouchog Yéchés Kunzang se promenait sur le joli cheval isabelle en compagnie de son secrétaire, les deux jeunes gens étant seuls ne se gênaient pas pour élever la voix.

— Tu as mille fois tort, disait l'un d'eux à son condisciple.

— Tu n'as rien compris de ce que l'auteur explique, rétorquait celui-ci.

— C'est toi qui n'as rien compris, répliquait le premier. Ce que tu soutiens est l'inverse de ce qu'il enseigne.

— Inutile de tant parler, tranchait le second, nous n'avons qu'à lire ce qui est écrit, tu verras ton erreur.

Sur ce, le jeune *trapa* se leva, alla prendre un livre, l'ouvrit, chercha pendant quelque temps, en tournant les pages, le passage qu'il désirait, le lut triomphalement et se mit à le commenter pour établir la vérité de ce qu'il avait avancé.

Mipam se souciait peu du sujet de leur discussion, un seul fait retenait son attention. A ces deux *trapas*, le livre disait quelque chose d'intelligible sur lequel on peut raisonner, discuter, comme lorsque quelqu'un nous parle. Chez le *tsipa* les livres ne contenaient que des sons, que l'on apprenait à réciter par cœur dans l'ordre où ils se succédaient. En cela avait consisté toute la science dont il était fier et si son ancien maître en savait davantage, il ne le lui avait pas enseigné. Un souvenir déjà lointain se levait dans sa mémoire. N'avait-il pas, lors des premières leçons qu'il en avait reçues, demandé au *tsipa* ce que signifiaient les mots qu'il lui faisait apprendre, et celui-ci n'avait-il pas écarté sa question avec tant de visible mécontentement que son petit élève ne s'était jamais plus hasardé à le questionner.

De nouveaux horizons apparaissaient à Mipam. Ayant beaucoup réfléchi, il prit à part, le lendemain, l'un des jeunes *trapas* et lui raconta la manière dont son éducation s'était poursuivie chez son oncle le *tsipa* et comment ce dernier avait laissé sans réponse sa question au sujet du sens de ce qu'il lui faisait réciter. Finalement, il lui exprima le grand désir qu'il éprouvait de comprendre, comme lui, ce que disent les livres.

— Ton cas n'est pas rare, mon ami, lui répondit gentiment le *trapa*, la plupart des *tcheupas* ne comprennent pas ce qu'ils lisent. Peut-être ton maître était-il de ceux-là et est-ce pour cette raison que ta question l'a fâché et qu'il n'a pas pu t'instruire. Il faut que tu apprennes la grammaire si tu veux devenir lettré, je commencerai volontiers à t'en enseigner les éléments pendant le temps que mon maître demeurera ici, mais je dois lui en demander la permission.

Ayant sollicité cette permission, le *trapa* l'obtint facilement et Kouchog Yéchés Kunzang lui fit amener Mipam devant lui.

— Ah ! dit-il, lorsque le garçon l'eut salué par les prosternations habituelles, c'est toi qui veux apprendre ce que « disent les livres ». Tu croyais que lire n'était que produire des sons ; plus d'un le croit aussi, mais il n'en est rien. Il existe bien, dans les livres, des passages qui sont écrits dans le langage des dieux ou dans celui des *dakînîs* (1) et ceux-là ne sont compris que par de très savants initiés, mais la plus grande partie de nos Livres Saints est très compréhensible. Tous les ouvrages qui forment le *Kha gyur* sont des traductions, faites par nos *lotsawas,* de livres très anciens écrits par des disciples du Bouddha. Le mot *Kha gyur* signifie cela. Par ces livres nous savons ce que le *Bouddha Cakya Toupa* a prêché et comment il a vécu, autrefois, dans l'Inde. Il existe aussi des traductions des œuvres des grands maîtres religieux de l'Inde et des livres qui leur ont été apportés par les *Nâgas*. De plus, il y a beaucoup de livres qui ont été écrits par de sages et savants lamas de notre pays sur toutes sortes de doctrines admirables que ni l'Inde, ni aucun autre pays n'ont jamais connues, ce qui fait que le Tibet est véritablement le pays de la religion possédant un trésor d'enseignements plus vaste que l'étendue de l'immense océan.

« Tu me parais intelligent et ton désir de t'instruire est louable ; lorsque je partirai d'ici je t'emmènerai volontiers avec moi. Tu pourras, alors, apprendre la grammaire, la syntaxe et tout ce qui est nécessaire pour comprendre ce qui est dit dans les livres. En attendant, profite des leçons que mon élève te donnera.

Mipam se prosterna de nouveau pour témoigner sa reconnaissance au lama. Jamais il n'avait entendu de plus intéressant discours que le sien. Comme les livres enveloppés dans leurs « robes » et serrés entre des planchettes (2)

---

(1) Les passages auxquels il fait allusion sont ceux qui n'ont pas été traduits mais seulement reproduits en écriture tibétaine d'après le texte sanscrit. Ce dernier a été tellement corrompu qu'il est souvent presque impossible d'en recomposer les mots originaux. Ces passages passent pour être écrits dans le langage d'êtres appartenant à d'autres mondes et ils sont employés comme paroles magiques produisant divers effets.

(2) Les livres tibétains sont formés de feuilles volantes que l'on enveloppe dans un morceau d'étoffe dénommée « robe ». Le paquet est, ensuite, placé

prenaient un autre aspect à ses yeux ! Ce qui n'était que papier mort et une sorte de musique monotone lui apparaissait, maintenant, comme esprit et vie. Il avait hâte d'entrer en communication avec ce monde fascinant où le Bouddha et les sages continuent à nous parler par le moyen des signes imprimés. Il voulait devenir savant. Au précieux océan de la littérature tibétaine peut-être ajouterait-il, un jour, un ouvrage écrit par lui.

Mipam débordait d'enthousiasme et ce fut avec une impétueuse ardeur qu'il prit, le lendemain, sa première leçon de grammaire.

entre deux planchettes, parfois très artistiquement sculptées, que l'on serre fortement au moyen de courroies ou de rubans.

5

LA réclusion de la *gyalmo* et de son chapelain devait durer trois mois. Autour d'eux, la vie des habitants du hameau improvisé s'écoulait très calme, aucun incident particulier ne distinguant les jours les uns des autres. Kouchog Yéchés Kunzang se promenait sur le beau cheval isabelle, son secrétaire l'accompagnait. L'intendant, à l'affût d'affaires commerciales, avait de longs conciliabules avec ses confrères intendants au service du *gyalpo*. Les domestiques mangeaient et buvaient pendant une grande partie de la journée et digéraient ensuite en dormant. Mipam apprenait la grammaire.

Pourtant, une nuit, « quelque chose arriva ». Mipam dormait à sa place habituelle, sur le balcon couvert précédant la chambre de la *gyalmo,* lorsqu'il fut réveillé par un bruit singulier. C'étaient des coups sourds se répétant à d'assez longs intervalles. Pan... pan... pan, entendait-on. Qu'était-ce que cela? — Que se passait-il? — Personne n'avait pu pénétrer chez la princesse. Le lama lui-même n'y entrait point, il parlait quelquefois aux deux *tshampas* à travers leur guichet, il l'avait encore fait la veille, mais les portes des deux chambres restaient scellées.

Pan... pan... Quoi donc? — La *gyalmo* était-elle malade, appelait-elle au secours? Un démon la tourmentait-il? — Ces mauvais êtres se plaisent à harceler les gens pieux pendant leurs méditations. Fallait-il appeler au secours, réveiller les domestiques ou prévenir le lama? —

Le garçon ne savait à quel parti se résoudre. Indécis, il sortit.

Pan... pan... pan... Le même bruit se produisait chez le chapelain ; plus de doute, des démons étaient là. Mipam courut vers le chalet où dormait le lama et ses deux disciples. Arrivé à la porte, il s'arrêta, n'osant pas y frapper. Kouchog Yéchés Kunzang ne se fâcherait-il pas s'il le réveillait. Il tendit l'oreille du côté du *tshams khang*. Le silence était complet ; la distance empêchait-elle d'entendre ce mystérieux martelage ? Il retourna lentement vers l'habitation rustique des reclus. On ne percevait plus aucun bruit. Mieux valait, sans doute, qu'il ne se mêlât point de choses auxquelles il ne comprenait rien. C'était l'affaire du lama de protéger ses disciples. Mipam regagna la véranda et s'enveloppa de nouveau dans ses couvertures, mais, intrigué comme il l'était, il ne put se rendormir et demeura aux écoutes, guettant le moindre son, jusqu'au lever du jour.

Il lui sembla que le domestique tardait beaucoup, ce matin-là, à apporter le déjeuner de sa maîtresse. Il avait hâte de le lui entendre retirer du guichet, d'être certain qu'elle était toujours vivante. Peut-être se permettrait-il de lui demander si elle était en bonne santé. Le déjeuner vint, Mipam le porta à la *gyalmo*, il entendit qu'elle prenait le plateau et respira : elle vivait ! Plus tard, au signal habituel, il reprit le plateau, mais il n'osa pas parler à sa dame.

Pourtant Mipam était curieux. Sa curiosité de bon aloi provenait uniquement de son désir d'apprendre ce qu'il ignorait et ne s'attardait pas sur des sujets vulgaires. Pour le moment, il voulait savoir ce qui, dans un *tshams* habité par de dévots reclus, pouvait donner lieu au bruit qu'il avait entendu. Une seule personne, à proximité de lui, paraissait capable d'éclaircir le mystère qui l'intriguait, c'était son amical professeur de grammaire ; il l'interrogea.

— Certainement, je sais ce dont il s'agit, répondit le jeune *trapa*. *La gyalmo* et le *chapelain* pratiquent *loung gom*.

— Qu'est-ce que cela ?

— C'est une méthode par laquelle on parvient à toutes sortes de résultats merveilleux : on peut devenir extraordinairement agile, marcher pendant plusieurs jours consécutifs sans manger, ni boire, ni dormir, ni se reposer ; on peut rendre son corps si léger qu'il peut flotter dans l'air ou s'asseoir sur la pointe d'une tige d'orge sans la faire plier...

— *A-la-la ! yatsén !* (1), s'exclama Mipam. C'est prodigieux ; je n'ai jamais rien entendu d'aussi intéressant. Est-ce que mon ancien maître, mon oncle le *tsipa* peut, ainsi, s'asseoir sur une tige d'orge ?

— Non pas. Il n'y a que des *gomchéns*, de grands *naldjorpás* qui en soient capables.

— Et alors, *lha tcham Kouchog* (2) et son *amtcheu ?* (3)...

— Ils ne visent probablement pas des buts si difficiles à atteindre... Je n'en sais rien, Kouchog Yéchés Kunzang, seul, sait à quoi ils tendent.

— Mais cette méthode qui fait pan, pan, quelle est-elle ? Qu'est-ce qui fait ce bruit ? Puisque vous le savez, dites-le-moi.

Le jeune *trapa* hésitait, mais Mipam le regardait avec des yeux suppliants, il était si gentil qu'on ne pouvait guère lui résister.

— Je te le montrerai lorsque *Kouchog rimpotché* sera absent, dit-il.

Avec quelle impatience Mipam attendit que le lama, monté sur le cheval isabelle, partît pour sa promenade habituelle. Dès qu'il eut disparu, il alla trouver son ami. Celui-ci avait prévenu son condisciple qui portait autant d'amitié que lui à l'ancien élève du *tsipa* et avait consenti à faire le guet à la porte afin que nul, entrant à l'improviste, ne surprenne la démonstration qui allait être faite. S'asseyant sur un coussin épais et large, les jambes croisées, les talons touchant les fesses, les mains posées l'une sur l'autre, les pouces relevés, se joignant, le professeur de Mipam respira plusieurs fois profondément suivant un rythme particulier puis, subitement, retenant son souffle, il sauta en l'air sans changer de position ni se servir

---

(1) *A-la-la* est une exclamation dénotant un étonnement admiratif ; *yatsén* signifie « merveille ».

(2) Appellation respectueuse en parlant des femmes mariées de haute condition sociale ou en leur adressant la parole.

(3) Chapelain attaché à une demeure pour y lire les Livres Saints et célébrer certains rites.

d'aucun support. Le bruit qu'il produisit en retombant sur le coussin, ressemblait, mais en plus léger, à celui que Mipam avait entendu pendant la nuit.

— Atsi ! s'exclama le jeune garçon, au comble de la surprise.

Le *trapa* avait, de nouveau, respiré profondément, puis retenu son souffle et sautait encore une fois.

Il sauta ainsi à cinq reprises. Mipam était médusé.

— Est-il possible que *Lha tcham Kouchog* saute ainsi, dit-il avec incrédulité.

Le grammairien avait relevé son camarade de sa faction, celui-ci entrant dans la pièce, entendit la réflexion de Mipam et se mit à rire.

— On peut en douter, dit-il. Il faut s'exercer pendant très longtemps, parfois pendant des années, pour pouvoir faire ce que ton professeur t'a montré.

— Pourtant j'ai entendu le bruit, répliqua Mipam.

— Ecoute, répliqua le *trapa*, tu es un garçon intelligent, mon ami, ton professeur me l'a dit et tu es un *trapa* comme nous ; je vais te raconter une histoire très vraie. Les faits se sont passés dans mon monastère.

« Un *trapa* vaniteux qui voulait, à tout prix, se distinguer, alla trouver un maître *naldjorpa* afin de pratiquer *loung gom* sous sa direction. Ayant habité près de lui et reçu ses instructions pendant un certain temps, il retourna au monastère. Prenant alors un air important, il sollicita la permission de s'enfermer dans un des *tshams khangs* bâtis à l'écart qui sont à la disposition des moines désireux de faire une retraite. Elle lui fut accordée. Du dehors, on entendit le bruit que le reclus faisait en sautant. Pan, pan, pan, pan. Il sautait, semblait-il, un nombre de fois surprenant et avec une vigueur exceptionnelle. Ceux qui l'entendaient s'exercer firent part à d'autres de leur étonnement admiratif. Les moines s'émerveillaient des progrès du *tshampa*; ils s'assemblaient près de sa cellule pour l'entendre sauter. « Il finira par percer le toit et jaillir triomphalement au-dehors (1), disaient quelques-uns, au

(1) Cet étrange exploit passe pour être véritablement accompli et constitue l'épreuve finale par laquelle les *loung gompas* démontrent leur capacité. Voir, à ce sujet : A. DAVID-NÉEL, *Mystiques et magiciens du Tibet*, chapitre les « Loung gompas », p. 201.

bruit qu'il fait, l'on peut croire que sa tête doit, à chaque saut, toucher le plafond. » On s'émerveilla tant que le *chélngo* conçut des soupçons.

« Le *tshampa* prodige n'était pas astreint à demeurer dans l'obscurité, il suffisait qu'il ne puisse ni être vu ni voir au dehors. Sur la petite fenêtre de sa chambre un papier épais était collé. Accompagné de quelques *trapas*, le *chélngo* se glissa silencieusement près du *tshams khang* et, à l'heure où l'on allume les lampes devant les saintes images sur les autels, quand l'invisible solitaire commença ses exercices et que les chocs se succédèrent, de plus en plus bruyants, avec une rapidité croissante, sur un signal du *chélngo,* un *trapa* arracha vivement le papier de la fenêtre. L'on vit, alors, l'imposteur, tenant une bûche en main et frappant à grands coups sur un coussin, pour imiter le bruit d'un corps retombant de haut.

« Il fut immédiatement traîné hors de sa cellule, enfermé dans la prison et, le lendemain, il put sauter autant qu'il le voulut, suspendu par les pouces et bâtonné d'importance.

— Croyez-vous donc que *Lha tcham Kouchog* tape sur ses coussins au lieu de sauter ? demanda Mipam.

— Je n'ai pas dit cela, petit, répondit le *trapa* devenu sérieux. Crois-moi, garde tes réflexions pour toi, tiens ta langue et ne parle à personne ni de ce que fait ta *gyalmo* ni de ce que tu as vu ou entendu ici, il pourrait t'en advenir du mal.

Mipam approuva d'un hochement de tête. Puis, s'adressant à son professeur :

— Est-ce que vous pouvez, lui demanda-t-il, vous tenir assis sur la pointe d'une tige d'orge sans la faire ployer ?

— J'en suis bien loin, répondit l'interpellé.

— Et, continua Mipam, hésitant un peu, est-ce que Kouchog Yéchés Kunzang peut le faire ?

— Il le peut, déclarèrent ensemble les deux disciples avec l'accent de la foi la plus profonde.

— Ah ! fit Mipam rêveur. L'avez-vous vu assis de cette façon ?

— Il ne se laisse pas voir ainsi à nous, dit le professeur de grammaire.

— Nous n'en sommes pas encore dignes, ajouta gravement l'autre moine.

— Ah ! fit encore Mipam ; et il ne posa pas de nouvelle question.

Mipam faisait des progrès en grammaire, il commençait à démêler le sens de ce qu'il lisait, il avait contemplé un élève *loung gompa* sautant « en posture de lotus » et appris nombre de choses intéressantes, mais il n'avait pas revu Dolma. Plus de deux mois s'étaient déjà écoulés depuis que la *gyalmo* s'était enfermée dans le *tshams khang*, elle rentrerait bientôt au palais et peut-être y ferait-elle venir la fillette. Mipam l'espérait.

L'offre que lui avait faite Kouchog Yéchés Kunzang le préoccupait aussi et luttait, dans son esprit, avec son désir de demeurer à proximité de sa petite amie. La vie qu'il menait chez son seigneur lui pesait de plus en plus. Avec le départ du lama et de ses disciples finiraient les leçons auxquelles il attachait tant de prix ; il retrouverait les petits princes qu'il faudrait distraire en jouant avec eux ou en courant le pays à leur suite. N'était-ce point là gâcher sa jeunesse ? — A quoi le conduirait cette existence vide ? — Etait-ce ainsi qu'il deviendrait, rapidement un homme important et riche, comme il s'en était vanté devant Dolma. Son père ne la donnerait certainement pas à un mari insignifiant et pauvre. Devait-il s'en aller loin d'elle pour faire fortune et bâtir, à son retour, la jolie demeure qu'il lui avait promise ?... Suivre Kouchog Yéchés Kunzang pouvait le conduire à acquérir du savoir et des pouvoirs extraordinaires. Même si le lama en était resté incapable, il parviendrait, lui, à s'asseoir sur la pointe d'une tige d'orge sans que celle-ci ployât. Il en brûlait d'envie et, certes, il ne se cacherait pas pour accomplir cet exploit ; il aspirait passionnément à la renommée des *doubthobs* qui sèment les prodiges autour d'eux. Dolma l'admirerait dans ce rôle ; mais son père, le riche marchand, voudrait de l'argent et, même en opérant des miracles, pourrait-il se procurer en peu de temps la grosse somme qu'il exigerait ?

En proie à une indécision pénible, Mipam envisageait les deux voies qu'il croyait ouvertes devant lui, ignorant que le choix ne lui serait pas offert.

Un après-midi, comme il sortait de chez son professeur et retournait vers le *tshams khang* pour y étudier sa leçon sur le balcon couvert qui lui servait de chambre, il aperçut Dolma buvant du thé, assise par terre, près de l'entrée de la cuisine. Elle avait donc été mandée au palais et plus tôt qu'il ne l'espérait ? — Mipam ne se sentait pas de joie.

Dolma riait gentiment; se voir accueillie avec tant d'heureuse émotion lui causait grand plaisir. Elle avait beaucoup grandi depuis le jour où elle était fantastiquement apparue à Mipam, à travers les flammes du foyer, dans la cuisine du *tsipa*. C'était, maintenant, une petite femme de treize ans, déjà entendue en affaires et qui secondait utilement sa capable belle-mère.

Au palais, les jeunes princesses trouvaient le temps long; elles s'ennuyaient en l'absence de leur mère et avaient prié leur père de faire venir Dolma pour leur tenir compagnie. Le *gyalpo* y avait consenti volontiers. Un messager porteur d'une lettre de lui s'était rendu à Lhassa, chez Ténzing et ce dernier lui avait permis d'emmener Dolma avec lui.

Les filles du chef et celle du riche marchand étaient d'excellentes amies. Dolma aimait aussi le plus jeune prince, mais l'aîné lui déplaisait. Il était autoritaire, tyrannisait ses cadets et, même, sa grande sœur déjà fiancée. Il fallait toujours jouer au jeu qu'il choisissait, ou aller se promener où il lui plaisait. Quand on le contrariait, il devenait violent; ses trois sœurs le craignaient et Dolma l'évitait autant qu'elle le pouvait.

Tout en causant avec son amie, Mipam ne manqua pas de faire sonner bien haut le savoir qu'il avait acquis. Après lui avoir fait jurer de garder le secret, il lui décrivit aussi les exercices de *loung gom* auxquels il avait assisté et ajouta que, dans un avenir prochain, il pourrait s'asseoir sur un épi d'orge sans en faire ployer la tige.

— Oh! que je voudrais voir cela! s'écria Dolma transportée d'admiration.

— Tu le verras et bien d'autres prodiges plus grands encore, lui assura Mipam.

Mais tout en faisant étalage des talents qu'il possédait déjà et de ceux qu'il se targuait d'acquérir à brève échéance, le vaniteux Mipam réfléchissait et en revenait au thème de ses préoccupations. Afin de devenir le magicien qu'il voulait être, il lui fallait un maître qui lui en indiquât les moyens. Ce maître, il l'avait trouvé, ce pouvait être Kouchog Yéchés Kunzang, tout au moins pour le début de son instruction, mais le lama allait quitter le pays. Devait-il le suivre ? — Qu'en pensait Dolma ? — Mipam le lui demanda.

— Aller au Kang Tisé, au Pelyul, puis au Kham avec Kouchog Yéchés Kunzang, oh! Mipam, que c'est loin ! s'écria la fillette quand elle eut entendu son ami. Tu resteras en route pendant des années ; pendant des années je ne te verrai pas ! Il pourra t'arriver du mal ; des brigands attaquent les voyageurs sur les routes, de mauvais hôtes leur versent du thé empoisonné (1), des démons les font choir dans les précipices...

La pauvre petite commençait à pleurer. Une appréhension, pire encore pour elle que celle des dangers que courrait son ami, venait de naître dans son esprit, elle ne put s'empêcher de l'exprimer :

— Kouchog Yéchés Kunzang a-t-il une *youm?* demanda-t-elle.

— Non, pas que je sache, répondit Mipam. Ses disciples qui m'ont dépeint sa demeure, au Kham, ne m'ont jamais parlé d'une *sang youm* qui y résiderait.

— Alors, il n'en doit pas avoir, dit Dolma. Ces grands *naldjorpas* experts en *loung gom* et en toutes sortes de pratiques secrètes ont la compagnie des dieux et des *Tcheu Kyongs*. Ils contraignent les génies à les servir et prennent des *Dâkînîs* pour épouses. Quand tu seras devenu un savant *naldjorpa,* tu ne penseras plus à moi. Elle continuait à pleurer en proie à une tristesse infinie.

— Jamais ! jamais, je ne t'oublierai, Dolma, protesta Mipam bouleversé. Si je deviens un grand *naldjorpa,* tu seras ma *sang youm,* je te le promets, j'en fais le serment, *Naraka !* Mais si tu le veux, je ne partirai pas. Je resterai chez le *gyalpo,* ou bien je demanderai à ton père de me prendre chez lui pour que j'apprenne à faire du commerce.

— Ton frère Dogyal est déjà chez nous, dit la fille de Ténzing. Mon père l'aime beaucoup, il le trouve très intelligent pour les affaires

---

(1) Les Tibétains croient que certaines personnes — plus spécialement des femmes — sujettes à des possessions démoniaques temporaires — sont contraintes, lorsque le démon habite en elles, d'empoisonner la première personne qui s'offre à elles. Voir à ce sujet : A. DAVID-NÉEL, *Mystiques et magiciens du Tibet,* chapitre « Les possédés empoisonneurs », p. 154.

— Oui, répondit Mipam, je sais qu'il est chez vous, est-il gentil pour toi ?

— Très gentil ; mais il est tellement plus vieux que moi !

— Oh ! dit Mipam en souriant, il a vingt ans, ce n'est pas un vieillard.

— Il n'est pas joli et savant comme toi, Mipam.

— Il sait moins de choses, c'est certain, concéda Mipam, flatté.

— Mipam, ne pourrais-tu pas venir étudier à Lhassa, tu y trouveras d'aussi bons maîtres que Kouchog Yéchés Kunzang. Je me souviens très bien que mon père t'a dit que tu pourrais demeurer chez nous.

— Oui, ce serait bien, sans doute, répondit Mipam, mais le *gyalpo* me permettra-t-il de quitter son service ?

— Pour suivre Kouchog Yéchés Kunzang il te faudrait aussi sa permission, fit observer Dolma.

— Elle n'est pas indispensable. Je puis partir pendant la nuit ou sous un prétexte quelconque, soit avant, soit après le départ du lama et le rejoindre en route. Il va continuer son voyage, bientôt je serais loin, le *gyalpo* ne pourrait pas me reprendre. A Lhassa, c'est différent, il y a des amis et ton père est son marchand ; s'il le voulait, il pourrait me faire ramener chez lui pour être battu.

— Je ne veux pas que l'on te batte, déclara fermement Dolma qu'une telle perspective indignait.

Mipam ne répondit pas. Il avait pris la main de son amie dans la sienne et songeait au bonheur de l'avoir toujours, ainsi, près de lui, mais en même temps, par un dédoublement de sa pensée, il se voyait chevauchant à travers des pays lointains, contemplant mille choses nouvelles, devenant savant autant que son bon maître le grammairien et que le maître de son maître, Kouchog Yéchés Kunzang. Et son cœur se serra parce qu'il sentait que, quel que fût son choix, il souffrirait, regrettant ce qui lui manquerait : Dolma, la petite aimée, ou son rêve ambitieux.

Dolma le tira de sa rêverie.

— Mipam, dit-elle, je dois rentrer au palais. Les princesses me croient dans le voisinage, chez la femme de l'intendant ou chez la fille du secrétaire, mais si je tarde trop longtemps, elles enverront à ma recherche. Demain, après-demain, dès que je pourrai m'échapper, je reviendrai te voir.

— Dolma, que de temps encore il faudra avant que nous puissions nous marier et demeurer toujours ensemble, murmura Mipam en serrant son amie contre lui.

— Deux ans, dit la fillette, deux ans j'aurai quinze ans et toi, plus de dix-huit ; mais deux ans, c'est bien long !

— Bien long ! répéta Mipam.

Une lourde tristesse pesait sur les deux amis. Ce n'était pas seulement la perspective d'une longue attente qui la leur inspirait. Une crainte irraisonnée s'insinuait dans leur esprit. Crainte de quoi ? — Ils n'auraient pas pu le dire et ne discernaient pas que ce qui les faisait frissonner aux bras l'un de l'autre était la peur de l'avenir incertain, le spectre de la séparation qui se dressait entre eux.

Dolma ne revint ni le lendemain ni le surlendemain. Mipam était navré mais il n'osait pas quitter son poste pour aller jusqu'au palais. Bien qu'il n'eût aucun travail à faire, il devait rester à proximité du *tshams khang,* prêt à répondre si l'invincible *gyalmo* l'appelait pour lui donner un ordre.

Lorsqu'il s'absentait pour prendre sa leçon de grammaire ou pour une courte promenade, un domestique demeurait en faction à portée de voix afin d'avertir immédiatement Mipam si la recluse le réclamait, car lui seul, d'entre les serviteurs, avait le droit de circuler dans la véranda du *tshams khang* et de parler à la *gyalmo,* à travers le guichet de sa chambre.

Il pouvait, ainsi, se permettre des absences peu prolongées, mais la distance entre l'ermitage et le palais était passablement longue. De plus, sa présence de ce côté aurait, infailliblement, été découverte par les enfants du seigneur ou par des domestiques qui auraient informé la *gyalmo* de son escapade. Mipam rongeait donc son frein et se creusait la cervelle pour trouver un moyen de revoir Dolma, lorsque le huitième jour après leur entrevue, celle-ci arriva, tout essoufflée d'avoir couru.

Elle aperçut le futur magicien, son fiancé, assis dans la véranda du *tshams khang* étudiant sa leçon de grammaire. Profitant d'un moment où il levait les yeux de dessus son livre, elle lui fit un signe. En deux bonds silencieux, comme un jeune léopard, le garçon fut dehors.

— Va te cacher dans les taillis, là-bas, dit-il rapidement à son amie, je te rejoins à l'instant.

Et tandis qu'elle s'en allait dans la direction qu'il lui avait indiquée, Mipam entra dans la cuisine du lama. Les domestiques de ce dernier lui témoignaient de la sympathie, il ne redoutait pas de délation de leur part s'ils le voyaient avec Dolma.

— Je vais lire dans le bois, dit-il à l'un d'eux. Ayez la bonté d'écouter si la *gyalmo* frappe sur son guichet pour m'appeler et, si elle me demande, venez immédiatement me chercher.

L'homme promit d'être attentif et Mipam courut rejoindre Dolma.

Ils s'assirent près l'un de l'autre et bavardèrent gentiment. Dolma apportait des nouvelles du palais. La vie y était triste. L'aînée des princesses qui était fiancée à un *chapé* (ministre) veuf et de vingt ans plus âgé qu'elle, devenait chaque jour plus mélancolique, la perspective de son prochain mariage ne l'enchantait guère malgré le haut rang qu'il lui assurait parmi la vieille noblesse de Lhassa et les bijoux splendides dont elle pourrait se parer. La seconde fille du chef devait être abbesse d'un monastère situé à l'extrémité de la province de Kongbou, au-delà de Giamda, près du pays des redoutés Popas. Par sa grand-mère maternelle, l'enfant avait des attaches familiales dans cette région, mais les descriptions sinistres que les marchands faisaient du caractère des Popas, brigands et cannibales, disaient-ils, la terrifiaient et l'idée de vivre dans leur voisinage lui donnait des cauchemars. Elle aussi pleurait souvent et Dolma s'affligeait en voyant ses amies malheureuses. La troisième fillette montrait, seule, un peu de gaieté. Ses parents n'avaient pas encore décidé de son avenir ou, du moins, ils ne lui avaient point fait part de leur décision et elle n'était pas encore en âge de s'en soucier. Le plus jeune des deux princes reconnu pour un *tulkou* de Lhadzunpa, bien qu'il en existât déjà une autre « incarnation », entrerait prochainement au monastère de Mindoling pour y faire ses études.

Mipam connaissait ces détails, mais les Tibétains ne se lassent pas de parler des gens de condition sociale supérieure à la leur. Ce jour-là, les enfants du *gyalpo* étaient allés au bord d'une rivière. L'aîné des garçons, celui que

Dolma n'aimait pas, avait exigé cette excursion qui lui permettrait de s'amuser à pêcher. Il avait d'abord refusé d'y laisser participer ses sœurs, mais la fiancée s'était plainte à son père, disant qu'elle voulait organiser un pique-nique. Le *gyalpo* n'y voyant aucune objection avait commandé à quelques domestiques d'escorter les enfants, de planter une grande tente et d'emporter des vivres pour préparer un repas. Toute la journée devait ainsi se passer en plein air et le prince héritier, comprenant qu'un bon dîner serait servi, n'avait plus fait opposition aux arrangements pris par sa sœur.

La petite rivière près de laquelle les campeurs s'étaient rendus passait au pied de l'éperon de montagne sur lequel avaient été construites les demeures temporaires de Kouchog Yéchés Kunzang et des deux *tsampas*. Dolma en avait profité pour s'échapper tandis que ses compagnes étaient occupées à chercher des champignons qu'elles voulaient faire griller avec du beurre et de la *tsampa*. Une courte grimpade l'avait rapidement menée au plateau momentanément occupé par les ermitages.

Les préoccupations d'avenir qui avaient assombri la précédente rencontre de Mipam et de son amie ne se présentaient point, pour le moment, à leur esprit; ils étaient simplement heureux d'être ensemble, jouissant de l'heure présente, franchement, ingénument, comme deux enfants qu'ils étaient encore.

C'est dans ces moments d'insouciance où l'homme vit comme la plante, inconscient des forces dont il est le produit, que les effets d'actions passées se manifestent, parfois, et transforment son existence.

Comme un fétu de paille arraché, par l'ouragan, au sillon au fond duquel il reposait va s'accrocher aux épines d'un buisson, retombe parmi l'herbe d'une prairie ou disparaît englouti dans les eaux écumantes d'un torrent, ainsi la rencontre des fruits d'actes anciens ou leur maturité déclenche autour de nous des bourrasques soudaines qui nous projettent, hors des routes que nous croyions nôtres, vers un destin inattendu.

Le son d'une voix irritée fit sursauter les deux amis.

— Ah! je te trouve, Dolma, criait-on derrière eux. C'est ainsi que tu te sauves et laisses mes sœurs te chercher. Pourquoi es-tu ici avec Mipam?

Le fils aîné du *gyalpo* arrivait, hors d'haleine et rouge de colère.

Beaucoup de temps s'était écoulé depuis que Dolma avait quitté les princesses ; en causant ensemble, Mipam et elle ne s'en étaient pas rendu compte. Les filles du chef revenant à leur tente avec leur récolte de champignons avaient vainement appelé leur compagne et les domestiques envoyés à sa recherche ne l'avaient pas trouvée aux alentours du camp.

L'aîné des garçons s'était alors avisé que Dolma pouvait avoir eu l'idée d'aller prendre des nouvelles de la *gyalmo* à laquelle elle témoignait beaucoup d'affection. Craignant qu'elle ne se permît de l'importuner en frappant à sa porte ou en lui parlant, ce qui était strictement interdit, et mécontent de l'indépendance manifestée par la fillette, le jeune *gyalsé* avait gravi hâtivement le raidillon serpentant à travers les bois, qui conduisait au *tshams khang*. C'était le même chemin qu'avait suivi Dolma.

Ce qu'il découvrait était pire que ce qu'il avait imaginé. Dolma n'était ni à la cuisine, s'informant au sujet de la *gyalmo* auprès des domestiques, ni dans les environs du *tshams khang*. Il la trouvait cachée avec Mipam entre les buissons, tous deux si absorbés par leur bavardage qu'ils ne l'avaient pas entendu venir. Ce n'était donc point par intérêt pour la santé de sa protectrice qu'elle avait malhonnêtement abandonné les enfants du prince, c'était pour rencontrer ce fils de paysan.

— Dis, pourquoi es-tu ici ? Je vais te faire redescendre à coups de pied ! hurlait l'héritier du *gyalpo*.

Dolma, terrorisée, n'osait pas bouger et Mipam connaissait assez les mœurs de son pays pour savoir que toute discussion avec le fils d'un seigneur est inutile. Cependant, sans avoir eu besoin de débattre la question dans son esprit, il savait qu'il ne laisserait pas son amie redescendre de la colline en compagnie de ce garçon brutal.

— Dolma s'en retournera dans un moment, Kouchog dit-il aussi poliment que le lui permettait la colère qu'avaient fait surgir en lui les menaces du *gyalsé* à l'adresse de son amie. Elle est trop effrayée pour pouvoir marcher tout de suite, elle doit, d'abord, aller boire un bol de thé à la cuisine pour se remettre.

— Du thé ! s'exclama le garçon, ricanant méchamment. Marche tout de suite, et vite, ou je te bats !

Instinctivement la fillette fit un pas en arrière s'abritant derrière Mipam.

Celui-ci n'hésita pas une seconde :

— Kouchog, dit-il fermement, vous ne battrez pas Dolma et elle ne vous suivra pas. Je ferai avertir *Lha tcham kouchog* de ce qui s'est passé.

— Je ne la battrai pas ! — Tu oses me parler ainsi !... Tu vas voir, fils de paysan ; je la battrai et toi aussi...

Rendu enragé par une opposition qu'il n'était pas habitué à rencontrer, le garçon s'élança et, avant que Mipam ait pu l'en empêcher, il saisit Dolma par le bras et la tira violemment à lui ; les pieds de la fillette s'embarrassèrent dans une racine d'arbre et elle tomba en criant.

Un cri de son agresseur répondit au sien ; d'un vigoureux coup de poing en pleine poitrine, Mipam venait de l'envoyer rouler sur une déclivité pierreuse. Quand il se releva, le sang coulait d'une blessure qu'un fragment de roc lui avait faite à la tête.

Bien que de deux ans plus âgé que Mipam et plus grand que lui, le *gyalsé* hésita à riposter ; le visage de son adversaire s'était empreint d'une expression terrible, une atmosphère de meurtre enveloppait le groupe des trois jeunes gens, il eut peur.

— Je te ferai bâtonner jusqu'à la mort, proféra-t-il d'une voix sourde que la rage et le choc éprouvé rendaient mal assurée.

Puis il s'éloigna lentement, portant la main de sa tempe saignante à son front et à ses reins endoloris, se barbouillant de sang et escomptant, en pensée, l'effet produit par son apparence tragique pour augmenter la sévérité du châtiment que son père infligerait à Mipam.

L'acte impulsif de Mipam avait été accompli avec la rapidité de l'éclair et il se trouvait en face d'un fait irrémédiable, avant d'avoir eu le temps de penser.

Comme nombre d'autres roitelets féodaux du Tibet, le *gyalpo* dont Mipam était le sujet exerçait un pouvoir autocratique dans les limites de son minuscule territoire. Il n'y avait aucun doute qu'il ne fît cruellement torturer celui qui avait osé frapper son fils et, s'il survivait au supplice,

Mipam pouvait s'attendre à être retenu, pour la vie, comme esclave du chef et de ses descendants.

Dolma reprit, la première, pleine conscience de la situation.

— Mipam, dit-elle avec décision, il faut que tu t'enfuies tout de suite. Le *gyalpo* est à la chasse, il ne reviendra qu'après-demain dans la soirée. Son secrétaire et l'intendant sont avec lui. Les autres, n'ayant pas d'ordres directs, ne s'entendront pas sur ce qu'ils doivent faire, ils ne te chercheront pas bien... tu pourras leur échapper.

La houle d'émotion qui avait bouleversé Mipam était tombée, il reprenait son sang-froid.

— Tu as raison, répondit-il, je dois partir immédiatement. Le *gyalsé* ne marchera pas vite en descendant par ce mauvais sentier et quand il sera arrivé au camp, il ne pourra peut-être pas monter à cheval pour rentrer chez lui ; les reins doivent lui faire mal. Les domestiques le porteront ou construiront un brancard pour l'y faire asseoir. Ils ne sont que deux, m'as-tu dit, ils seront occupés tous les deux. Quand le *gyalsé* et tous les autres arriveront au palais, il ne fera déjà plus assez clair pour chercher quelqu'un dans les bois. J'ai toute la nuit devant moi pour prendre de l'avance... D'ailleurs, je vais me tailler un gros bâton et si quelqu'un essaie de m'arrêter, je me défendrai.

Les yeux du garçon devenaient, de nouveau, durs et résolus. Puis, tout à coup, cessant de penser à lui :

— Mais toi, Dolma, interrogea-t-il d'une voix angoissée, que vas-tu faire ?...

— Moi, je vais avec toi, Mipam, répondit la fillette, semblant étonnée de se voir poser cette question.

N'était-il pas tout naturel qu'elle accompagnât son ami.

— Où irons-nous ?

— A Lhassa, chez mon père. Il t'aime beaucoup, il ne laissera personne te faire du mal. Et puis, en *U* (1), il y a des *chapés* (ministres) et *Kyabgön rimpotché ;* ton *gyalpo* n'est plus le maître, là. Mon père est riche, il peut offrir autant de cadeaux qu'il faudra pour que l'on te protège. Viens !...

D'un pas décidé et rapide elle se mit en marche,

(1) *U*, la province centrale du Tibet où est situé Lhassa.

contournant, sous bois, les cabanes de Kouchog Yéchés Kunzang, des reclus et de leurs serviteurs. Nul ne devait savoir que Mipam fuyait, ni connaître la direction dans laquelle il était parti.

Mipam la suivait en silence, pensant à Kouchog Yéchés Kunsang et à son bienveillant maître de grammaire. La question qui l'avait tant préoccupé ne se posait plus, maintenant ; il n'était plus libre de les suivre, il ne les reverrait probablement jamais et jamais, non plus, il n'apprendrait à s'asseoir sur la pointe d'un épi d'orge sans en faire ployer la tige. Mais Dolma était avec lui ; agile et robuste elle grimpait, devant lui ; la pente raide de la montagne, semblant guider sa marche Tout était donc bien puisque sa petite fée le conduisait. Où que ce soit, il serait heureux près d'elle.

Le soleil venait de se coucher, l'ombre envahissait peu à peu la forêt ; Mipam s'arrachant à sa rêverie rejoignit son amie et l'arrêta. Il était redevenu sûr de lui-même et avait formé un plan.

— Nous sommes assez loin des *riteus,* dit-il, nous ne rencontrerons plus personne. Il fera bientôt nuit. Nous nous égarerions sous les bois, il faut regagner le sentier et marcher sans nous arrêter jusqu'au lever du jour ; nous chercherons alors une cachette pour y demeurer pendant toute la journée et nous repartirons de nouveau quand l'obscurité viendra. Ils iront sans doute me chercher chez mon père et ils enverront aussi un homme à cheval sur la route de Lhassa, pensant que tu retourneras chez toi. Nous ne devons pas aller à Lhassa par la route directe, nous nous y ferions prendre. Si tu peux continuer à marcher, nous chercherons un chemin détourné. J'ai mon argent, je l'ai toujours sur moi ; nous pourrons acheter de quoi manger.

— Je puis marcher aussi bien que toi, répondit fièrement la fillette, et je sais où nous irons. Nous irons à Jigatzé chez *akou* Tseundu. Tu ne le connais pas ; c'est un marchand, un grand ami de mon père. Il est très gentil, il m'apporte des cadeaux chaque fois qu'il vient à Lhassa. Il a un fils plus âgé que ton frère et deux autres plus jeunes ; l'un d'eux est *trapa* à Tachilhumpo. Il a aussi une petite fille. Je les aime tous beaucoup. Il faut aller chez lui.

L'idée parut bonne à Mipam, il s'y rallia et les deux

compagnons de voyage se remirent en marche. Bientôt ils rejoignirent un sentier qui montait vers un col donnant accès aux plateaux arides qui s'étendent entre Phari et Kampa. La route était longue et rude ; malgré leurs efforts, les premières lueurs de l'aube pâlissaient le ciel lorsqu'ils atteignirent le col. Bien que ce chemin fût peu fréquenté, les fugitifs jugèrent prudent de s'en écarter pour éviter tout risque d'être aperçus si, d'aventure, un voyageur venait à passer. Une source coulait à quelque distance au-dessous du col, tous deux y allèrent boire, puis ils gagnèrent, au-delà d'un éperon de la montagne et hors de vue du sentier, un petit ravin encombré par des blocs de rochers. Là, sitôt étendus sur le sol, ils s'endormirent, tous deux, profondément.

L'on était au sixième mois de l'année (1) ; réchauffés par un soleil très vif, Mipam et Dolma dormirent pendant longtemps ; quand ils se réveillèrent, la journée était plus qu'à moitié passée. Tous deux avaient grand-faim. Bien qu'ils eussent désiré attendre le soir pour reprendre leur voyage, la nécessité de se pourvoir de nourriture à bref délai les forçait à ne pas s'attarder. Ils comptaient, du reste, que nul ne s'aviserait de les chercher de ce côté.

Sur le conseil de Mipam, Dolma enleva ses bijoux qui l'auraient fait remarquer, et les cacha dans son *amphag,* puis tous deux se remirent à marcher. Deux fois, en cours de route, Mipam voulut se rendre à des hameaux qu'on apercevait de loin et y acheter ou y mendier de la *tsampa,* mais la prudente Dolma l'en dissuada, l'assurant qu'elle pouvait continuer à jeûner et qu'il valait mieux, pour eux, s'éloigner encore davantage sans être vus de personne.

Pendant la nuit, ils arrivèrent au pied d'un monticule rocheux à mi-hauteur duquel s'ouvrait une caverne. Mipam, voyant sa compagne exténuée, décida de s'y arrêter. Tous deux se hissèrent jusque sous le toit de roches et, comme la veille, sitôt étendus côte à côte, ils s'endormirent profondément.

Mipam s'éveilla le premier ; le soleil se levait, teintant de rose les cimes voisines, tandis que la vallée, au-dessous d'eux, baignait encore dans un demi-jour, grisâtre et froid. Le garçon demeura un moment immobile, suivant des

(1) Le sixième mois du calendrier tibétain correspond à juillet.

yeux le progrès de la lumière le long des montagnes, puis tourna la tête et demeura stupéfait. Contre la paroi opposée de la caverne un lama était couché, enroulé dans un large *zen*, et le regardait. Rêvait-il ? Non ; le lama n'était point une ombre, mais un homme réel, il parlait :

— Ne crains rien, petit, disait-il, je suis un voyageur comme toi.

Mipam se leva et saluant poliment, s'excusa :

— Veuillez nous pardonner, Kouchog, il faisait nuit lorsque nous nous sommes abrités ici, nous ne vous avons pas vu.

Ce bruit de voix réveilla Dolma. Elle, non plus, n'aperçut pas tout de suite le lama et, se redressant, elle resta assise, regardant devant elle.

— Oh ! Mipam, que j'ai faim ! gémit-elle.

— Nous trouverons certainement quelque chose à manger ce matin, répondit Mipam.

Dolma leva la tête vers lui et vit alors le lama toujours couché et enroulé jusqu'aux yeux dans son *zen* grenat sombre.

— Pourquoi laisses-tu cette enfant souffrir de la faim ? demanda le lama, s'adressant à Mipam. Il faut écarter la souffrance des êtres et ne pas la leur infliger. Tu devrais le savoir, toi, dont les cheveux sont coupés (1).

Ce reproche injuste blessa Dolma.

— Ce n'est pas sa faute, répondit-elle, nous n'avons pas de provisions. Si vous pouvez nous vendre un peu de *tsampa*, nous vous l'achèterons.

— Je n'ai pas de *tsampa*, dit le lama. Demandes-en à ton compagnon.

— Je n'en ai pas, Kouchog, protesta Mipam.

— Tu peux en avoir. A celui dont le cœur est rempli d'amour pour les êtres, tous les trésors sont ouverts, il peut y puiser à son gré pour soulager leur misère. Il commande, et l'eau du ruisseau se change en lait, la pierre en beurre... Prends de la *tsampa* dans ce rocher.

D'un mouvement de tête, il indiquait un roc faisant saillie à l'entrée de la caverne.

_____

(1) C'est-à-dire qui appartient à l'ordre religieux. Les laïques portent les cheveux longs.

Mipam considérait le lama avec inquiétude et Dolma tremblait de peur.

Toujours étendu et enroulé dans son *zen,* l'homme paraissait avoir grandi ; debout, il devait être un géant, et ses yeux rougeoyaient comme de la braise.

— Il faut apprendre à te connaître, continua l'étrange lama. Frappe le rocher !

Subjugué par l'accent impératif avec lequel cet ordre lui était donné, Mipam s'approcha du rocher et, fermant le poing, le heurta. Miracle ! Au lieu de rencontrer la surface dure de la pierre, sa main s'enfonça dans une matière molle n'opposant aucune résistance et y pénétra jusqu'au-dessus du poignet. Epouvanté, il la retira vivement et du trou qu'il avait produit, un mince ruisseau de fine *tsampa* blanche se mit à couler.

— Etends ton *zen* pour recueillir la *tsampa,* commanda encore le lama. Mipam obéit et reçut, ainsi, la valeur de deux *tés* de farine, puis la source miraculeuse cessa de couler. Nulle trace ne demeurait du trou d'où elle avait surgi, le rocher était redevenu dur au toucher et impénétrable.

— Allez manger près du premier ruisseau que vous rencontrerez, dit le lama et, fixant sur Mipam ses yeux ardents, il ajouta : Tu es sur la bonne voie, continue à marcher, tu atteindras ton but.

Le jeune garçon était trop bouleversé par le prodige dont il avait été l'instrument pour pouvoir répondre ; sa gorge serrée ne laissait passer aucun son. Il noua son *zen,* formant ainsi une sorte de poche contenant la *tsampa,* se prosterna trois fois devant le grand corps du lama et, appelant à lui tout son courage, il s'en approcha, courbé en deux, les mains jointes, la tête baissée pour recevoir sa bénédiction. Deux fortes mains émergèrent du *zen* et se posèrent sur sa tête. Puis le lama ramena l'étoffe sur ses yeux.

A son tour Dolma se prosterna trois fois, mais le lama ne la regarda pas.

Peu rassurés, malgré le prodige opéré en leur faveur, les deux amis sortirent respectueusement à reculons de la caverne, regagnèrent le sentier et, sans échanger une parole, d'un commun accord, se sauvèrent en courant.

Dès qu'ils rencontrèrent de l'eau ils firent quelques

boulettes de *tsampa* dans le bol que Mipam avait, heureusement, dans son *amphag,* au moment de leur fuite, mais ils ne s'attardèrent pas et continuèrent à manger tout en marchant, instinctivement désireux de mettre la plus grande distance possible entre eux et l'étrange lama de la caverne.

— Qui pouvait-il être ? pensa tout haut Dolma, exprimant la question qu'ils se posaient tous deux en silence.

— Certainement un *doubthob* ou un dieu, répondit Mipam. Il n'était pas là quand nous sommes arrivés à la caverne. Malgré l'obscurité, je l'aurais remarqué. Nous lui devons d'avoir à manger ; il a été bon pour nous.

— Mipam, c'est toi, ce n'est pas lui qui a fait sortir la *tsampa* du rocher, remarqua Dolma.

— C'est moi, parce qu'il était là et qu'il l'a voulu.

— C'est tout de même toi, répéta la fillette.

— Oui... moi, dit Mipam.

Et tous deux poursuivirent leur route en silence, plongés dans leurs réflexions.

Trois jours plus tard, ils passèrent à Kouma, un village situé à la lisière d'une vaste étendue de terre aride, inhabitée, que traverse la route menant à Jigatzé. Mipam voulut aller y acheter des vivres. Si bien qu'ils l'eussent épargnée, il ne leur restait plus qu'une poignée de la farine miraculeuse. — Mais Dolma le pria de ne pas s'approcher des villageois qui lui poseraient certainement des questions sur l'endroit d'où il venait et le but de son voyage. Pour lui être agréable, le garçon consentit à ne pas s'arrêter, bien qu'il jugeât imprudent de négliger cette occasion de se ravitailler.

Tous deux avaient souvent entendu parler, par des marchands, des sources chaudes qui existent au pied de la montagne à quelque distance en dehors de la route. Ils se mirent à leur recherche, voulant passer la nuit près d'elles, car bien que l'on fût en été, la température nocturne est toujours froide dans cette haute région... Les vapeurs qui s'élevaient au-dessus des sources leur indiquèrent, de loin, leur emplacement et ils s'assirent sur le sol tiède, pour manger avant de s'endormir. Mipam avait eu la précaution de confectionner deux boulettes de *tsampa* quand ils s'étaient arrêtés près d'un ruisseau, dans le courant de la journée ; bien lui en avait pris, car l'eau sulfureuse des sources n'était guère appétissante.

— Ce sont les dernières, Dolma, annonça-t-il à sa compagne en retirant les deux boulettes d'un coin de son *zen* noué pour former une poche. Nous n'aurons rien à manger demain matin, ni de toute la journée sans doute, tant que nous ne rencontrerons pas un village.

La fillette le regardait singulièrement.

— Mais... tu connais le moyen, maintenant, Mipam. Pourquoi aurions-nous faim ? dit-elle.

— Quel moyen ?

— Le rocher... comme l'autre matin, répondit-elle timidement. Frappe-le comme tu l'as fait devant le lama.

— Je n'étais pour rien dans ce prodige. Que t'imagines-tu, petite folle ? Ce lama était un *doubthob* qui a eu pitié de nous, c'est par son pouvoir que le miracle s'est produit.

— Qui sait, Mipam, si c'est bien lui. Il a peut-être simplement vu que tu pouvais le faire ; c'est pour cela qu'il t'a dit de frapper le rocher. Oh ! Mipam, frappe aussi celui-ci, tiens, là, où il forme une grosse bosse comme celui de la caverne... Frappe-le, Mipam, il en sortira de la *tsampa* et de l'eau fraîche aussi si tu le veux... Frappe-le, Mipam.

Le désir de voir renouveler le prodige, d'être certaine que c'était bien Mipam, et non pas le lama qui en était l'auteur, possédait la fille de Ténzing. Pendant les trois jours qui venaient de s'écouler, elle n'avait eu que cette pensée dans l'esprit et elle ne pouvait se contenir plus longtemps. Elle voulait voir Mipam opérer un miracle.

Le garçon commença par rire de l'opinion trop flatteuse que son amie avait conçue de lui, puis, ses pressantes instances le fatiguèrent un peu et pour en terminer et lui démontrer son erreur, il frappa fortement le rocher avec son poing. Quelques gouttelettes de sang perlèrent sur sa peau que la pierre avait écorchée, nul ruisseau de *tsampa* ou d'eau claire ne coulait du roc. Dolma soupira tristement, très déçue, et Mipam s'étonna de sentir que, bien qu'il eût cru ne partager en rien la foi de sa compagne en ses pouvoirs magiques, son échec venait de l'étonner et de l'attrister.

Le lendemain, de grand matin, ils repartirent, se dirigeant vers le milieu de la vallée pour regagner la route.

Ce fut avant d'y arriver que le « miracle » se produisit. Par terre, devant lui, Mipam qui marchait le premier, aperçut un petit sac de cuir. Il le ramassa et voulut tout de suite faire part de sa trouvaille à Dolma, mais celle-ci s'était arrêtée, rajustant les jarretières de ses bottes, tandis qu'il avançait et se trouvait, ainsi, un peu éloignée de lui. Elle ne l'avait pas vu ramasser le sac. Celui-ci était rempli de poudre de viande (1). Un voyageur allant aux sources, ou en revenant, l'avait probablement perdu. Mipam ne manquait pas de concevoir, de cette façon, l'origine de cette nourriture surgie si à propos sur son chemin. Pourtant, tout au fond de son esprit, d'autres idées rampaient sournoisement, cherchant à monter à la surface, à se produire au grand jour : un « miracle » des dieux qui les protégeaient, la bienveillance de l'énigmatique *doubthob* de la caverne qui continuait à les suivre, ou bien... quelque chose de plus « prodigieux » encore : *A celui dont le cœur est véritablement rempli d'amour pour les êtres, tous les trésors sont ouverts, il peut y puiser à son gré pour soulager leur misère.* Et ces mots, aussi, qui sont restés gravés en lui : *Il faut apprendre à te connaître.* Qui est-il donc ? — Un *autre* que le jeune Mipam, fils d'un chef de village, un novice *trapa* et le serviteur d'un *gyalpo*. Est-il possible qu'il soit un *autre* que ce Mipam qui lui est familier ; qu'il soit un *autre* qu'il ne connaît pas ? — Ce sac plein de nourriture qu'il tient en main, l'a-t-il créé par la force de son désir d'épargner à Dolma la souffrance causée par la faim et pourrait-il, de même, par une création analogue, distribuer à tous les malheureux de quoi faire cesser leur souffrance ?

Dolma le rejoignit, marchant rapidement.

— C'est ma jarretière, Mipam, elle s'était desserrée. Ce n'est pas que je sois fatiguée. Ne le crois pas ; je puis marcher très vite, dit-elle, désireuse de justifier son retard.

— Regarde, Dolma.

La fillette regarda le sac ouvert, le vit plein de poudre de viande et devint pâle d'émotion.

_____

(1) Les Tibétains pilent de la viande séchée dans un mortier, jusqu'à ce qu'elle soit réduite en poudre. Les voyageurs se vantent d'emporter, ainsi, toute la viande d'un yak, dans un sac de la longueur de l'avant-bras. Cette poudre se délaie dans de l'eau et se mélange avec de la *tsampa* C'est un aliment concentré, pas encombrant et qui se conserve indéfiniment.

— Tu l'as fait sortir d'un roc, ou de la terre, dit-elle, comme si aucune autre explication ne pouvait être donnée.

— Je l'ai trouvé, Dolma. Un voyageur l'aura laissé tomber en passant par ici.

Dolma secoua la tête négativement. Elle ne le croyait pas et il n'essaya pas de la convaincre de son erreur. Lui-même n'était plus certain de ce qu'il croyait.

Le voyage des deux fugitifs se poursuivit sans incidents notables jusqu'à Jigatzé où, comme ils l'avaient décidé, ils se rendirent immédiatement chez le marchand Tseundu qui les accueillit très affectueusement. Après avoir entendu le récit, que Dolma tint à faire elle-même, des raisons qui avaient motivé leur fuite, le brave homme hocha la tête gravement :

— Ton jeune ami est un brave garçon, dit-il. Il n'a pas pu souffrir de te voir maltraitée, mais il s'est attiré une vilaine affaire. Un coup de poing au *gyalsé* et celui-ci est renversé par terre et se blesse... Je vois la scène d'ici. Il avait mérité cette leçon, ce brutal gamin, mais ses parents penseront autrement.

Et, s'adressant à Mipam :

— Ce qui est fait n'est plus à discuter, lui dit-il. Ne te tourmente pas, mon garçon, personne ne viendra te prendre chez moi, tu y es en sûreté. Demain, Dolma retournera chez son père. Il a probablement déjà été informé de son départ de chez le *gyalpo* et il doit être inquiet, ne sachant pas où elle est. Par l'homme qui l'accompagnera j'enverrai une lettre au *tsongpa* Ténzing, c'est un ami de ta famille. Il faut lui demander conseil. En attendant, tu resteras ici. Chez *akou* Ténzing tu pourrais rencontrer des gens de ton *gyalpo*, cela compliquerait les choses.

Le lendemain, de grand matin, Dolma, vêtue d'une jolie robe prêtée par la fille de Tseundu pour remplacer la sienne, salie en cours de route, et s'étant, de nouveau parée de ses bijoux, disait au revoir à Mipam et montait à cheval.

— A bientôt, cria-t-elle à son ami en s'éloignant. Mon père va te faire venir tout de suite pour continuer tes études à Lhassa.

Il ne devait pas en être ainsi.

Quelques jours plus tard, le secrétaire de Tseundu qui avait accompagné Dolma à Lhassa, rapporta la réponse de Ténzing à la lettre de son ami.

Dans celle-ci il assurait Mipam de sa bonne amitié. Il lui était obligé d'avoir empêché le *gyalsé* de maltraiter Dolma et puisqu'il ne pourrait, vraisemblablement, pas rentrer de longtemps dans son pays, il allait s'occuper sérieusement de son avenir. Il recommandait au jeune homme de ne pas s'affliger de cet incident, qui, tout regrettable qu'il fût, allait, sans doute, le porter vers une carrière plus lucrative que celle qu'il aurait suivie dans son pays. Toutefois, la prudence commandait qu'il ne se montrât pas, chez lui, à Lhassa, avant que le *gyalpo* ait clairement manifesté ses intentions à son égard.

Ténzing envoyait aussi de l'argent à son confrère Tseundu, le priant d'acheter des habits neufs à Mipam afin qu'il puisse faire bonne figure dans une grande ville et chez des hôtes riches.

Lorsque cette lettre lui fut lue, Mipam se sentit un peu déçu. Cependant, il comprenait les raisons du père de son amie. Celui-ci ne voulait pas être obligé de braver ouvertement son noble commanditaire en refusant de livrer l'agresseur du *gyalsé* si des gens étaient envoyés chez lui pour l'y saisir.

Comme il le disait, il fallait attendre et voir la suite que le prince donnerait à l'insulte faite à son héritier. Mais cela, on le saurait bientôt. D'ailleurs, la *gyalmo* allait sortir de sa retraite. Elle aimait Dolma, elle paraissait l'aimer un peu aussi, lui Mipam. Elle n'ignorait pas que son fils aîné était brutal ; ses sœurs et son jeune frère se plaignaient souvent de lui. Elle calmerait sans doute la colère de son époux. Le chapelain et Kouchog Yéchés Kunzang plaideraient aussi pour lui. Probablement le *gyalpo* se bornerait-il à lui interdire de reprendre son emploi auprès de la *gyalmo,* il serait chassé du palais, peut-être chassé du pays et, pour complaire à son seigneur, l'abbé de son monastère le rayerait de la liste de ses *trapas.* Que lui importait tout cela. Il ne tenait ni à sa situation au palais, ni à son minuscule monastère où il ne séjournait qu'une semaine par an. Il vivrait plus heureux à Lhassa. Ténzing le disait dans sa lettre : le malencontreux coup de poing qu'il avait donné au *gyalsé* lui ouvrirait une carrière plus lucrative que celle de serviteur du chef ou d'astrologue de village. Lucrative, cela signifiait gagner beaucoup d'argent et gagner de l'argent c'était obtenir Dolma en mariage. Il ne s'agissait que de patienter un peu.

Mipam, suivant donc le conseil de Ténzing, ne s'affligea point. Quelques jours plus tard, il se sentit même tout à fait heureux. Le père de Dolma avait été généreux; l'argent remis, par lui, au secrétaire de son ami, suffit largement à ce dernier pour faire confectionner deux costumes. L'un était l'habit monastique complet comprenant : *chamthab* de terma de Tsétang, *teugag* de *pourouc* discrètement ornementée de *kyéngab* et ample *zen* (1) de très fine terma. L'autre était un habit ecclésiastique de voyage en *pourouc* grenat sombre dans l'échancrure duquel apparaissait un gilet de brocart jaune d'or et qu'une ceinture du même jaune serrait à la taille. Pour témoigner leur sympathie à l'ami de Dolma, Tseundu ajouta à son trousseau deux paires de bottes et un chapeau et Dordji, son fils aîné, lui offrit un chapelet et un bol de lama en bois précieux.

Il s'en fallait que Mipam fût exempt de vanité. Il avait été fier de son précoce savoir, de pouvoir, sans commettre d'erreur, remplir les fonctions d'acolyte quand son oncle Chésrab officiait dans le village. Fier avait-il été de pouvoir réciter nombre de textes par cœur et fier des sons de basse profonde qu'il réussissait à émettre en les psalmodiant. Il était fier d'être aimé par Dolma et, maintenant, il était fier de ses beaux habits. Grand, mince, presque aussi blanc de teint qu'un Chinois, la figure éclairée par d'expressifs yeux bruns. Mipam, bien qu'il manquât de miroir pour s'étudier attentivement, n'ignorait pas qu'il était beau garçon.

Manifestant le pieux désir de visiter les divers temples

(1) La *chamthab* est une large et très longue pièce d'étoffe que les moines lamaïstes enroulent autour d'eux comme une jupe, la maintenant par une ceinture serrée à la taille ; la *teugag* est une veste sans manches dont la partie inférieure entre sous la « jupe ». La terma est une serge de laine dont la plus belle qualité est fabriquée à Tsétang, une petite ville située au sud du Tibet, sur la rive du Yésrou Tsangpo La *pourouc* est du drap. *Kyéngab* est un drap d'or ou d'argent avec des dessins brochés en soie de couleur. Le *zen* est une toge que les religieux portent par-dessus la *chamthab* et la *teugag*.

de Tachilhumpo (1), il revêtit ses habits cléricaux et s'en fut vers le grand monastère, d'un pas mesuré, bien drapé dans sa belle toge neuve comme un lama issu de bonne famille.

Tachilhumpo, l'un des plus célèbres monastères du Tibet, siège du *Péntchén lama* (2) et d'une grande université monastique renommée pour l'érudition profonde de ses professeurs, s'étend, entre des murs d'enceinte, au pied d'une montagne abrupte. Tant parmi ses membres attitrés que parmi les étudiants qui y résident momentanément, les opulents *tulkous,* richement vêtus, ne manquent point. Mipam attira pourtant un peu d'attention, ce dont il ne manqua point de s'apercevoir et d'être satisfait.

Mais ce dont il s'apercevait aussi, c'était de la magnificence des lieux. De tous côtés, d'énormes *gyaltséns* et des toits dorés coiffaient les temples, les salles d'assemblée et les tombes des Grands Lamas. A l'intérieur des édifices, l'amoncellement des objets précieux était inimaginable. Ce n'était qu'or, argent et pierres précieuses ; dans le dallage même de certains *lha khangs* d'énormes turquoises étaient serties.

Combien mesquin apparaissait, auprès de cette somptuosité, le luxe qui l'avait tant impressionné dans le palais de son *gyalpo ;* combien chétif le tout petit *gyaltsén* qui surmontait son toit ! Et cette belle chambre de la princesse, qu'il contemplait, jour après jour, depuis plus de deux ans, avec la même intimidante admiration, qu'elle était pauvre et ridicule ! Il songeait au trésor de la dame, enfermé dans les mallettes scellées, rangées sur une planche épaisse courant le long de la muraille. Oh ! la misère de ce trésor devant tout cet or, tout cet argent façonné en vases, en lampes énormes, en statues et en monuments funéraires contenant les cendres des défunts Grands Lamas. Qu'il avait été naïf et sot, le petit Mipam, de croire à l'importance de ce roitelet dont il dépendait, de croire — oui, vraiment, il l'avait cru et ceux de son village le croyaient aussi — qu'il n'existait pas, de par le monde, de puissance supérieure à la sienne. Oh ! l'imbécile qu'il

(1) L'un des plus grands monastères du Tibet, situé dans le voisinage immédiat de Jigatzé.
(2) Celui que les étrangers dénomment Tachi lama.

avait été, les imbéciles qu'étaient tous ceux parmi lesquels il avait vécu !

De déduction en déduction, Mipam arrivait à la conclusion logique de sa nouvelle opinion concernant son seigneur. Puisque, à tout prendre, ce dernier n'était qu'un pauvre roitelet, il devait s'en falloir de beaucoup que son pouvoir fût aussi formidable qu'il l'avait imaginé et, par conséquent, à Jigatzé ou à Lhassa, lui, Mipam, n'avait rien à craindre de lui.

Etant parvenu à cette conclusion qui, à la fois, le rassurait et flattait son orgueil, Mipam continua la visite des temples, la tête encore plus haute, se drapant encore plus élégamment dans sa fine toge neuve découvrant négligemment le drap d'or de sa *teugag* et portant sur toutes gens et toutes choses, le regard suprêmement calme, indifférent et vaguement hautain de ses beaux yeux bruns. De braves *trapas* du lieu s'y trompèrent, le prirent pour un important *tulkou* en pèlerinage à Tachilhumpo, ou récemment entré dans un des collèges du monastère, et le saluèrent avec déférence. Mipam rendit les saluts avec une amabilité distante et l'un des *trapas* s'étant approché de lui, sollicitant sa bénédiction, il la lui donna gravement, avec une seule main.

Le fils aîné du marchand Tseundu, Dordji, s'amusait un peu des airs importants que Mipam se donnait, mais il s'était pris d'une très sincère amitié pour lui et ne négligeait aucune occasion de lui être agréable. Il devait partir dans peu de temps pour la Chine avec une caravane de marchandises et, avant son départ, rendait visite à divers personnages de la ville, appartenant au clergé ou à la noblesse, qui le chargeaient d'achats à faire, pour eux, en Chine ou lui confiaient, pour les vendre, des marchandises diverses qu'ils avaient reçues en cadeau ou qui provenaient des rentes, payées en nature, par leurs tenanciers. Dordji amena, ainsi, Mipam chez plusieurs de ses opulents clients, et dans les maisons de ceux-ci se confirma, de plus en plus, la récente opinion du jeune homme concernant la pauvreté des « riches » de son pays et de son seigneur en particulier.

Le jour approchait, pourtant, où il allait être forcé de reconnaître que tout insignifiant que fût le chef dont il dépendait, celui-ci pouvait trouver le moyen d'atteindre son sujet insoumis et de mettre sa sécurité en péril.

Ténzings demeurait sans nouvelles des intentions du *gyalpo*. Il n'osait pas s'en enquérir, même indirectement, craignant de réveiller, si le prince avait vent de son enquête, sa colère qui peut-être s'apaisait. Un envoyé de ce dernier était venu, tout de suite après la fuite des jeunes gens, s'informer si Dolma était rentrée chez elle et si Mipam l'avait accompagnée. Il avait pu, à ce moment, répondre négativement aux deux questions et, depuis ce temps, le *gyalpo* ne lui avait plus donné signe de vie.

En fait, le *gyalpo tchoung tchoung*, le « médiocre » *gyalpo*, comme Mipam le dénommait dédaigneusement, était préoccupé par des soucis plus absorbants que le soin de venger, immédiatement, l'injure faite à son héritier. Un véritable drame se jouait chez lui.

6

DEPUIS que la *gyalmo* et son chapelain étaient entrés dans leur ermitage ténébreux, Kouchog Yéchés Kunzang les avait guidés dans l'accomplissement des pratiques qu'il leur prescrivait. A cet effet, il communiquait avec eux à travers les guichets de leurs chambres. Contre la porte intérieure, toujours close, de ceux-ci, il murmurait des conseils et écoutait les confidences que, de l'autre côté, lui faisaient ses élèves, concernant leurs progrès ou leurs difficultés.

La période de trois mois fixée pour leur retraite allait bientôt être écoulée. Dans dix jours les deux *tshampas* émergeraient de leurs cellules. L'œil accoutumé depuis longtemps à la nuit ne peut supporter d'être brusquement remis en contact avec la lumière ; la cécité s'ensuivait. L'usage est que le maître, qui a dirigé la retraite, pratique une première et très petite ouverture dans la muraille du *tshams khang*. Ensuite, le reclus élargit lui-même celle-ci graduellement et plus ou moins rapidement, suivant l'impression ressentie par ses yeux, et se réaccoutumant ainsi, peu à peu, à supporter la pleine clarté du jour.

Kouchog Yéchés Kunzang commença cette opération en perçant, à l'aide d'une longue aiguille, un trou minuscule dans l'enduit qui bouchait les joints des planches formant la muraille. Ses deux élèves procédèrent ensuite à son agrandissement, pratiquèrent d'autres ouvertures et, à la fin du dixième jour, leurs chambres étaient passablement éclairées.

Le lendemain, au lever du soleil, le lama allait briser le

sceau qui fermait leurs portes et inviter les deux *tshampas* à sortir. Nombre de gens porteurs de cadeaux variés les attendaient pour les féliciter, ainsi que l'usage le veut.

Solennel comme le jour où il les avait emprisonnés, Kouchog Yéchés Kunzang délivra ses captifs en esquissant des gestes mystérieux et prononçant, d'une voix grave, des mots que lui seul comprenait. La *gyalmo* d'abord, le chapelain ensuite, apparurent au-dehors, la démarche mal assurée après une longue immobilité dans leurs logis exigus, quelque peu hébétés et passablement sales : ils ne s'étaient pas lavés depuis trois mois.

On les hissa sur leurs chevaux ; les musiciens du prince exécutèrent des roulements de timbale, tirèrent des *gyalings* des notes plaintivement criardes, puis, tout en jouant de leurs instruments, ils se mirent en marche, suivis par la procession encadrant Kouchog Yéchés Kunzang et ses deux disciples temporaires qu'il reconduisait au palais où un repas de gala allait être servi.

Des cadeaux de prix, manifestations de la reconnaissance de la *gyalmo* et du chapelain, attendaient le lama. Ses serviteurs en prirent possession pour les inclure dans les bagages de leur maître, et ce dernier annonça au *gyalpo* son intention de le quitter le surlendemain pour continuer son voyage vers le Kang Tisé.

Les deux disciples du *naldjorpa* ne manquèrent point de saisir l'occasion que leur offrait cette journée passée au palais pour se renseigner plus complètement, auprès des gens du chef, sur les circonstances qui avaient amené la fuite de leur ami Mipam. Celui des deux *trapas* qui lui avait donné des leçons de grammaire profita d'un moment où il put échanger quelques mots en particulier avec son maître pour le prier d'intercéder en faveur du fugitif. Le lama refusa d'intervenir.

— C'est inutile, répondit-il. Ce garçon suit un chemin ; il ne faut pas lui créer d'obstacles. Je l'aurais volontiers emmené avec moi, mais des causes puissantes l'entraînent ailleurs. Qu'il aille où il doit être.

Le *trapa* n'avait point insisté, mais le soir, tout en chevauchant silencieusement derrière le cheval isabelle sur lequel le lama remontait vers son chalet parmi les bois, il méditait le sens de cette déclaration obscure et faisait des vœux pour que le « chemin » que suivait son sympathique élève fût un chemin heureux.

La journée du lendemain fut occupée par les préparatifs du départ ; le surlendemain, à l'aube, les mules transportant les bagages du lama étaient déjà chargées, et celui-ci sortait de sa chambre en costume de voyage. Le chapelain et le secrétaire du *gyalpo*, accompagnés de deux domestiques, étaient arrivés avant le lever du jour pour escorter le maître *naldjorpa* pendant quelques heures, comme la politesse l'ordonnait. Un troisième domestique du *gyalpo* tenait par la bride le cheval isabelle portant sa belle selle incrustée d'argent. Yéchés Kunzang lui fit signe d'amener l'animal devant les marches du chalet où il s'apprêtait à l'enfourcher. L'homme hésita, ouvrit la bouche pour dire quelque chose, la referma sans avoir parlé, interrogea du regard le chapelain et le secrétaire qui détournèrent la tête d'un air gêné et, sur ces entrefaites, un des serviteurs du lama lui prit la bride des mains et conduisit le cheval à son maître.

Les voyageurs ne devaient pas suivre le sentier escarpé par où Mipam et Dolma s'étaient enfuis. Ils s'en allèrent gagner la grande route (1), puis cheminèrent ensuite lentement, montant vers les hauts plateaux, laissant derrière eux les vallées verdoyantes et les torrents aux eaux cristallines. Un peu avant le milieu du jour, le lama commanda de faire halte. Les bêtes furent déchargées, les provisions sorties des sacs, le chaudron à thé installé sur trois grosses pierres au-dessus d'un feu de bois, et tous se mirent à manger. Le repas terminé, le chapelain et le secrétaire, un *kadag* en main, s'approchèrent du lama pour prendre congé de lui, lui souhaiter bon voyage et recevoir sa bénédiction. Yéchés Kunzang les bénit aimablement, passa un autre *kadag* au cou de chacun d'eux, leur donna des *songdus* et se dirigea vers le cheval isabelle. Le même domestique qui, le matin, tenait la bride de l'animal, l'avait de nouveau reprise. Avant que le lama pût arriver jusqu'à lui, le secrétaire, respectueusement courbé

---

(1) La grande route (*lam tchéen*) est une simple piste non carrossable, mais plus fréquentée par les cavaliers et les muletiers conduisant des bêtes de somme que d'autres sentiers de montagne.

en deux, s'interposa, un *kadag* déployé étendu sur ses deux mains.

— Kouchog, dit-il, passablement embarrassé, avec votre permission, nous allons ramener avec nous le cheval du *gyalpo*.

— Quel cheval ? demanda le lama. Vous emmenez vos chevaux, naturellement.

— Kouchog, je parle du cheval isabelle que le *gyalpo* vous a prêté.

— Prêté ! tonna Kouchog Yéchés Kunzang. Vous êtes fou ! Le *gyalpo* m'a offert ce cheval. Est-ce là, croyez-vous, un cadeau trop grand pour reconnaître l'honneur que je lui ai fait d'être son hôte ?

Le malheureux secrétaire, chargé de cette difficile mission, recula vers le chapelain, quêtant son appui, mais celui-ci fit mine de ne pas le comprendre.

Un des gens du *naldjorpa* coupa court à la discussion en arrachant, comme lors du départ, la bride du cheval des mains de l'homme du *gyalpo* et conduisit l'animal au lama qui se mit aussitôt en selle et s'éloigna suivi de sa petite troupe, laissant les autres pétrifiés.

Leur retour chez le *gyalpo* fut lugubre ; le secrétaire ne savait que trop comment il serait accueilli par son seigneur, et le chapelain — bien que comptant sur sa condition d'ecclésiastique pour atténuer les effets de la colère du prince — n'en menait pas large.

Tout se passa exactement comme ils l'avaient prévu. Lorsque son secrétaire lui annonça qu'il n'avait point ramené le cheval isabelle, le *gyalpo* l'accabla d'injures ; il fit mander le chapelain et lui reprocha de ne pas avoir profité de sa qualité de disciple de Yéchés Kunzang pour faire entendre raison à ce dernier ; il infligea, ensuite, une forte amende aux trois malheureux domestiques qui les avaient accompagnés et, finalement, il enjoignit, avec menaces, au secrétaire de repartir le lendemain avant le lever du jour, de faire toute diligence pour rejoindre le lama et de lui reprendre le cheval isabelle.

Quelques heures plus tard, à la lueur d'une lune décroissante, le triste secrétaire quitta de nouveau le palais, escorté par deux domestiques. Tous les trois montaient des bêtes robustes et espéraient rattraper le lama forcé de voyager à petites journées à cause de l'allure lente des mules qui transportaient ses bagages.

Malgré leurs efforts, ils n'aperçurent le petit convoi du lama qu'après avoir dépassé les limites du territoire appartenant à leur *gyalpo*. Yéchés Kunzang lui-même, avec ses disciples, son secrétaire, son intendant et un domestique, avait pris les devants. Ils ne le rejoignirent que vers la soirée, à un endroit où il se disposait à camper, près d'une petite ferme. Les montures des six voyageurs étaient déjà abritées dans l'écurie de celle-ci.

Commencer la négociation paraissait difficile au secrétaire. Le maître-*naldjorpa* lui inspirait de la crainte ; il le croyait capable, s'il l'irritait, de soulever contre lui des *Tcheu kyongs* redoutables, ses protecteurs particuliers, qui ne permettraient pas que l'on importunât et contrariât leur fidèle. Et à défaut de *Tcheu kyongs,* ou en plus de ceux-ci, Kouchog Yéchés Kunzang pouvait avoir comme serviteurs, invisibles mais dangereusement actifs, des démons domptés par lui et réduits en esclavage. Un grand *naldjorpa* jouit de pouvoirs considérables, tant pour favoriser ses amis que pour affliger ses ennemis. Des gouttes de sueur perlaient au front du secrétaire, qui s'avançait plus courbé que jamais, offrant, déployé, un large *kadag* de soie.

— Je comprends, dit le lama avec condescendance, tu m'apportes les excuses du *gyalpo* pour la sottise que tu as commise hier en me réclamant le cheval qu'il m'a donné. Il t'a chargé de quelque présent aussi pour les accompagner ?

Cette dernière phrase sonnait plutôt comme une affirmation que comme une question.

Le secrétaire se sentait de plus en plus mal à l'aise. Il s'agissait bien de cadeaux supplémentaires ! Il fallait reprendre le cheval isabelle.

— Kouchog rimpotché, commença-t-il, le *gyalpo* pense que vous faites erreur. Son intention a seulement été de vous laisser l'usage du cheval pendant que vous étiez son hôte ; maintenant il désire que vous le lui rendiez... Je dois le ramener avec moi demain matin...

— C'en est assez, déclara le lama, tranchant hautainement et irrévocablement la question. Cette bête m'a été donnée ; je ne la rendrai point. Ce n'est pas qu'elle me soit nécessaire. J'en ai une vingtaine dans mon écurie, au

Kham, qui lui sont de beaucoup supérieures et, comme tu l'as vu, celles que j'ai emmenées en voyage ne sont pas de mince valeur, mais un lama ne doit pas rendre à un laïque le don que celui-ci lui a fait. Ce serait manquer de charité envers lui, car toutes sortes de malheurs suivraient une telle restitution. Je crains déjà que l'insistance mise par ton *gyalpo* à vouloir reprendre le cheval qu'il m'a offert ne soit suivie de conséquences fâcheuses pour lui. Quant à toi, sois prudent et évite celles qui pourraient t'atteindre si tu t'obstinais à servir ses intentions coupables.

Ce petit discours prononcé, le lama entra dans la ferme où il allait souper, et le secrétaire demeura en face des paysans, sortis de chez eux pour écouter la conversation, qui le regardaient avec des yeux hostiles.

Essayer encore de convaincre le lama de restituer la bête était inutile, et tenter de l'enlever de vive force, totalement impraticable. En plus des gens de la suite du *naldjorpa*, il y avait, à la ferme, une douzaine d'hommes accoutumés à garder les yaks dans les solitudes et habiles à lancer le lasso. Si, contre toutes vraisemblances, il parvenait à faire sortir l'animal de la cour enclose de murs, et à s'enfuir avec lui, les robustes cavaliers qu'abritait la ferme auraient tôt fait de lui lancer leur lasso, de le jeter à bas de sa monture et de rattraper le cheval isabelle. Et puis, il en avait été averti par son collègue, le secrétaire de Yéchés Kunzang, ce dernier se rendait le lendemain chez un lama *tulkou*, chef d'un monastère voisin. L'endroit où il se trouvait, présentement, était situé sur ses terres ; il y avait droit de justice et pouvait faire bâtonner l'auteur d'une tentative de « vol ». Il n'y avait rien a faire, absolument rien à faire. Le pauvre secrétaire passa la nuit à pleurer près d'un petit feu de camp que les domestiques, venus avec lui, avaient allumé à bonne distance des tentes du lama.

Et le lendemain, au soleil levant, il vit s'éloigner et disparaître à l'horizon Kouchog Yéchés Kunzang, entouré de sa suite et monté sur le cheval isabelle irrémédiablement perdu pour le *gyalpo*.

La rage du prince, en recevant le rapport de son secrétaire, dépassa tout ce que l'imagination peut concevoir. Ses rugissements de fureur firent un tel vacarme dans

138

le palais qu'on eût pu croire qu'un tigre s'y trouvait enfermé.

Le secrétaire fut emprisonné et averti qu'il lui fallait, sans retard, fournir, comme amende, deux chevaux isabelle d'égale valeur à celui qu'il n'avait pas réussi à reprendre au lama.

Toutes autres tentatives dans ce sens étaient désormais inutiles. Kouchog Yéchés Kunzang, ayant continué sa marche, se trouvait protégé par les gouverneurs des *dzongs* de Tsang (1) qui considéreraient comme d'une importance très minime les réclamations d'un petit *gyalpo*. L'ex-propriétaire du cheval isabelle ne s'illusionnait pas à ce sujet. Pourtant, il ne renonçait pas à se venger. Lorsque l'on est hors d'état de le faire ouvertement, il existe d'autres moyens d'arriver à ses fins, et le meilleur de ceux-ci est la magie. Or, parmi ses sujets, existait un Bön qui passait pour être expert dans cet art ; c'était l'homme qu'il lui fallait. Il le fit mander.

— Je veux me venger, lui dit-il, lorsqu'il fut devant lui. Me venger de quelqu'un qui m'a fait du tort et se moque de moi. On dit que tu as des démons à ton service. Peux-tu les envoyer pour nuire à mon ennemi ?

Avant qu'il fût introduit dans la chambre de son seigneur, les bavardages des domestiques avaient déjà instruit le sorcier de ce qui concernait le cheval isabelle. Il feignit cependant d'ignorer contre qui le prince voulait employer ses services.

— Envoyer des démons contre un ennemi, je le puis, ô chef, répondit-il ; mais de même que, parmi les hommes, les uns sont de rang inférieur et n'ont qu'un pouvoir très restreint, tandis que d'autres sont des personnages importants et très puissants, ainsi en est-il parmi les êtres autres que nous. Je puis commander en maître à certains de ceux-ci ; je dois solliciter l'aide de certains autres. Et selon la personnalité de votre ennemi, la qualité des démons à lui envoyer diffère. Qui est-il ?

— Ne l'as-tu pas entendu dire ? Ce lama *naldjorpa* qui a été mon hôte, et que j'ai comblé de présents, m'a volé mon beau cheval isabelle. Il doit être puni.

— Oh ! oh ! fit le sorcier, pinçant les lèvres et fronçant

(1) Dzong : un fort. Tsang, le nom d'une vaste province tibétaine.

les sourcils. S'attaquer à un grand *naldjorpa*... c'est là chose sérieuse. Croyez-moi, *gyalpo,* renoncez-y.

— Je n'ai que faire de tes conseils, répliqua le prince. Si tu ne peux pas me servir, va-t'en ; j'appellerai quelqu'un de plus capable que toi.

— Vous ne trouveriez personne de plus capable que moi, chef, répartit le sorcier. J'ai seulement voulu vous avertir. Si vous persistez dans votre idée, il faudra que je conjure les plus puissants démons. Puissance contre puissance. On n'attaque pas un *naldjorpa* expert en magie, avec des *mi-ma yins* débiles. Et quel châtiment désirez-vous infliger à celui qui vous a offensé et nui dans vos biens. Est-ce la mort ?...

Le Bön proféra cette question avec un accent sinistre et son regard fouilla le cœur du *gyalpo* jusqu'à son tréfonds.

Le prince frissonna.

— Non, s'exclama-t-il, non, pas la mort !

— Maladie grave ?... Accident ?...

— Accident... oui...

— Sérieux ?... n'est-ce pas ?...

— Sérieux... euh !...

La précision des détails à fournir mettait le prince mal à l'aise. Comploter contre un *naldjorpa* est un jeu dangereux. Ceux-ci comprennent souvent, de loin, ce qui se trame contre eux. Le *gyalpo* raillait volontiers ce qui se racontait à ce sujet, pourtant la peur s'infiltrait en lui.

— L'accident ne pourrait-il pas concerner ses biens ? demanda-t-il au sorcier. Par exemple, ses chevaux seraient volés, ses bagages tomberaient à l'eau à la traversée d'une rivière. Il m'a volé un cheval ; s'il était dépouillé de tout ce qu'il a avec lui, cela me paraîtrait un châtiment suffisant.

— Bien, chef, répondit laconiquement le Bön. Vous donnerez des ordres à votre intendant afin qu'il me fournisse un bœuf dont j'ai besoin.

— Je lui parlerai dès ce soir.

— Et je me mettrai à l'œuvre dès demain matin.

L'entrevue était terminée, le Bön alla se faire servir de la bière à la cuisine. Bien qu'il observât la plus entière discrétion concernant la conversation qu'il venait d'avoir avec son seigneur, le fait que ce dernier l'avait fait appeler était suffisamment explicite ; le bruit se répandit immédiatement parmi les gens du palais et ceux du voisinage que le *gyalpo* voulait envoyer des démons à Kouchog Yéchés Kunzang et tous tremblèrent, redoutant une catastrophe.

Le surlendemain, le Bön conduisit au pied d'un arbre le bœuf qu'on lui avait amené. Là, il offrit la vie de l'animal au démon dont il sollicitait les services, puis il le tua, l'écorcha, le dépeça et, finalement, aidé par un acolyte, il en transporta la viande et la peau sanglante dans un hangar mis à sa disposition à quelque distance du palais. Les Böns qui professent une ancienne religion existant, au Tibet, avant la conversion de ses habitants au bouddhisme, ne sont pas admis à célébrer, près des temples lamaïstes, des rites comprenant des sacrifices sanglants et le palais contenait un temple.

Dans ce hangar, en grand secret, le sorcier dessina sur la peau de l'animal la face terrible de l'être qu'il avait évoqué. Autour de celle-ci, il disposa, ensuite, dans un ordre particulier, toutes les parties de la bête : la tête et le cœur au centre, les entrailles déroulées encadrant le tout et formant ce que l'on dénomme le « mur » du cercle magique. Il chanta diverses incantations devant ces sinistres offrandes, puis à la tombée du soir, il se retira, regagnant la maison où il était momentanément hébergé sur l'ordre du *gyalpo*. Pendant la nuit, le démon devait venir humer l'odeur du sang et se repaître de la substance subtile de la victime. Le lendemain matin, le Bön connaîtrait, à la vue de certains signes, si le rite avait opéré.

Le matin vint, humide et frais, après une nuit pluvieuse ; le sorcier se rendit au hangar. Une flaque de boue s'étendait devant la porte et le sol, sous celle-ci, avait été creusé en plusieurs endroits par des griffes d'animaux. Déjà rendu inquiet par ces traces suspectes d'interventions étrangères, le Bön ouvrit la porte et, tout aussitôt, poussa un cri d'épouvante. Des offrandes déposées la veille, il ne restait que des débris informes. Des chiens, creusant les voies d'accès qui se voyaient sous la porte, avaient pénétré à l'intérieur et s'y étaient régalés. De gros os, parfaitement nettoyés de toute viande, jonchaient le sol, la peau sur laquelle la figure magique était tracée avait été mise en pièces et en partie dévorée ; sur un morceau gluant de celle-ci, collé contre le bas de la muraille, le Bön discerna un des yeux fantastiques de la face dessinée par lui et cet œil horrible, barbouillé de sang, semblait le regarder fixement.

L'être, appelé par lui, avait été vaincu dans la lutte qu'il l'avait induit à entreprendre. Sans aucun doute, Yéchés Kunzang, averti par sa clairvoyance ou par ses invisibles protecteurs, l'avait châtié. Les chiens n'étaient que les instruments choisis et animés par sa volonté. S'agissait-il même de véritables chiens appartenant à notre monde ? Maintenant la colère que lui, médiocre sorcier téméraire, avait allumée en cet être démoniaque pour le lancer contre le lama allait certainement se retourner contre lui qui l'avait engagé dans ce funeste combat. Il pouvait craindre, aussi, celle du maître *naldjorpa* informé de ce qui avait été tramé contre lui. Dans ce compte, l'infortuné Bön oubliait un troisième personnage, plus redoutable que le démon et le *naldjorpa*, parce que plus proche de lui.

Plongé dans ses pénibles réflexions il n'entendit pas venir le *gyalpo* à qui l'anxiété qu'il éprouvait n'avait pas permis de dormir et qui tenait à s'assurer, de grand matin, que le Bön procédait à la célébration des rites. N'entendant ni le bruit du tambour que les officiants martèlent, ni celui de la psalmodie et voyant la porte ouverte, le prince s'avança. Si la stupéfaction avait arraché un cri au Bön, ce fut un véritable hurlement que poussa le *gyalpo* à la vue des débris que le sorcier continuait à fixer avec des yeux terrifiés.

Le prince était grand, vigoureux, et le sorcier un mince et débile vieillard. Son seigneur le saisit brutalement par un bras, le jeta par terre et le bourra de coups de pied en l'invectivant.

— Ah ! misérable bon à rien, voilà donc ton pouvoir ! Imbécile, ignorant ! Comment as-tu osé prétendre, devant moi, que tu t'entendais à ces rites !... Tiens, bête ! Tiens !

Et il continuait à lui lancer des coups de pied.

Au tapage qu'il faisait, des domestiques accoururent et, eux aussi, ne doutèrent point que le lama *naldjorpa* n'eût fait avorter les manœuvres dirigées contre lui. La brutalité de leur maître envers le sorcier augmentait encore leur terreur. S'il était moins puissant que Kouchog Kunzang, le Bön possédait, néanmoins, maints moyens de se venger de qui l'offensait. Qu'allait-il advenir au *gyalpo* et à eux tous, ses serviteurs, que le sorcier englobérait peut-être dans le châtiment infligé à leur maître ? Ils criaient, pleuraient, des servantes se prosternaient et l'on n'entendait que des *Nyingdjé pönpo lags ! Nyingdjé nga tso gyalpo lags !* (1). Mais pas un d'entre eux n'osait s'interposer entre le prince et le pitoyable vieux sorcier.

Enfin le *gyalpo*, fatigué de frapper, sortit du hangar. Plusieurs hommes s'empressèrent alors de relever le Bön, le conduisirent à l'écart, le firent asseoir et des femmes lui apportèrent de la bière et du thé.

L'homme but sans rien dire, se reposa pendant quelque temps, puis se leva, remercia ceux qui l'avaient secouru et se tenant droit, regardant dans la direction du palais, il proféra :

— Je vois le malheur accourir vers toi, *pönpo*. Tu avais un adversaire ; maintenant, tu as un adversaire et un ennemi.

Et il s'en alla sans que ceux qui l'entouraient eussent pu faire sortir une parole de leur gorge que la frayeur serrait.

Le chef rentra dans son appartement tandis que, colportée par les domestiques, la nouvelle de la destruction des offrandes du Bön courait le palais. Une de ses femmes de chambre en instruisit la *gyalmo* et un petit garçon au service du chapelain s'empressa d'en faire part à ce dernier.

Tous deux se trouvaient encore sous l'impression de leur retraite. L'esprit engourdi par leur longue oisiveté dans les ténèbres et préoccupés d'inventorier les résultats obtenus par leur réclusion, ils avaient prêté peu d'attention à ce qui se passait en dehors de leurs appartements respectifs. La *gyalmo* se trouvait satisfaite d'avoir été *tshampa* et estimait que ce fait augmenterait de beaucoup la considération dont elle jouissait, — ou croyait jouir. Elle songeait que, peut-être, le bruit se répandrait jusqu'à Lhassa qu'elle s'adonnait à des dévotions d'ordre supérieur et, s'absorbant dans cette agréable pensée, elle souriait de plaisir.

Le chapelain nourrissait des réflexions moins plaisantes. Il ne voyait pas que la retraite pénible à laquelle il s'était astreint et l'humilité qu'il avait dû montrer devant Yéchés Kunzang l'eussent, en quoi que ce soit, rapproché du but

(1) Pitié ! chef honoré. Pitié ! notre roi.

qu'il visait, savoir : être capable de demeurer assis en l'air, sans support, ni, du reste, qu'il eût acquis le pouvoir d'accomplir aucun miracle. Après la scène que le *gyalpo* lui avait faite au sujet du cheval isabelle, il s'était enfermé chez lui, boudant et remâchant sa déception.

Il ne comprit pas bien ce que son petit domestique lui racontait, mais il lui sembla que le fait était sérieux et concernait le *gyalpo* Il se disposait à aller aux informations lorsqu'un garçon, envoyé par la *gyalmo,* fut introduit dans sa chambre. La princesse le faisait prier de se rendre immédiatement chez elle.

Il la trouva tout en larmes. Elle n'avait point perdu de temps, mandant devant elle les gens les plus susceptibles d'être bien informés et se faisant donner tous les renseignements qu'ils possédaient. Il en résultait que son mari avait commis, à un Bön, le soin de procéder à un sacrifice et que celui-ci avait été troublé par un adversaire. A quoi tendait ce sacrifice ? Elle se le demandait, mais le chapelain le devina.

— Il s'agit du cheval isabelle, lui dit-il. Le *gyalpo* ne pardonne pas à Kouchog Yéchés Kunzang de l'avoir gardé, et il a demandé à ce Bön d'envoyer un démon contre lui pour lui nuire.

— *Kyab sou tchiwo !* s'exclama l'épouse du chef, nous sommes perdus ! Opposer ce sorcier à un *doubthob* comme Kouchog Yéchés Kunzang ! Il a tout de suite su ce que le *gyalpo* méditait et il a fait saisir et tuer le démon évoqué par le Bön. Comment échapperons-nous à sa colère ? Et ses pleurs redoublaient.

Bien que plus calme en apparence, le chapelain n'était guère plus rassuré que la princesse.

— Il faut, lui dit-il, que le *gyalpo* envoie un messager porteur de présents à Kouchog Yéchés Kunzang et qu'il implore son pardon. Vous devez lui faire comprendre que c'est le seul moyen d'éviter de terribles malheurs.

— Je vais aller le voir, répondit-elle, mes enfants m'accompagneront et vous aussi, Kouchog chapelain.

Ce dernier eût bien voulu esquiver ce devoir, mais il ne le pouvait. La dame s'était rapidement fait apporter une boîte pleine de *kadags* et elle les distribuait à ses enfants que la curiosité avait amenés près d'elle pour apprendre de nouveaux détails sur le drame qui bouleversait tous les hôtes du palais. Elle en tendit un au chapelain.

— Allons!... dit-elle, et tous se mirent en marche à la file. Au fur et à mesure que la procession avançait le long des corridors, des fonctionnaires de la maison du prince, que la *gyalmo* avait fait mander, accouraient en hâte et se joignaient à elle, des domestiques rencontrés en chemin suivaient en arrière, aiguillonnés par un ardent désir d'apprendre ce que leurs maîtres allaient dire et faire.

Cette troupe arriva à l'appartement du *gyalpo* et, tandis que les personnages de qualité y pénétraient à la suite de la princesse, le commun des serviteurs, hommes et femmes, s'entassa devant la porte, l'oreille aux aguets.

Le *gyalpo,* assis sur son haut siège, jouait aux dés avec un de ses familiers. Il considéra avec surprise sa femme et les gens entrés avec elle. Tous saluèrent très bas. La *gyalmo* présenta une écharpe à son mari et, après elle, ses enfants et tous ceux présents accrochèrent celles qu'ils tenaient en main, au rebord de la table placée devant le prince. La *gyalmo* fit ensuite signe au chapelain d'avancer.

— Expliquez toutes choses au *pönpo,* dit-elle.

Le chapelain aurait bien voulu être ailleurs, même dans la cellule exiguë et ténébreuse de *tshams kang* où il s'était tant morfondu. Néanmoins, il commença un petit discours. Diplomatiquement, il exprima, d'abord, les regrets que tous éprouvaient de l'échec du sacrifice commandé par le *gyalpo.* Ceci lui paraissait dur à dire car, en tant que membre du clergé, il lui était prescrit de détester les sacrifices sanglants et de les combattre. Ensuite, il en vint au but de la visite. L'on avait lieu de croire que Kouchog Yéchés Kunzang était irrité. Demeurer sous la menace de sa colère paraissait dangereux pour le prince et pour sa famille, ne convenait-il donc pas de chercher à l'apaiser?

Comment l'on devait s'y prendre à cet effet, le *gyalpo* ne lui laissa pas le temps de l'expliquer. Il se dressa sur son trône et d'une exclamation furieuse coupa court à tous discours.

— *Par guyd!* (Va-t'en!) Allez-vous-en tous! Vous m'insultez, vous vous rangez du côté de celui qui m'a volé et outragé. Allez-vous-en!

La *gyalmo* pleurait, ses filles gémissaient, les hommes éjaculaient de vagues appels à la pitié : *Nyingdjé! Kou-*

chog Kyén ! et tous saluaient, saluaient, les fonctionnaires laïques le chapeau à la main, le chapelain et deux autres moines, sacristains du temple, étendant leur toge, de la main droite, en forme d'aile ou de nageoire.

— Va, toi, demande à ton père d'écouter Kouchog chapelain, dit la *gyalmo* poussant son fils aîné en avant.

Le jeune homme lui lança un coup d'œil méchant, s'avança près de son père et, là, se retourna, regardant en face les suppliants.

— Le *pönpo* a raison, dit-il, ce lama l'a offensé, il l'a volé. Vous êtes fous et insolents d'oser demander à votre *gyalpo* de lui faire des excuses. Des chiens ont mangé la viande déposée dans le hangar. C'est très naturel, il n'y a pas eu besoin que le lama s'en mêlât. N'avez-vous jamais vu que des chiens soient entrés dans une chambre où l'on gardait de la viande et l'aient mangée ? C'est un accident commun. Kouchog Yéchés Kunzang n'est pour rien dans ce qui s'est passé. Ce *Bön* imbécile aurait dû prévoir que l'odeur du sang attirerait les chiens, il aurait dû veiller dans le hangar ou y faire veiller quelqu'un. N'importunez pas davantage le *pönpo*.

Le garçon avait dix-huit ans, il ressemblait à son père, promettant d'être vigoureux et bel homme comme lui. D'ordinaire, il était plutôt taciturne et indifférent ; son attitude résolue étonna tout le monde mais ravit le prince. La *gyalmo* comprit qu'insister davantage serait vain et sortit, suivie de toute la troupe. Comme le chapelain allait franchir la porte, le *gyalpo* le rappela.

— Kouchog chapelain, dit-il, veuillez demeurer un moment. Et il lui indiqua un coussin placé en face du trône. Le chapelain s'assit ; le *gyalsé* était déjà juché sur un haut siège, à côté de son père.

— Kouchog chapelain, la démarche que vous avez faite vous a sans doute été commandée par *lha tcham Kouchog,* n'en parlons plus, elle était ridicule. Le lama n'est pour rien dans l'entrée des chiens dans le hangar. J'ai eu tort de m'adresser à ce vieux sorcier ignorant. Il y a mieux que lui. Vous connaissez Kouchog Zangkar le *ngagspa*. Il habite à trois journées de marche d'ici, au-delà de la frontière du Dougyul (1). Demain vous viendrez prendre les cadeaux

(1) Nom indigène du pays inscrit sur les cartes comme Bhoutan.

146

que je ferai préparer pour lui et vous irez les lui porter de ma part, lui disant que je le prie de venir avec tout ce qui lui est nécessaire pour un *doubthab tagpo* (1). Ne répliquez rien. Emmenez deux domestiques pour vous servir en cours de route.

Et il le congédia.

La mission dont il était chargé déplaisait grandement au chapelain. Des liens occultes existaient entre lui et Kouchog Yéchés Kunzang, comme il s'en forme toujours entre un maître mystique et celui qui s'est placé sous sa direction spirituelle, même temporairement. A vrai dire, la nature du but poursuivi par le chapelain et les pratiques que le lama lui avait enseignées pour l'atteindre n'étaient pas exactement d'ordre spirituel, mais au Tibet, les termes *tcheu ou damngag* (2) signifiant « religion » ou « doctrine » s'appliquent à de nombreuses variétés d'enseignement, dont beaucoup n'ont rien de commun avec la philosophie, tels que ceux qui concernent les sciences secrètes ayant rapport à la magie ou au développement de facultés physiques et psychiques supranormales. Quiconque a obtenu les leçons d'un maître sur n'importe lequel de ces sujets passe pour être plus ou moins étroitement lié à lui, non seulement pour cette vie, mais pour d'autres vies à venir et, sous peine de sérieuses conséquences, lui doit respect et dévouement absolus. Le chapelain n'ignorait rien des croyances de ses confrères du clergé à cet égard et il les partageait. Il pensait qu'il eût mieux fait de se soustraire, par la fuite, à la complicité que son seigneur lui imposait. Mais quitter le pays, c'était renoncer à la vie confortable que lui procuraient ses fonctions au palais ; c'était aussi abandonner les biens — terres, maisons, objets précieux — qu'il possédait sur le territoire du *gyalpo* et devenir, en quelque monastère lointain, un *trapa* obscur et pauvre. Le désolé chapelain ne s'en sentait pas le courage.

Dans le cours de la semaine suivante, il revint avec le

(1) Rite « terrible » dont le but est de tuer celui contre qui il est dirigé ou de lui causer un très grand mal.
(2) Littéralement, *damngag* signifie « avis, conseil », mais ce terme est couramment employé dans le sens de précepte et de doctrine. Il est, surtout, appliqué à l'ensemble de doctrines et de théories qu'un lama a reçu de son maître spirituel et qu'il transmet à son tour à ses disciples.

ngagspa qu'accompagnaient un de ses disciples et un serviteur clérical. En le voyant, tous les hôtes du palais comprirent immédiatement la raison qui l'amenait.

Le ressentiment du *gyalpo* ne s'était point calmé, bien au contraire. Son fils aîné s'imaginait que Kouchog Yéchés Kunzang avait protégé la fuite de Mipam en lui procurant un asile. Il s'expliquait, ainsi, le fait que les hommes envoyés à sa poursuite ne l'avaient trouvé ni chez son père, ni chez Ténzing, à Lhassa. Le *gyalpo* partageait, maintenant, cette opinion et elle ajoutait un grief de plus à ceux qu'il avait déjà contre le lama. Quant au *gyalsé,* la punition infligée à Puntsog ne suffisait pas à satisfaire son désir de vengeance. L'infortuné chef de village, tout innocent qu'il fût du mouvement de colère de son fils, avait non seulement été destitué de ses fonctions, mais son bétail et plus de la moitié de ses terres avaient été confisqués au profit du *gyalpo.* Il était redevenu presque aussi pauvre que vingt-cinq ans auparavant lorsque, dupe de son ingénue loyauté à son seigneur, il était revenu d'exil pour trouver sa maison en ruine et ses champs distribués aux malins qui avaient forfait à la fidélité. Plus que de la perte de ses biens, la bonne Tchangpal se désolait de demeurer sans nouvelles de Mipam. Qu'était-il devenu, son dernier-né, cet enfant extraordinaire autour de qui surgissaient des prodiges ? — Voyageait-il au loin à la suite d'un lama *naldjorpa* comme le bruit en courait ? — Etait-il malade ou mort ? — Le saurait-elle jamais !

En sa double qualité de maître et d'oncle de Mipam, le *tsipa* Chésrab avait aussi été atteint par la colère du *gyalpo.* Bien que moins fortement frappé que Puntsog, il s'était pourtant vu contraint de vendre une parcelle de terre et quelques bijoux de sa femme pour se procurer le montant de l'amende que le prince lui avait infligée. Ani Péma à qui son époux avait dérobé ses parures, sans sa permission, ne se consolait pas de leur perte. Elle trouvait là un sujet d'âpres récriminations et la vie, autrefois paisible, des deux époux était, maintenant, empoisonnée par de continuelles querelles. Oublieux de la libéralité avec laquelle ses leçons avaient été rétribuées par le père de Mipam, le *tsipa* ne cessait de reprocher à ce dernier de lui avoir confié l'éducation d'un garçon qui devait lui attirer de si amers déboires.

Ainsi, par leur manque de sagesse, ces infortunés accroissaient-ils les effets du malheur qui les avait frappés.

Lorsque le *ngagspa* fut en présence, le *gyalpo* l'instruisit rapidement de ce qu'il attendait de lui. Il désirait qu'il célébrât un *doubthab tagpo* pour amener la mort d'un ennemi.

Bien qu'il affectât, ainsi que son fils aîné, de considérer l'échec du sacrifice du Bön comme l'œuvre toute naturelle d'animaux attirés par l'odeur de la viande, ce fait avait, en réalité, fortement impressionné le prince. Dans son for intérieur, il y voyait, comme sa femme et comme le chapelain, l'action de Yéchés Kunzang. Il ne s'agissait donc plus seulement, pour lui, de se venger d'un tort subi, en causant, à son tour, du tort à celui qui le lui avait fait subir, mais de se mettre à l'abri d'un ennemi, puissant en magie. Dûment informé de ce qu'il avait tramé contre lui, le maître *naldjorpa* ne le lui pardonnerait pas. Tant que Yéchés Kunzang vivrait, sa sécurité, celle de sa famille et de ses biens seraient constamment en péril ; seule, la mort du lama pouvait lui rendre la tranquillité. Ayant réfléchi de cette manière, le *gyalpo* avait décidé la célébration d'un *doubthab* terrible (tagpo).

Le *jowo* Zangkar, après avoir entendu l'expression laconique du désir du *gyalpo,* lui posa différentes questions au sujet de Yéchés Kunzang et apprit, ainsi, tout ce qui se rapportait au séjour de ce dernier sur le petit plateau, parmi les bois. Il s'y fit conduire, s'enferma pendant plusieurs heures dans le chalet où le lama avait résidé puis, de retour auprès du prince, il formula ses desiderata. Le plus important de ceux-ci était la construction, à cet endroit, d'une hutte en pierre, de forme triangulaire. Les murs devaient en être très épais, profondément enfoncés dans le sol, et le toit formé par des grosses pierres plates reposant sur quelques fortes branches. Quand le *ngagspa* entrerait dans cette hutte pour accomplir le rite final — qui demanderait sept jours — la porte serait murée derrière lui. Une seule petite ouverture, juste assez grande pour laisser passage à une flèche, demeurerait bouchée seulement par une pierre que le *ngagspa* pourrait déplacer de l'intérieur, lorsque viendrait le moment de décocher la flèche magiquement animée dont le double invisible atteindrait, en plein cœur, la victime désignée.

Le *gyalsé,* à qui une cicatrice indélébile à la tempe rappellerait pendant toute sa vie sa chute sur les débris de rocs et la blessure qui s'était ensuivie, comme effets du coup de poing de Mipam, voulait inclure ce dernier dans le but du rite afin qu'il périsse en même temps que le lama *naldjorpa;* mais lorsqu'il énonça ce désir, le *ngagspa* le regarda sévèrement et lui commanda de se taire. Le *gyalpo* l'ayant fait appeler, il consentait, disait-il, à lui prêter son aide, mais à lui seul. L'idée de faire servir le *doubthab* à deux fins était ridicule et offensait les déités qui devaient être évoquées.

Le *jowo* Zangkar, natif du Dougyul, n'était pas le sujet du *gyalpo,* il lui parlait avec autorité, n'ayant rien à craindre de lui, exigeant, plutôt, son respect. Le prince comprit que, sous peine de le voir refuser de célébrer le *doubthab,* il ne devait pas le contrarier. Il excusa son fils, mettant la demande de celui-ci sur le compte de son ignorance des coutumes et des rites et le *ngagspa* se retira.

Seuls les initiés en cette matière connaissent les rites qui se pratiquent dans les huttes du genre de celle dont le *ngagspa* avait ordonné la construction, mais tous les Tibétains savent à quoi elles servent. Dès qu'ils furent informés du genre de besogne que l'on attendait d'eux, les travailleurs convoqués sur l'ordre du *gyalpo* s'efforcèrent de s'y soustraire. Construire la hutte était déjà inquiétant en soi, mais après tout ce qui s'était passé, l'identité de celui que les rites terribles visaient n'était un secret pour aucun des familiers du palais et les hommes de corvée en avaient été instruits dès leur arrivée. Ces pauvres montagnards tremblaient d'épouvante à la pensée de fournir, par leur travail, un des éléments nécessaires à une machination dirigée contre la vie d'un célèbre lama *naldjorpa* qui, sans nul doute, possédait de grands pouvoirs occultes. C'était à leur mort qu'on les envoyait. Ils tentèrent une démarche auprès de l'intendant, puis une autre auprès du chapelain pour qu'on leur épargnât cette trop dangereuse besogne. Tous deux partageaient la croyance de ceux qui imploraient leur appui, ils se désolèrent avec eux, mais se déclarèrent impuissants à faire retirer l'ordre qui les concernait. La *gyalmo* refusa de recevoir les travailleurs, elle aussi se savait incapable de convaincre son époux de renoncer à sa vengeance. Le *gyalsé*, qu'ils supplièrent ensuite d'intervenir en leur faveur, se moqua d'eux et les menaça. Il lui importait peu, disait-il, qu'ils mourussent, leur valeur était mince ; il comptait beaucoup d'hommes de leur espèce parmi ses sujets, sa perte serait minime.

Deux des paysans se sauvèrent. L'un d'eux fut rattrapé dans la forêt, bâtonné, et devint fou ; l'autre, plus heureux, échappa et on ne le revit jamais dans le pays.

La hutte fut terminée en une dizaine de jours. A l'intérieur, ce n'était qu'une étroite cellule pas même assez longue pour qu'un homme puisse s'y étendre complètement. Les célébrants de ces rites ne dorment pas vraiment, pendant la semaine qu'ils passent enfermés. Ils se contentent de s'assoupir de temps en temps, tout en demeurant assis les jambes croisées.

Quand les ouvriers se furent retirés, le *ngagspa* s'installa, avec son disciple et son domestique, dans le chalet précédemment occupé par le lama et défense fut faite à tous d'approcher de la clairière au milieu de laquelle, près de ce chalet, avait été construite la hutte triangulaire.

Avant de quitter le palais où il avait logé jusque-là, Zangkar eut une dernière entrevue avec son hôte. Il lui demanda s'il persistait toujours dans son désir de voir s'accomplir le *doubthab*. Ce à quoi le *gyalpo* répondit affirmativement. Ensuite, celui-ci questionna le *ngagspa* au sujet de ce dont il pourrait encore avoir besoin. Ne lui fallait-il pas un objet ayant appartenu au lama ? Malheureusement il ne pouvait pas lui fournir un vêtement, ni même un morceau de vêtement de ce dernier ; Yéchés Kûnzang n'avait rien laissé de ce qui lui appartenait.

Avec un air de supériorité dédaigneuse, le *jowo* Zangkar écarta toute suggestion à ce sujet

— De tels accessoires sont utiles à ceux dont le pouvoir personnel est faible, dit-il. Moi, je n'en ai nul besoin.

Le *gyalpo* le fit accompagner avec honneurs jusqu'au sommet du sentier menant à la clairière. Là, le *ngagspa* congédia ceux qui l'avaient escorté et s'enferma dans le chalet. Aidé par son disciple, il y confectionna une quantité de *tormas* de grandeurs et de formes variées. Dans les unes, le *ngagspa* devait amener l'énergie des magiciens à la lignée (1) desquels il appartenait. D'autres seraient chargés de vertus nutritives d'ordre subtil et nourriraient les forces mystérieuses emmagasinées dans les *tormas* respectivement dénommés : *Lama, Yidam, Dâkî, Tcheu Khyong* (2), représentant ces différentes personnalités qui seraient visualisées, au cours des rites, sous leur forme couronnée et terrible. Dans la *torma* centrale, de forme triangulaire, Mahâkâla : l'être indéfinissable, la force destructive, évoqué par le *ngagspa*, serait contraint, par lui, de s'incorporer et ne serait délivré qu'après avoir consenti à animer la flèche dont le prolongement invisible, traçant un sillon dans l'éther, devait atteindre la victime désignée.

Toutes ces formes furent disposées, par le disciple du *ngagspa*, sur des pierres plates servant d'autel, à l'intérieur de la hutte.

Enfin, le *jowo* Zangkar, pourvu de quelques provisions, entra dans sa cellule plus qu'à demi souterraine et son disciple, aidé par le domestique, en mura l'entrée. Le disciple se retira, ensuite, dans le chalet où il devait répéter, continuellement, certaines formules magiques protectrices, pour écarter de son maître les forces adverses capables d'entraver son œuvre et le protéger de la colère de Mahâkâla qui ne manquerait pas de résister à la contrainte exercée sur lui pour l'amener à entrer dans la hutte et à pénétrer dans la *torma* où il devait être emprisonné. Lorsqu'il serait forcé de cesser, momentanément, cette répétition pour manger ou pour dormir, le serviteur du *ngagspa*, qui appartenait au clergé, le remplacerait. Cette protection est indispensable, car ceux qui pratiquent les rites des « *doubthabs* terribles » s'exposent à de graves dangers, même à la mort, si la force de leur concentration faiblit ou s'ils n'ont pas acquis, au cours de leur initiation, un pouvoir suffisant pour affronter les entités ou les énergies occultes qu'ils attirent à eux.

Pour tromper l'impatience qui le dévorait, et puisqu'il ne lui était point permis de s'approcher du lieu où le *doubthab* s'accomplissait, le *gyalpo* s'en alla à la chasse. Il

---

(1) Lignée spirituelle, s'entend, se continuant de maître en disciple.
(2) Yidam, Tcheu Khyongs, Dâkini, personnalités du panthéon lamaïque.

reviendrait, avait-il décidé, le jour où le *doubthab* serait terminé et, le lendemain, il apprendrait du *ngagspa*, si les signes indiquant que le rite a été efficace lui étaient apparus. Le prince, très ignorant en cette matière, n'avait guère idée de ce que ces signes pouvaient être ; cependant, il avait entendu dire que, parfois, la tête de l'ennemi tué apparaît parmi les *tormas* ou que du sang coule de celles-ci, annonçant sa mort.

Le *gyalsĕ*, boudeur, déclina l'invitation que lui adressa son père de l'accompagner à la chasse. L'attitude de celui-ci envers le *ngagspa* lui déplaisait. Il trouvait que le *gyalpo* n'eût pas dû s'en rapporter aussi aveuglément à lui. Il faut, pensait-il, qu'un objet ayant été fréquemment en contact avec celui qu'on veut atteindre, ou quelque chose de lui, — des cheveux, des rognures d'ongles, — soit utilisé dans la célébration du rite, tout le monde le sait. Pourtant le *jowo* Zangkar avait déclaré pouvoir s'en passer. Etait-ce vraiment parce qu'il se croyait supérieurement habile, ou bien, craignant de s'attaquer au maître-*nadjorpa*, voulait-il tromper le *gyalpo* en simulant un *doubthab* qu'il savait devoir être inefficace ?

Le jeune homme réfléchit longuement sur ce sujet. Il ressentait aussi, vivement, la manière brutale avec laquelle le *ngagspa* l'avait rebuté lorsqu'il lui avait demandé d'inclure la mort de son agresseur dans le but du *doubthab*. La veille du jour où Zangkar devait terminer celui-ci en tirant une flèche par l'ouverture de la hutte, il eut une idée.

L'acte de tirer cette flèche était, après tout, pensait-il, la partie principale, vraiment essentielle, du rite. Tout ce que le *ngagspa* pouvait faire en secret, dans sa hutte, convergeait vers cette flèche ; c'était *elle* qui tuait. S'il pouvait faire qu'elle atteignît et transperçât un objet appartenant au lama, celui-ci mourrait immanquablement, il en était de même de Mipam. Dès lors, sa résolution fut prise. Il ne possédait rien qui eût appartenu au lama, sauf un *kadag* (écharpe), que Yéchés Kunzang lui avait donnée lors de son départ. Le *naldjorpa* avait tenu celui-ci assez long-temps en main, tandis qu'il faisait des vœux pour son bonheur, avant de le lui passer autour du cou. Cela suffirait-il ? Il n'en était pas certain, mais il n'avait rien de mieux et, dans tous les cas, ce supplément ne pouvait que renforcer l'action du *ngagspa*, si elle était sincère, et la rendre efficace à son insu, si elle ne l'était pas. Quant à Mipam, la chose était aisée. Après sa fuite on avait rapporté au palais ses couvertures et un de ses gilets. Ce gilet était précisément ce qu'il fallait. Il savait où le trouver roulé avec les couvertures, dans un coin de l'office attenant à la chambre de la *gyalmo* où, lorsqu'il habitait au palais, Mipam remisait ses effets.

A la nuit tombée, le *gyalsé* faisant un détour par les bois, pour ne point passer près de la hutte et du chalet, se rendit à la lisière de la clairière. De loin, il aperçut, comme un point de feu brillant dans les ténèbres, la clarté filtrant par la petite ouverture, imparfaitement close, de la hutte où brûlait une lampe d'autel. Cette lumière lui était un guide sûr pour calculer la direction que suivrait la flèche que le *ngagspa* tirerait de l'intérieur de sa cellule. En ligne droite avec celle-ci, il découvrit un buisson dans lequel il disposa, largement étalés entre les feuilles, le *kadag* du *naldjorpa* et le gilet de Mipam. Nul obstacle ne s'interposait sur le passage de la flèche, elle devait forcément traverser le buisson et percer le léger *kadag* de soie fine et le gilet qu'il recouvrait. Le feuillage et quelques hautes touffes d'herbe croissant à cet endroit dissimulaient parfaitement ceux-ci.

Ayant terminé ces arrangements, le *gyalsé* rentra au palais. Le lendemain, vers la fin de l'après-midi, il se rendit de nouveau, par un chemin détourné, près de l'endroit où il s'était arrêté la veille. Il savait que la flèche serait tirée au crépuscule et que le disciple et le serviteur du *ngagspa* démoliraient, immédiatement après, le mur qui bouchait l'entrée de la hutte. Tandis qu'ils seraient ainsi occupés, il aurait tout le temps d'examiner si la flèche avait touché le *kadag* et le gilet, d'enlever rapidement ceux-ci et de retourner, avec eux, au palais sans être aperçu. L'obscurité croissant rapidement sous les arbres, à ce moment, faciliterait aussi ses mouvements.

Le jeune homme attendit donc, blotti dans les fourrés, le coucher du soleil. De sa cachette il pouvait embrasser du regard toute l'étendue du petit plateau dénudé sur lequel s'élevait la sinistre hutte triangulaire. Celui-ci se terminait, à l'extrémité opposée, par une brusque chute de terrain, des rochers à pic dépourvus de végétation, et cette trouée, parmi les arbres, permettait au *gyalsé* de suivre les progrès du soleil s'abaissant vers une autre chaîne de montagnes qui, plus loin, barrait l'horizon. Le moment venait, le jeune homme se glissa avec précaution hors des taillis, s'approcha jusqu'à la lisière du bois, ayant soin de se tenir de côté, hors du trajet de la flèche ; puis les yeux fixés sur le point brillant qui indiquait l'ouverture par où celle-ci s'élancerait hors de la hutte intérieurement éclairée, il attendit. Le dernier rayon de soleil s'éteignit, l'astre venait de s'engloutir au loin parmi les cimes des monts boisés, le *gyalsé* frémissant d'émotion avança d'un pas pour mieux voir. La flèche jaillit au-dehors, une rafale soudaine l'accueillit et, déviant de sa route, sous la poussée du vent, elle alla se planter dans le cœur du jeune homme qui poussa un cri et tomba mort.

Son cri fut entendu par le disciple et par le serviteur du *ngagspa* qui se tenaient debout de chaque côté de la hutte, prêts à délivrer leur maître de sa prison, dès que la flèche aurait été tirée. Ils coururent dans la direction d'où le cri était parti et, rapidement, découvrirent le corps du *gyalsé*.

Epouvantés, ils retournèrent à la hutte en clamant l'effroyable nouvelle et tout en démolissant, en grande hâte, le mur qui retenait le *jowo* Zangkar enfermé, ils la lui répétèrent, mais celui-ci ne leur répondit pas.

Enfin, l'ouverture devint assez large pour permettre le passage, le disciple du *ngagspa* se précipita à l'intérieur. Eclairé par la petite lampe d'autel, son maître lui apparut assis, les jambes croisées, immobile, les yeux dilatés ; sur son cou se voyaient les empreintes noires d'une main géante qui l'avait étranglé.

7

Assis dans son magasin encombré de ballots de marchandises prêts à être transportés en Chine, Tseundu, le front soucieux, lisait et relisait une longue lettre qu'un envoyé de son ami Ténzing lui avait apportée.

Ténzing l'informait que Mipam était recherché par un fonctionnaire de Lhassa, parent par alliance du *gyalpo* dont il avait frappé le fils. Le secrétaire de ce fonctionnaire s'était rendu chez lui pour s'enquérir au sujet du fugitif et, n'ayant pu obtenir aucun renseignement propre à l'éclairer, il lui avait annoncé que son chef ferait procéder à des investigations en divers endroits où Mipam était susceptible de se trouver caché.

En même temps, Ténzing lui faisait part des événements tragiques qui s'étaient passés chez le *gyalpo* à la suite des tentatives faites pour amener la mort de Yéchés Kunzang. Il en avait été instruit par le secrétaire qui lui avait rendu visite et celui-ci tenait ses renseignements d'un envoyé du *gyalpo* porteur d'une lettre pour son parent de Lhassa. L'homme était demeuré pendant deux jours dans la maison du fonctionnaire, attendant la réponse de celui-ci pour la rapporter au *gyalpo* et, pendant ce temps, il avait copieusement bavardé.

Au palais du seigneur dont Mipam dépendait, tous étaient plongés dans la consternation. Les deux *Dougpas* (1) venus avec le *jowo* Zangkar, ayant été

(1) *Dougpa* un natif du Dougyul, le petit Etat himalayen qui est dénommé Bhoutan sur les cartes d'après le nom que lui donnent les Népalais. *Dougyul* signifie « Pays du tonnerre ». Certains étrangers ont imaginé que *dougpa* était

prévenus que le *gyalpo* voulait les faire bâtonner, s'étaient enfuis nuitamment par des chemins détournés, emportant le corps de leur maître. On avait découvert, dans un buisson, en face de la hutte triangulaire, un gilet de Mipam recouvert d'un *kadag*. Nul ne s'expliquait sa présence en cet endroit, mais le prince que la mort étrange de son fils avait rendu fou de rage, y voyait un signe certain que Mipam était associé aux sortilèges qui avaient amené le *gyalsé* à cet endroit, où rien ne l'appelait, et dirigé la flèche meurtrière de son côté. Nourrissant ces idées déraisonnables, le *gyalpo* ne rêvait que vengeance. A tout prix il voulait qu'on retrouvât celui qu'il appelait l'assassin de son fils et qu'on le lui envoyât pour qu'il le fasse torturer jusqu'à la mort.

Ténzing estimait urgent que Mipam quittât le pays.

Tseundu pensait comme lui. Les hauts magistrats de Lhassa ou de Jigatzé ne s'occuperaient probablement pas du garçon. Le *gyalpo* qui le poursuivait avait peu d'importance devant eux et l'issue lugubre du *doubthab*, s'ils en étaient instruits, leur inspirerait, vraisemblablement, peu d'envie d'entretenir la moindre relation avec un homme que les déités ou quelque puissant magicien poursuivaient manifestement de leur colère.

Cependant, un ami personnel, un parent, comme le fonctionnaire dont parlait Ténzing, pouvait se montrer plus zélé. Il n'était pas très difficile de découvrir la retraite de Mipam. Le vaniteux garçon, tenant à exhiber ses vêtements neufs, s'était fait remarquer à Tachilhumpo et dans la ville. On pouvait le saisir lorsqu'il passerait dans un endroit isolé, ou même trouver le moyen de s'en emparer dans la maison même de ses hôtes, en détournant leur attention, puis l'envoyer sous escorte à son seigneur. Un commerçant ne peut pas convertir sa maison en forteresse. Il ne doit pas non plus s'attirer l'inimitié des *pönpos*, même les moins importants, cela nuit aux affaires.

Mipam devait donc partir, et promptement.

Mais la lettre de Ténzing soulevait une autre question.

---

le nom d'une secte de sorciers ; c'est là une opinion complètement erronée. La secte ainsi dénommée tire son nom du « monastère du tonnerre » dont son fondateur était le chef de ce monastère, lui-même, doit son nom au fait que la foudre (*dug*) y est tombée pendant sa construction.

Dolma voulait, voulait absolument, dire adieu à Mipam. Elle comprenait que son départ était nécessaire mais elle s'entêtait à juger tout aussi indispensable d'offrir, avec son ami, une lampe sur l'autel de Tchénrézigs (1), afin qu'il soit protégé contre tous dangers au cours de son voyage. C'était à cause d'elle, arguait la jeune fille, que la liberté et même la vie de Mipam étaient menacées. Il avait empêché le *gyalsé* de la battre, peut-être de la tuer. Celui-ci était méchant, elle le connaissait bien ; dans sa colère il aurait été capable de la pousser dans le vide, du haut des rochers qui bordent le sentier qu'elle aurait dû redescendre avec lui, si Mipam ne s'était pas interposé.

Elle avait plaidé avec énergie pour remplir ce qu'elle appelait son devoir. Les plus grands malheurs les frapperaient, elle et Mipam, assurait-elle, si cette lampe n'était point offerte par eux, ensemble, devant la statue de Tchénrézigs, dans un temple très saint. La voyant tremblante, d'une pâleur inquiétante, prête à s'évanouir, Ténzing n'avait pu lui résister. Il lui avait promis qu'elle reverrait Mipam. Mais où les jeunes gens se rencontreraient-ils ? Il demandait conseil à son ami Tseundu. En aucun cas, Mipam ne devait se faire voir chez lui, à Lhassa.

« Et je ne veux pas davantage que Dolma vienne ici, répliquait Tseundu, à part lui. Elle se désolerait, pleurerait, comme elle l'a fait chez son père, cela éveillerait l'attention autour de nous et attirerait des questions. D'ailleurs, Mipam ne peut pas l'attendre, le danger est sérieux, cet enragé *gyalpo* veut sa mort. »

Très embarrassé, Tseundu appela son fils aîné Dordji qu'il savait habile à prendre une décision dans les circonstances difficiles et dont il connaissait la sympathie pour Mipam. Quand le jeune homme fut près de lui, il lui passa simplement la lettre de Ténzing.

— Mipam doit partir demain avant le lever du jour, dit

---

(1) « Offrir » une lampe signifie en faire brûler une en l'honneur d'une personnalité du panthéon lamaïste, de même qu'en d'autres pays, on allume des cierges devant les statues des saints. Les lampes sont en métal, ou en terre chez les pauvres. Elles ont la forme d'une coupe montée sur un pied. Un creux est ménagé pour enfoncer une mèche et la lampe est remplie de beurre ou, parfois, d'huile. Certaines de ces lampes sont minuscules et d'autres énormes ; il en existe en cuivre, en bronze, en argent et même en or massif.

Dordji, après avoir lu la lettre. Il faut qu'il soit déjà loin de la ville quand il fera clair.

— Où ira-t-il ?

— En Chine, avec moi, puisque je partirai dans trois jours. Il y restera aussi longtemps que cela sera nécessaire pour que cette fâcheuse affaire soit oubliée.

Le jeune homme réfléchit assez longuement puis s'adressa de nouveau à son père.

— J'ai un plan, annonça-t-il, dites-moi ce que vous en pensez.

« Si vous le permettez, Mipam partira avec Tinglé qui devait, comme d'ordinaire, accompagner ma caravane. Je me passerai de lui pendant un bout de chemin. Tinglé est un homme sérieux et avisé, il connaît parfaitement le pays ; il guidera notre jeune ami par des sentiers peu fréquentés qui vont de la route de Giamda aux *tchang thangs* (1) et tous deux me rejoindront à quelques journées de marche au nord de Nagtchoukha. Partant avant moi et voyageant plus rapidement que moi, puisqu'ils n'auront pas de bêtes de somme avec eux, ils auront suffisamment de temps pour faire un détour et me rejoindre sans me causer de retard. De cette manière vous êtes immédiatement débarrassé de la présence compromettante de Mipam, sa sûreté est assurée et vous ne paraissez pas braver ouvertement ceux qui recherchent le garçon en le faisant partir d'ici, au vu de tout le monde, avec votre caravane.

— Ton plan est excellent, répondit Tseundu. Je l'approuve complètement, mais tu oublies Dolma. Bah ! peu importe. J'écrirai à son père que le départ de Mipam ne pouvait pas être retardé sous peine de risques graves pour le garçon et que ce qu'elle désirait est impossible. Elle offrira, seule, des lampes à Tchénrézigs et aussi au *Jowo* (2), si elle le veut, l'effet sera le même. Moi, je ferai

(1) Tchang : nord, thang : plateau Les immenses solitudes herbeuses du Tibet septentrional.

(2) Le *Jowo* (le Seigneur) est une ancienne statue, vénérée dans le grand temple de Lhassa Elle passe pour représenter le Bouddha historique alors qu'il était encore un jeune prince au palais du rajah, son père Cette statue est dite avoir été sculptée dans l'Inde, puis transportée en Chine d'où la fille de l'empereur chinois Tai djoung l'apporta au Tibet lors de son mariage avec le roi Srongbstan gampo Elle est l'objet d'une très grande vénération (voir glossaire).

allumer une lampe dans chacun des *lhakhangs* de Tachil-humpo et j'offrirai du thé (1) à tous les moines du monastère afin que par les mérites ainsi acquis, Mipam fasse un bon voyage et soit heureux en Chine. J'écrirai cela à Akou Ténzing, il le répétera à sa fille et elle se consolera.

Dordji souriait.

— Vous êtes le meilleur des hommes, mon père, dit-il. Tout ce que vous projetez est parfait. Mipam a grand besoin que *Kuntchog Soum* le protège, mais tout ce que vous pourrez faire ne consolera pas Dolma, si elle s'est mis en tête de revoir son défenseur. Du reste, j'ai prévu cela. Mipam et Dolma peuvent se rendre séparément à Gahlden qui se trouve à peu près sur la route de Giamda ; ils y offriront leur lampe à Tchénrézigs et vénéreront aussi la tombe de Djé Rimpotché. Il n'y a pas de plus saint lieu de pèlerinage au Tibet. En passant par Lhassa pour gagner Gahlden, Tinglé et Mipam n'ont pas besoin de se montrer au Parkhor (2). De grand matin, ou vers le soir, ils contourneront la ville et traverseront la rivière au bac qui se trouve près de Détchen. Mipam n'est certainement pas encore surveillé, il suffit qu'il s'éloigne immédiatement des endroits où l'on pensera à le chercher.

« Voulez-vous écrire tout de suite à *akou* Ténzing. Un homme partant maintenant aura encore une grande demi-journée devant lui pour faire du chemin. Qu'il voyage tard, ce soir, et trotte bon train, son avance sur Mipam sera suffisante pour qu'il voie le père de Dolma et que celui-ci puisse envoyer sa fille à Gahlden en temps voulu pour y rencontrer Mipam.

— Parfait, répondit Tseundu. Va avertir Goring qu'il doit partir immédiatement pour Lhassa. Qu'il mange, donne une ration de grain au cheval noir et le selle pendant que j'écris la lettre. Ne préviens pas Mipam, je lui parlerai après que nous aurons eu notre repas.

Le domestique partit, muni de la lettre, et peu après Mipam vint s'asseoir, avec Dordji et les autres fils du

(1) Les fidèles qui en ont les moyens offrent, parfois, tantôt un repas complet, tantôt de la soupe ou simplement du thé à tous les moines d'un monastère. Ces repas sont quelquefois suivis d'une distribution d'argent offert par le même donateur.
(2) Les rues du centre de Lhassa.

161

marchand, dans la chambre de ce dernier où tous mangèrent copieusement.

A la fin du dîner les jeunes gens se retirèrent pour
vaquer à leurs occupations. Mipam, qui n'en avait aucune,
se disposait à aller se promener, lorsque Tseundu le retint.

— Reste ici, petit. J'ai à te parler.

— *Lags so* (1), répondit-il.

— Tu partiras d'ici demain, longtemps avant que le jour
se lève, va préparer tes bagages. Dordji te donnera des
couvertures, des provisions et une de ses robes en *nambou*. Tu ne dois pas aller salir tes vêtements neufs en
voyage.

— Ah! je vais à Lhassa! Akou Ténzings m'a fait
appeler! s'écria Mipam, tout joyeux.

— Non, répondit Tseundu, tu vas en Chine. Ton *gyalpo*
te cherche pour te faire tuer. Va retrouver Dordji.

Une fois de plus, le sort de Mipam était décidé en
quelques minutes et sans sa participation.

Sans l'avoir consulté, son père et le *tsipa* Chésrab
avaient résolu de faire de lui un moine astrologue. Sans
l'avoir consulté, la *gyalmo* l'avait enlevé à son maître et
appelé chez elle pour la servir. Et, maintenant, sans qu'il
lui fût loisible de choisir une autre voie, on l'envoyait en
Chine.

Dordji se montra moins laconique dans ses explications.
Mipam apprit de lui les détails donnés dans la lettre de
Ténzing concernant les morts dramatiques du *gyalsé* et du
ngagspa et il fut informé que, vraisemblablement, il verrait
Dolma à Gahlden. Cet espoir lui donna du courage.

En elle-même, l'aventure l'attirait. Ce voyage vers un
pays lointain, la chevauchée par des voies détournées en
compagnie d'un hardi compagnon, puis la vie excitante de
caravanier à travers les solitudes hantées par des brigands,
rien de cela n'était pour lui déplaire. Enfin la Chine, les
villes où l'on trafique, où l'on amasse de l'argent... Là,
résidait sa chance ; aurait-il pu en avoir une meilleure ? Un
an, deux ans, et puis il reviendrait monté sur un beau
cheval à la tête d'un convoi de marchandises. La ridicule

---

(1) Mots sans signification précise mais indiquant toujours une nuance
respectueuse. Ici c'est un acquiescement poli. Les mots « oui » et « non »
n'existent pas dans la langue tibétaine.

affaire qui le forçait à fuir serait oubliée — il n'avait, après tout, ni tué ni volé. Il se voyait mettant pied à terre devant la maison de Ténzing lui demandant, d'abord, un abri pour ses bêtes et ses marchandises. Et puis, le lendemain, lorsque le marchand aurait pu, à son aise, en évaluer la valeur, il lui dirait, en lui présentant un large *kadag,* long d'au moins deux *dompas* (1) : « Akou Ténzing, tout ceci est à vous, il m'est facile d'en regagner autant. En échange, je vous demande Dolma... » Quelles belles noces ils auraient !...

Le vent soufflait, modéré mais aigre, lorsque sous le ciel clair, constellé d'étoiles, Tinglé sella deux chevaux dans la cour de Tseundu. Sous leurs selles (2), il arrangea soigneusement les couvertures devant amortir la dureté de celles-ci sur le dos des bêtes et servir de couche, pendant la nuit, à leurs cavaliers. Il recouvrit ensuite les selles d'un tapis et passa sur celui-ci les courroies reliant les sacs, pleins de bagages et de provisions, qui doivent pendre de chaque côté de l'animal. Mors, brides, il vérifia encore une fois le harnachement qu'il avait préparé la veille. Tout était solide, de bonne qualité, mais sans luxe capable de retenir l'attention. Mipam portait une épaisse robe de *nambou* rouge sombre, un peu fanée par l'usage, mais confortable ; Tinglé était vêtu à peu près comme lui ; ils devaient se dire parents : l'oncle et le neveu voyageant pour affaires commerciales.

Tseundu et Dordji leur avaient souhaité bon voyage la veille. Le marchand avait alors remis à Tinglé l'argent nécessaire pour pourvoir aux frais de route. De plus, certain de l'approbation de Ténzing, il avait, en son nom, fait cadeau à Mipam de cent cinquante *sangs* d'argent pour aider ses débuts en Chine. Tseundu ayant ainsi largement assuré le confort du fugitif, jugeait préférable de le laisser

(1) Une mesure égale à la longueur existant entre l'extrémité des doigts de chaque main lorsque les bras sont tenus largement écartés en croix et un peu rejetés en arrière. C'est la mesure courante dont on se sert pour la vente des étoffes tissées par bandes étroites. Celles d'origine étrangère, comme les soieries de Chine, se mesurent par « carré » : *kha khang.*
(2) Les selles tibétaines sont faites en bois. Pour éviter qu'elles ne blessent le cheval, il est d'usage de placer une ou plusieurs épaisses couvertures entre le dos de l'animal et la selle.

partir sans lui dire de nouveau adieu afin de ne pas le signaler à l'attention de ceux qui pourraient le voir quitter la maison.

Aucun incident ne marqua le voyage de Mipam jusqu'à Gahlden. Tinglé lui fit contourner Lhassa au crépuscule ; de la Sainte Cité il ne put apercevoir que les toits d'or du Potala rougeoyant sous les derniers rayons du soleil couchant. Bientôt après, l'ombre engloutit la ville qu'il laissait derrière lui. Au pied du sentier qui monte vers Gahlden, ils passèrent la nuit chez des paysans et, le lendemain matin, leur laissant leurs chevaux en garde, ils montèrent, à pied, vers le monastère.

En haut du chemin, un peu à l'écart, sur un étroit espace de terrain plat, au pied d'une pente gazonnée, une tente minuscule était blottie. Dolma et une servante étaient là, depuis la veille au soir. Le domestique qui les avait escortées était reparti pour faire paître les chevaux et devait revenir les chercher vers le milieu du jour.

— Mipam, je suis venue te souhaiter bon voyage et offrir des lampes pour que rien de mal ne t'arrive, dit simplement la fille de Ténzing, mais l'émotion faisait trembler sa voix.

— Je suis si heureux de te revoir, Dolma... répondit le garçon, bouleversé, lui aussi, ne trouvant pas de mots pour exprimer ce qu'il ressentait.

Ils se prirent par la main et s'en allèrent lentement vers le monastère. Tinglé les suivait, un peu en arrière, portant un pot rempli de beurre fondu destiné à alimenter les lampes des *lhakhangs*. La servante venue avec Dolma l'avait préparé de grand matin et se proposait d'accompagner sa jeune maîtresse, mais Tinglé avait décidé qu'elle garderait la tente. Il préférait ne pas quitter Mipam afin de pouvoir lui prêter aide en cas d'incident imprévu.

— Tout ce qui t'arrive, c'est moi qui l'ai attiré sur toi, dit tristement Dolma à son ami. Si tu me détestais, tu aurais raison.

— Je n'aurais pas raison, protesta le garçon, et tu sais bien que je ne pourrais pas te détester. Ne te fais pas de peine, peut-être tous nos ennuis tourneront-ils, finalement, à notre avantage. Moi, j'ai bon espoir.

— Oui... tout ira bien pour toi, Mipam.

— Pour toi aussi, Dolma. Ce qui est bien pour moi l'est aussi pour toi puisque tout doit être commun entre nous.

— Je suis très triste, Mipam.

— Moi aussi, Dolma, mais je ne veux pas perdre courage. Ecoute, en Chine...

Et, tout en cheminant d'un temple à l'autre, Mipam confiait à son amie les plans qu'il avait formés. Il lui dépeignait son arrivée triomphante chez son père, le haut prix qu'il pourrait lui offrir pour qu'il consente à leur mariage et, ensuite, la construction de la jolie maison rêvée et des années, des années de bonheur.

Il avait pris, des mains de Tinglé, le pot que celui-ci portait et versait de petites quantités de beurre fondu dans les lampes brûlant sur les autels. Dolma et lui se prosternaient ensuite dévotement.

Près d'une statue de Tchénrézigs, ils découvrirent un sacristain occupé à préparer les lampes qu'il vendrait aux pieux visiteurs qui se présenteraient. Mipam et Dolma lui donnèrent de l'argent, demandant que cent huit petites lampes fussent allumées. Heureux de l'aubaine, le *trapa* s'empressa de les ranger sur l'autel. Chacun des jeunes gens, après s'être prosterné trois fois, prit en main une lampe allumée et, pendant un long moment, la tint élevée vers la statue en formant, intérieurement, des vœux.

Dolma, la première, posa sur l'autel la lampe qu'elle avait tenue ; Mipam conservait encore la sienne élevée, son amie se rapprocha de lui et d'un ton exprimant la confiance elle murmura :

— Tchénrézigs t'écoutera, il réalisera tes souhaits puisque tu es son fils.

En s'entendant rappeler sa mystique filiation qui, depuis longtemps, ne tenait plus guère de place dans ses pensées, Mipam, sans réfléchir, par un mouvement spontané où sa volonté consciente n'avait aucune part, éleva la lampe plus haut et du tréfonds de lui-même jaillit ce vœu :

— Puissé-je être ton fils !

Soudain la flamme de la lampe s'allongea, illumina, le temps d'un éclair, le temple, la statue aux innombrables bras secourables et le jeune suppliant. Dolma s'était reculée, effrayée, le sacristain, surpris, regardait Mipam. Il s'avança timidement :

— Tchénrézigs a reçu votre vœu, dit-il. Jamais je n'ai vu pareil signe. Kouchog est un *tulkou* (1) ?

— Oui, répondit Mipam, toujours sans raisonner poussé par une impulsion dont il n'était pas le maître.

Le *trapa* joignit àlors les mains, les paumes appliquées l'une contre l'autre, les doigts étendus puis, courbant la tête, il sollicita la bénédiction du jeune homme. Et Mipam, agissant comme en rêve, la lui donna.

Dolma avait les larmes aux yeux.

— Mipam, Mipam, dit-elle. Tu ne seras jamais un marchand, tu deviendras un lama, un *naldjorpa* plus grand que Kouchog Yéchés Kunzang, mais je serai ta *youm*, n'est-ce pas ?

— Oui, Dolma, répondit Mipam, songeur.

En silence, ils arrivèrent à la tombe vénérée de Tsong Khapa. D'autres fidèles en faisaient dévotement le tour, ils se joignirent à eux. Une émotion dont il ne comprenait pas la cause enveloppait Mipam, s'insinuait en lui, le détachait de toutes ses préoccupations, dissolvait les plans qu'il avait conçus, un *autre* prenait possession de son esprit et de son corps.

Près du tombeau de l'illustre fondateur des Gelougspas s'ouvrait une porte étroite ; un rideau noir pendu à l'intérieur, à quelque distance d'elle, dérobait aux regards un sanctuaire enténébré auquel elle donnait accès. Les deux amis se dirigèrent de ce côté et Mipam, franchissant le seuil, disparut dans le trou d'ombre. Dolma qui le suivait à quelques pas en arrière se disposait à entrer à son tour, lorsqu'un bras émergeant d'un *zen* s'avança, lui barrant l'entrée, tandis que la voix d'un invisible gardien prononçait rudement :

— Les femmes n'entrent pas ici !

Dolma recula. La défense n'avait rien d'étonnant. Certains *lhakhangs* consacrés à Jigsdjé sont interdits aux femmes, elle le savait. Mipam ne la voyant pas venir allait sortir immédiatement. Mais Mipam s'attardait dans la contemplation du couple effroyable, debout, enlacé, couronné de crânes, écrasant sous ses pieds multiples des êtres humains et des animaux.

Il avait vu plus d'une de ces représentations symboli-

(1) Voir les chapitres I et XIV.

ques. N'en connaissant pas le sens, elles n'avaient jamais
retenu son attention et, en ce moment encore, il ne
cherchait pas la signification des formes fantastiques du
« Père » et de la « Mère » qui se dressaient menaçantes
devant lui. Plongé dans une sorte de transe il pénétrait
dans un autre monde où sa faculté de penser ne pouvait
pas le suivre et, seule, vivait en lui la sensation confuse de
se trouver au bord d'un précipice obscur, sur le point de
s'y précipiter.

Le sacristain, enroulé dans sa toge, circulait comme une
larve informe dans l'obscurité que la lueur de la lampe
brûlant devant le « Grand Terrible », semblait accroître
plutôt que dissiper. L'immobilité prolongée de Mipam lui
parut un signe de profonde piété, il s'avança, lui tendant
une petite lampe allumée. Son intervention rompit en
partie le charme qui liait le jeune homme. Il prit la lampe,
l'éleva comme il avait fait devant la statue de Tchénrézigs,
mais il ne formula pas de vœux.

Il plaça ensuite la lampe sur l'autel, déposa quelque
argent à côté d'elle et sortit presque chancelant.

Dolma l'attendait au-dehors. Ses robes de brocart
chatoyaient au soleil, ses bijoux rutilaient sur sa poitrine ;
apparition lumineuse, elle était bien la même fée
mignonne qu'il avait entrevue pour la première fois à
travers les flammes du foyer. Mipam éprouva une sorte de
choc, son cœur se mit à battre violemment et s'élança vers
elle, la chère aimée, sa femme, bientôt. Oui, bientôt. Il
conjurerait le mauvais sort que semblait annoncer
l'étrange torpeur qui l'avait saisi. Son rêve se réaliserait. Il
ferait fortune en Chine, il reviendrait monté sur un beau
cheval. La caravane, les nombreuses balles de marchandises, Akou Ténzing souriant se visualisaient pour lui en
une rapide série d'images qui se superposaient sur les
choses environnantes et les effaçaient. Oh ! la belle noce
que serait la leur !...

— Quoi ! Dolma, tu pleures !...

— Pourquoi m'as-tu laissée toute seule. Le *keugnier*
(sacristain) ne m'a pas permis d'entrer. Qu'as-tu fait là, si
longtemps ?

— Si longtemps ?... Je ne suis pas resté longtemps, le
sacristain m'a donné une lampe. Je l'ai offerte. C'était le
lhakhang de Dordji Jigsdjé.

— Oui, je le sais, puisque les femmes n'y entrent pas.
Ah! Mipam, tu vas partir loin, si loin, reviendras-tu
jamais? Je suis si triste, Mipam...

Un sentiment de pénible appréhension assombrissait de
nouveau l'esprit du fugitif.

— C'est moi, Dolma, qui ai des raisons d'être triste. Te
voilà devenue une grande jeune fille, l'unique enfant d'un
homme très riche, d'un grand marchand. Beaucoup de fils
de marchands ou même de jeunes nobles vont penser à toi,
envoyer des messagers parler à son père. Et moi, Dolma,
si la chance ne m'était pas favorable en Chine, si je ne
faisais pas fortune, si ton père ne voulait pas de moi pour
gendre...

— Il te voudra, Mipam, s'écria Dolma.

Et certaine de son pouvoir sur son père, elle ajouta
sérieusement :

— Je lui dirai que je t'aime.

Le garçon hochait la tête pensivement.

— Mipam, reprit Dolma, n'aie aucune inquiétude à
mon sujet. Je t'ai dit que je serai ta femme, je t'attendrai.
Si tu ne dois pas être mon mari, je me couperai les cheveux
et j'entrerai dans un couvent. Je le jure...

Elle hésita. Un serment doit s'appuyer sur quelque
témoin vénérable. Qui choisirait-elle? Elle tourna la tête
vers le monastère ; il lui parut hostile. Tchénrézigs avait
répondu par un prodige aux vœux faits par son fils, mais il
ne l'avait pas regardée, elle, et elle s'était vue repoussée
de la demeure de Jigsdjé, où Mipam s'attardait...

Elle se replia sur elle-même, sur la foi ancestrale aux
dieux des Böns que le bouddhisme n'a pu détruire en terre
tibétaine.

— Si je ne t'épouse pas, je me couperai les cheveux, je
deviendrai *ané* (religieuse), répéta-t-elle encore une fois
Pol lha! Mo lha!

Dolma avait juré par les dieux protecteurs de ses
ancêtres paternels et par ceux de ses ancêtres maternels.
C'étaient eux les anciens petits défenseurs de sa race
qu'elle appelait inconsciemment pour sauvegarder son
humble bonheur de femme laïque contre l'ennemi imprécis qu'elle pressentait en l'énorme monastère, triomphalement assis sur la montagne ensoleillée, symbole d'un idéal
qui l'excluait.

Tinglé s'approchait des deux jeunes gens.

— *Tsowo* (neveu), dit-il à Mipam, lui donnant en souriant le titre fictif sous lequel il allait voyager avec lui. Il est temps de nous en aller.

D'un signe de tête il montrait le soleil indiquant le milieu de la journée.

Il fallait partir. La servante repliait la tente et l'on apercevait le domestique de Ténzing ramenant les chevaux qu'il avait fait paître.

— Nos bêtes sont dans une ferme au bas de la montagne, dit Mipam à Dolma, Tinglé et moi nous descendrons à pied.

— Et moi aussi, répondit Dolma.

Elle glissa sa main dans celle de son ami et ils descendirent lentement le chemin, en silence. Tout ce qu'ils auraient pu se dire avait été dit, mais à mesure qu'ils approchaient de la vallée, leurs mains se serraient plus fortement.

Du haut de la montagne, un vieux lama assis sur l'herbe les suivait du regard.

Tinglé, courant en avant, alla reprendre les chevaux restés à la ferme et les amena rapidement sur la route. Le moment de la séparation était venu. Mipam serra Dolma dans ses bras, la regarda intensément comme pour graver, à jamais, son image dans son esprit, puis il l'aida à se mettre en selle.

— Bon voyage, bonne santé et bonne chance, Mipam, murmura la jeune fille en pleurant. Ne m'oublie pas.

— A bientôt, Dolma. Bientôt, tu comprends ; je reviendrai bientôt.

Et tout contre l'oreille de son amie, à voix basse, le garçon ajouta avec un accent passionné que Dolma n'avait jamais entendu :

— Je ne pourrais pas vivre sans toi !

Le domestique de Ténzing prit les devants. Les chevaux de sa jeune maîtresse et de la servante suivirent d'eux-mêmes.

— *Kalé péb* (1), *kalé péb*, Kouchog, dirent poliment les deux serviteurs de Ténzing, s'adressant à Mipam.

_____

(1) Adieu poli usuel que l'on adresse à ceux qui s'en vont. Il signifie « allez doucement ».

— *Kalé péb*, fit écho Dolma.

Tous trois se mirent à trotter vers le sud. Du milieu du chemin, Mipam les regardait s'éloigner. La robe de brocart de Dolma, reluisant au soleil, et ses longues manches rouges la maintinrent visible sur la route poussiéreuse, jusqu'à ce qu'elle ne fût plus qu'un minuscule point de couleur s'insérant peu à peu entre le ciel bleu et la terre jaune. Immobile, Mipam continuait à regarder ce que ses yeux ne pouvaient plus voir.

— *Kouchog!* dit doucement Tinglé, oubliant sa qualité momentanée d'oncle du jeune homme.

— *Pa cha sa nés!* (1) ce *gyalpo!*... proféra Mipam accentuant avec rage l'horrible juron.

Il sauta violemment en selle, donna un coup de talon dans le ventre de sa bête et partit au grand trot vers le nord.

— Je ne savais pas, *tsowo,* que vous deviez être le gendre d'Akou Ténzing, dit respectueusement Tinglé. Un beau-père de choix, riche, affaires prospères, pas d'autre enfant que cette jolie fille ; le gendre devient héritier... Oh!...

L'homme fit claquer sa langue en signe d'appréciation.

— Dans un an vous pourrez revenir, votre *gyalpo* sera calmé, si les démons qui le poursuivent ne l'ont pas emporté d'ici là. En attendant, les voyages ont du bon. Vous verrez, vous y prendrez goût. Moi j'ai été à Dartsédo, à Pétching et à Ta Kouré (2) avec des marchands. J'ai vu des villes grandes, grandes! Lhassa n'est qu'un village comparé à elles. Il y avait, là, des marchandises de toutes espèces, en quantité... des choses qu'on n'a jamais vues au Tibet... Et ce que l'on y mangeait bien!... Vous verrez, *tsowo.* Je ne sais pas où vous irez quand nous arriverons en Chine, mais vous ne vous ennuierez pas, croyez-moi. Vous retrouverez la petite un peu plus tard. Un homme ne peut pas rester à la maison comme une femme, il doit voir du pays... c'est la vie, la bonne vie...

Le brave Tinglé parlait pour égayer son compagnon, et,

---

(1) « Qui a mangé la chair de son père » ou « Mangeur de la chair de son père. » Le plus vilain des jurons tibétains.

(2) Noms tibétains de Tatchienlou dans la province chinoise du Szetchouan, de Pékin et de la capitale de la Mongolie : Ourga.

aussi, parce qu'il trouvait plaisir à se remémorer ses souvenirs de voyage, mais Mipam ne l'entendait pas.

Avant d'arriver à Médo Kongkar, Tinglé quitta la route de Giamda et s'engagea à travers la montagne en remontant le cours du Kyi tchou. La contrée était déserte, les sentiers mal tracés, les voyageurs traversèrent plusieurs cols. Mipam regardait avec intérêt le paysage, si différent de celui de son pays, parmi lequel il chevauchait.

Les jours suivants, il prit ses repas au bord des ruisseaux. Avec son « oncle », il cherchait la précieuse bouse sèche pour allumer du feu et faire bouillir du thé dans un chaudron placé sur trois grosses pierres. La nuit, ils couchaient tous les deux dans la petite tente que Tseundu leur avait donnée. C'était là une vie toute nouvelle pour Mipam et il n'était pas indifférent à son charme.

Un soir, Tinglé choisit, pour y camper, un ravin tortueux profondément encaissé dans un versant de montagne.

— *Tsowo,* dit-il, aujourd'hui nous ne planterons pas la tente, nous ne ferons pas de feu, nous garderons les chevaux près de nous et leur mettrons les fers aux pieds de devant (1). La région n'est pas sûre, les *djagspas* traversent parfois ces montagnes pour aller s'embusquer sur le chemin des caravanes. Il ne faut pas nous laisser apercevoir ; ces malandrins pourraient nous voler nos bêtes.

L'aventure commençait, captivante, excitante. Cette nuit-là, Mipam dormit peu. Pour la première fois depuis qu'il avait quitté Dolma, il se sentait joyeux.

Les deux cavaliers arrivaient à un endroit où le sol nu, durci par le piétinement des animaux, décelait le passage habituel, depuis des temps anciens, de grandes troupes d'animaux.

— La route, annonça Tinglé.

_____

(1) Ce sont deux colliers de fer assouplis par une courte chaîne. Ceux-ci s'ouvrent pour laisser introduire, dans chacun d'eux, un des pieds de devant de l'animal et sont, ensuite, refermés. Le cheval ainsi entravé, ses pieds de devant se touchant presque ne peut se mouvoir que lentement en sautillant ; il est incapable de courir, de sorte que des voleurs qui le saisiraient par surprise ne pourraient s'enfuir à la course avec leur capture.

Mipam inspectait du regard l'espace désert qui s'étendait autour de lui.

— Dordji nous a-t-il devancés, ou bien est-il en arrière ? demanda-t-il. Comment le savoir ?

— Cela ne sera sans doute pas très difficile, déclara le serviteur de Tseundu. Le *tsongpön,* s'il est déjà passé ici, ne peut pas être très loin et, avec le beau temps qu'il a fait pendant ces deux derniers jours, les traces des bêtes seront demeurées bien marquées.

Tinglé descendit de cheval, prit l'animal par la bride et marcha lentement, les yeux baissés, étudiant le terrain.

— Je ne vois que des empreintes anciennes, dit-il au bout d'un moment. Les plus récentes sont celles d'une caravane voyageant avec des yaks. Kouchog Dordji emmène des mules. Ce n'est pas lui.

Il marcha encore pendant quelque temps, examinant soigneusement la piste dans toute sa largeur.

— Rien, conclut-il. Le *tsongpön* n'est pas encore passé. Nous avons de l'avance. Il faudra l'attendre en campant à la première place convenable que nous rencontrerons.

— Mais s'il était passé, objecta Mipam.

— Il n'est point passé, affirma tranquillement Tinglé. Et puis, s'il était passé, en ne nous voyant pas arriver, il s'arrêterait et enverrait un homme en arrière à notre recherche.

— Et s'il était plus loin que tu ne le crois, s'il ne nous retrouvait pas et que nous demeurions seuls ?

Tinglé se mit à rire.

— Voilà qui est peu probable, répondit-il, mais si les choses tournaient ainsi, il n'y aurait pas de quoi nous désoler. Nous ne pourrions pas suivre cette route-ci parce qu'elle traverse des régions tout à fait désertes et qu'il faut emporter une forte quantité de provisions avec soi pour les parcourir, mais nous avons assez de vivres avec nous pour gagner, sans trop jeûner, une autre route, plus à l'est, le long de laquelle on rencontre des *dokpas*. Nous avons de l'argent, nous pourrions leur acheter de quoi manger.

— Et où irions-nous par cette route ?

— A Tchérkou (1). Beaucoup de marchands, des Tibétains, des Chinois, vont de là à Dangar, où se rend

---

(1) Souvent marqué sur les cartes par un autre nom ; Jakyendo.

Kouchog Dordji ; nous nous joindrions à l'une ou l'autre de leurs caravanes, ou bien, nous voyagerions seuls. J'ai suivi cette route bien des fois.

— Mais Dordji ? Comme il serait inquiet et malheureux s'il ne nous voyait pas !

— Inquiet... oui, peut-être un peu, mais pourquoi malheureux ? Il n'y a pas de raison. Il n'y a pas beaucoup de raisons pour être inquiet, non plus. Notre jeune *tsongpön* me connaît depuis qu'il était tout petit garçon. Je l'ai emmené faire son premier voyage avec une caravane quand il avait neuf ans. Il sait bien que je ne vous égarerai pas dans les *tchang thangs*.

— Oui... oui... acquiesça Mipam, songeur.

Il se sentait un peu froissé, un peu peiné. Il avait cru à l'amitié de Dordji. Etait-elle vraiment si peu profonde que Tinglé la lui montrait ? S'il ne rejoignait pas la caravane, son ami se ferait peu de soucis à son sujet, moins de soucis que pour une balle de marchandises perdue, pour une mule qui se serait échappée. L'une et l'autre lui tiendraient plus à cœur, il dépêcherait ses domestiques à leur recherche, mais lui, il le laisserait, sans s'en préoccuper, errer dans le désert... Il le savait en compagnie du capable Tinglé, cela suffisait à assurer sa tranquillité.

Probablement était-ce de la sagesse. Pourtant lui, Mipam, jeté, soudain, hors de son verdoyant pays peuplé de hameaux accueillants, parmi ces solitudes sauvages balayées par d'âpres rafales, il aurait souhaité qu'une plus vigilante sympathie entourât son isolement. Il était seul, tout à fait seul... Une sensation de froid l'envahit sous son épaisse robe de *nambou*, mais elle n'était pas due à l'air vif des hautes altitudes. Mipam prenait contact avec l'indifférence ambiante et l'isolement qui est douleur avant de devenir béatitude.

Les deux cavaliers avancèrent encore pendant plus d'une heure dans la direction d'une chaîne de collines dont la route se rapprochait. Au pied de celles-ci, ils trouvèrent de l'eau et s'établirent pour attendre le passage du *tsongpön*. Le soir venu, ils plantèrent leur tente, attachèrent leurs chevaux près d'elle et s'endormirent, comptant voir arriver la caravane le lendemain.

Elle ne passa ni le lendemain, ni le surlendemain.

En dépit de sa placidité naturelle, Tinglé commençait à trouver ce retard surprenant et inquiétant. Pour tromper son impatience et afin de ménager les provisions qui leur restaient, il alla à la recherche des *toumas*. Il en rapporta une assez grande quantité ; il trouva aussi quelque peu de crottin de *kyang* et, sur l'emplacement d'un ancien camp de voyageurs, suffisamment de bouse de yak pour leur servir de combustible pendant plusieurs jours.

Lorsqu'il revenait auprès de Mipam qui gardait les chevaux tandis qu'ils paissaient, il s'ingéniait à lui donner de bonnes raisons pour expliquer le retard de Dordji, mais lui-même se demandait s'il n'avait pas manqué de voir les traces de son passage. Un nouvel examen ne pouvait plus donner de résultat bien concluant. Une forte pluie était tombée, à deux reprises, depuis leur arrivée au bord de la route, elle avait détrempé le sol et effacé la plupart des empreintes laissées par les animaux. A part lui, Tinglé avait décidé d'attendre encore deux jours de plus et, si Dordji ne paraissait pas, d'emmener Mipam vers l'est pour gagner des camps de *dokpas* et atteindre Tchérkou.

Le jeune homme souriait, approuvait d'un air distrait ce que lui disait son « oncle » temporaire. Visiblement, il ne l'écoutait pas, prêtant l'oreille à d'autres voix. Le charme des *tchang thangs* commençait à opérer sur lui ; Mipam renouait, avec d'invisibles présences, les entretiens silencieux qui avaient enchanté son enfance dans la forêt himalayenne.

— Tsowo, dit Tinglé d'un air embarrassé, le matin du quatrième jour d'attente, nous ne pouvons pas demeurer ici plus longtemps, nos vivres sont presque entièrement épuisées, nous devons nous mettre en quête de *dokpas* pour nous ravitailler. Quelque chose d'imprévu a dû retenir Kouchog Dordji. Il comprendra que nous n'avons pas pu nous attarder davantage... J'ai fait un mauvais rêve, aussi. Sellons les chevaux et partons.

Partir c'était abandonner tout espoir de rejoindre Dordji avant d'être arrivé en Chine, mais puisque Dordji ne venait pas, il n'y avait qu'à suivre Tinglé.

— Partons, acquiesça Mipam.

Tinglé alla chercher les chevaux, chacun des cavaliers sella le sien, attacha derrière sa selle un sac contenant une provision de combustible et tous deux se mirent en route.

174

Ils refirent une partie du chemin qu'ils avaient précédemment parcouru, puis Tinglé changea de direction. Il paraissait absolument sûr de ses mouvements bien qu'aucune trace de sentier ne fût visible. Mipam le suivait avec confiance.

Le troisième jour après avoir abandonné la route de la Chine par Tsaïdam, dans l'après-midi, ils aperçurent quelques tentes noires. Il était grand temps. Bien qu'ils se fussent rationnés, il ne leur restait plus qu'une poignée de *tsampa* et un peu de thé. Les *dokpas* leur firent bon accueil, ils leur servirent, à chacun, un grand pot de *cho,* mais ne voulurent leur vendre ni farine, ni *tsampa*. Ils n'en avaient pas même assez pour eux, disaient-ils.

— Nous verrons demain, dit Tinglé à son compagnon, je trouverai peut-être moyen de m'arranger avec eux.

Lorsque le troupeau eût été rassemblé, à la tombée du soir, des femmes allèrent traire les *zomos* et les *dis* et, le lait ayant été bouilli, les voyageurs purent en boire quelques bols. Ensuite, Tinglé aida Mipam à dresser leur tente et lui conseilla de se coucher tout de suite car il faudrait partir le lendemain de grand matin. Dès qu'il se fut étendu, enroulé dans ses couvertures, la tête reposant sur sa selle, Mipam s'endormit profondément et Tinglé, qui avait feint d'arranger quelque chose dans les sacs contenant ses bagages, put sortir de la tente sans qu'il s'en aperçût.

Le lendemain, quand Mipam s'éveilla, son compagnon était déjà au-dehors, avec ses couvertures et ses sacs prêts à être chargés sur son cheval. Le jeune homme, un peu honteux d'avoir dormi si longtemps, s'empressa de replier la petite tente ; ensuite il chaussa ses bottes, renoua la ceinture de sa robe et se coiffa de son chapeau : sa toilette était faite. Souhaits polis aux *dokpas* comme d'usage :

« Une longue vie, pas de maladies », les deux hommes étaient en selle et trottaient parmi les pâturages.

Ils s'en allèrent ainsi jusque vers la fin de la matinée. Alors, passant près d'un ruisseau, Tinglé invita Mipam à s'arrêter pour manger.

— Le repas sera vite terminé, fit observer Mipam. Une *pa* à l'eau pour chacun de nous. Il ne nous reste rien. J'envie nos chevaux qui ont de l'herbe en abondance. Dommage que nous ne puissions pas paître comme eux.

Crois-tu que nous allons bientôt pouvoir acheter des vivres ?

Tinglé ne répondit pas, il souriait de façon singulière.

— Allumons du feu, dit-il laconiquement en ouvrant le sac à la *djouwa* qu'il avait fait remplir chez les *dokpas*.

Mipam allait lui demander à quoi servirait ce feu puisqu'il ne leur restait plus de thé à faire bouillir, mais l'air bizarre de son pseudo-oncle le frappa et il se tut. Est-ce que, par hasard, l'habile Tinglé aurait réussi à acheter un peu de thé et quelques poignées de *tsampa* à leurs hôtes de la veille ? Il regardait avec curiosité le grand sac de cuir que Tinglé délaçait avec lenteur. Ce ne fut ni du thé, ni de la *tsampa* qui en émergea, mais un gros paquet sanguinolent que Tinglé déposa sur l'herbe et, lorsqu'il eut dénoué le chiffon dans lequel il était enveloppé, le contenu apparut comme étant la viande d'un mouton coupé en pièces.

— Oh ! s'écria Mipam, navré, tu as tué un mouton !

— Je ne l'ai pas tué ; un des *dokpas* s'en est chargé, je l'ai seulement dépecé. Les *dokpas* me l'ont fait payer cher, les rusés coquins, ils ont vu que nous n'avions plus rien à manger. Enfin, voilà de la nourriture pour plusieurs jours. Il était temps. Vous devriez vous sentir faible *tsowo*. Voilà, nous allons faire griller un bon morceau, cela nous redonnera des forces.

Mipam était atterré. Le sentiment qui, dans sa jeunesse, lui faisait refuser de manger de la viande, s'était fortement atténué en lui. Au palais du *gyalpo* la viande était l'aliment principal et, sous peine de jeûner presque continuellement, force était d'en manger lorsque l'on ne pouvait se faire préparer des plats spéciaux. Le huitième, le quinzième et le trentième jour de la lune, le chapelain s'abstenait de nourriture animale, suivant l'usage de ceux des lamas distingués qui ne sont pas entièrement végétariens. Il avait, d'ailleurs, un cuisinier particulier qui recevait directement, de l'intendant du prince, des provisions non préparées. Mipam ne pouvait rien réclamer de semblable : les restes de nourriture que ses maîtres laissaient dans leurs plats constituaient la majeure partie de ses repas. Ces restes contenaient toujours de la viande et Mipam avait toujours grand faim : alors, il mangeait. Mais cette viande cuite provenait d'animaux déjà tués ;

l'idée de faire tuer une bête expressément pour lui le remplissait d'horreur. Pourtant c'est ce qui avait eu lieu.

— Oh! Tinglé, comment as-tu pu... commença-t-il.

Son compagnon l'interrompit.

— Je sais bien que vous êtes du clergé et que vous ne devez pas commander de tuer. Me croyez-vous assez sot pour ignorer cela? — J'ai eu grand soin d'attendre que vous soyez endormi pour parler aux *dokpas*. La bête a été tuée, dépecée et emballée dans le sac sans que vous vous en aperceviez en aucune façon. Rien n'empêche, maintenant, que vous en mangiez. Il n'y a pas de faute de votre part. Je connais les usages et sais comment me conduire, croyez-le bien.

Tinglé se rengorgeait, fier d'être aussi parfaitement informé des subtilités de la casuistique lamaïste et de s'être, en la circonstance, comporté avec autant de tact.

La viande grillait sur les cendres rouges, répandant une odeur appétissante. Mipam comprenait clairement combien les arguments de son compagnon étaient fallacieux, mais son estomac vide le tourmentait. Il mangea et, comme la viande des bêtes élevées dans les pâturages des *tchang thangs* y est de qualité supérieure, il la trouva bonne.

L'esprit attristé mais la chair réjouie par ce repas substantiel, Mipam se remit en selle. Son enthousiasme optimiste quant à son voyage et à ce qui s'ensuivrait, un peu abattu pendant les journées précédentes, se réveillait plus vif que jamais. Il ne regrettait plus de n'avoir pas rejoint Dordji et sa caravane, l'imprévu de son voyage et sa demi-solitude en compagnie du seul Tinglé l'enchantaient. Mipam n'était pas de ceux qui trouvent du plaisir à vivre en troupeau.

Comme il l'avait fait quelques jours auparavant, Tinglé arrêta son cheval au bord d'un large ruban de terre durcie où l'herbe, contrariée dans sa croissance par le piétinement répété des animaux, poussait maigrement en taches isolées.

— La route, dit-il, désormais tout devient facile.

Ils rencontrèrent plus fréquemment des *dokpas*. Tinglé, toujours avec le même tact, la même connaissance des règles à observer, renouvela le mouton consommé sans que Mipam ait commandé le meurtre ni l'ait vu perpétrer.

Il se contentait d'en manger le fruit qui maintenait son corps vigoureux et son esprit suffisamment alerte pour comprendre l'horreur de sa conduite et la détester.

Faute d'autre nourriture à sa portée et ne voulant pas interrompre ses méditations en quittant son ermitage pour aller se ravitailler, Milarespa, le sublime ascète, père spirituel des Kahgyudpas, subsista pendant près d'une année en ne mangeant que des orties bouillies. Au bout de cette période, il s'aperçut, avec désespoir, que non seulement son corps avait peine à se tenir debout, mais qu'il était devenu incapable de réfléchir et de méditer. Il advint, alors, qu'il lui fut apporté de la viande et de la bière. Il fit quelques bons repas et, ses facultés intellectuelles s'étant ranimées, il se plongea dans une profonde méditation et atteignit l'illumination spirituelle.

Cette histoire, que Mipam connaissait, lui était un grand mystère, une déconcertante contradiction. Il y voyait un scandale ayant fourni une excuse à nombre de religieux dénués de pitié pour les êtres. Il n'était pas très sûr que le célèbre Mila n'eût pas fait preuve d'une plus haute vertu en renonçant à ses méditations, s'il ne pouvait les poursuivre qu'en manquant de compassion et donnant un exemple fâcheux. Il n'était pas très certain, non plus, que des méditations, produites de cette manière, fussent autre chose que des élucubrations de l'esprit tournant sur lui-même, des ratiocinations (*togpa*) néfastes, comme disait son professeur, le disciple de Yéchés Kunzang, qui font obstacle à la « vue profonde (1) ». Quant à lui, il sentait une chaleur agréable circuler en lui après un bon repas de mouton grillé. Il reprenait sa route ragaillardi et joyeux, mais il continuait à juger sévèrement le lâche consentement de son esprit au crime qui lui procurait cette volupté sensuelle.

Les deux hommes s'arrêtèrent pendant huit jours à Tchérkou. Tinglé y avait des connaissances parmi les marchands, il passait la majeure partie de son temps en longs conciliabules avec eux, tandis que Mipam flânait au-dehors ou rêvait dans la chambre qu'ils partageaient. Le

(1) *Lags thong*, littéralement « voir davantage », un terme très en évidence chez les mystiques tibétains.

résultat de son activité fut que Mipam et lui voyageraient avec une caravane allant à Dangar, la ville frontière où Dordji se rendait.

Mipam accueillit cette nouvelle sans enthousiasme. Il avait pris goût à l'atmosphère bizarre des *tchang thangs*; instinctivement il craignait que la présence de nombreux compagnons de route ne vînt rompre le calme et le silence dans lesquels il se complaisait. Il ne fit pourtant aucune objection pour ne pas contrarier Tinglé dont la physionomie témoignait une vive satisfaction. La raison de celle-ci apparut au jeune homme le jour du départ. Son habile compagnon avait profité de son séjour à Tchérkou pour faire des affaires. Il emmenait, dans la caravane, trois yaks chargés de marchandises.

L'allure lente des gros bœufs poilus doublait la durée du voyage. Les marchands partaient dès l'aube, s'arrêtaient quelques heures plus tard pour faire du thé, marchaient encore, ensuite, jusqu'au début de l'après-midi, puis campaient jusqu'au lendemain pour laisser aux bêtes le temps de paître.

Il n'y avait guère moyen de rêver en compagnie de ces rustauds que l'eau-de-vie rendait, chaque soir, tapageurs. Mipam, replié sur lui-même, essayait de prévoir l'avenir, d'esquisser des plans. Qu'allait-il faire à Dangar ? — Quel genre de travail, de négoce ? — Le commerce devait être sa voie. Toutes autres carrières lui étaient maintenant fermées. Pourtant, vendre, acheter, gagner de l'argent, était-ce là une vie digne d'être vécue, méritait-elle l'effort qu'elle nécessite ? — Du fond de lui-même la réponse montait négative. Mais il y avait Dolma... Dolma qui ne pouvait être obtenue qu'avec beaucoup d'argent, de marchandises, de beaux chevaux ! Donc il devait devenir un marchand.

Quelques jours avant de passer près du beau lac Tossou, il demanda à Tinglé si les deux *tsongpöns* qui conduisaient la caravane habitaient Dangar. Ce dernier lui répondit que ceux-ci étaient des gens de Dartsédo, au pays de Kham, mais qu'ils avaient des gens de Dartsédo, au pays de Kham, mais qu'ils avaient des comptoirs en plusieurs endroits, Dangar était l'un d'eux.

— Tous ces yaks leur appartiennent, sans doute,

demanda encore le jeune homme. Et tu leur as loué ceux qui transportent tes marchandises ?

— Ils ont acheté leurs yaks et, moi, j'ai acheté les trois miens, répondit Tinglé.

— Que vas-tu en faire ? Les emploieras-tu pour transporter d'autres marchandises quand tu retourneras à Jigatzé ?

— Je retournerai avec Kouchog Dordji. Il ramènera ses marchandises sur les mules avec lesquelles il vient maintenant. Les yaks marchent trop lentement pour suivre une caravane de mules.

— Tu n'as que trois bêtes, ce n'est pas beaucoup. Les marchands avec qui nous voyageons trouveront à les employer et te les achèteront, certainement, si tu le veux, mais je crains, mon pauvre Tinglé, qu'ils ne te les paient pas cher. Ils profiteront de ce que tu es forcé de t'en défaire.

Tinglé ne répondit rien et la conversation s'arrêta là.

Le surlendemain, tout à fait incidemment, Mipam fut amené à reparler des yaks à un des domestiques des marchands.

— Nous ne ramènerons pas de yaks et nous aurons très peu de marchandises à notre retour, dit l'homme. Les *tsongpöns* voyageront par la route de Nagtchouka conduisant un troupeau de belles mules de Sining qu'ils vendront à Lhassa.

— Est-ce qu'ils trouveront à se défaire de leurs yaks sans perte ? Y a-t-il grande demande d'animaux pour les caravanes à cette époque de l'année ?

— Il y a très peu de demandes parce que c'est le moment d'emmener des mules et des chevaux, comme mon patron va le faire, mais la plupart des yaks seront achetés par des bouchers qui en donneront un prix satisfaisant.

— Quoi ! ces bêtes vont être tuées à la fin de leur voyage !

— Presque toutes. S'il perd un peu en les vendant, la perte que fera mon patron sera inférieure au prix qu'il aurait payé pour le louage des bêtes de Tchérkou à Dangar. Le transport de ses marchandises lui aura, ainsi, coûté très peu. S'il a de la chance et qu'il y ait beaucoup de demandes pour la viande, il peut même ne rien perdre et le transport ne lui aura rien coûté. Tous les marchands assez riches pour débourser le prix d'achat des yaks font ainsi · c'est ce qu'il y a de plus profitable.

L'homme entama un autre sujet de conversation, mais Mipam, l'esprit ailleurs, ne lui répondant plus, il le laissa.

La révélation inattendue du sort réservé au troupeau qui cheminait devant lui laissait le jeune homme atterré. Tout ce qui l'entourait avait disparu à ses regards. Il ne discernait plus que la foule grouillante des bêtes pesantes, à l'épaisse toison noire, peinant sous le poids de leurs fardeaux : une sorte de fleuve sombre coulant silencieux et lent à travers l'herbe verdoyante des *tchang thangs* solitaires, sous le grand ciel lumineux, sereinement indifférent. Il voyait l'arrivée des pauvres yaks fatigués, ayant soif de repos, de la béatitude que leurs pareils goûtent en ruminant, couchés dans les alpages. Il voyait le salaire que l'ingratitude humaine leur réservait : le couteau s'enfonçant dans leur flanc cherchant le cœur à percer, le sang jaillissant parmi la fourrure noire, ou bien l'étouffement horrible, la bouche et le nez serrés par une lanière (1).

Epouvante ! épouvante ! Et ces hommes qui accompagnaient, en chantant et en sifflant, la procession lamentable des inconscients condamnés ne comprenaient pas, ne comprendraient sans doute jamais, l'odieux de leur action.

— Akou Tinglé ! appela soudainement Mipam.

Le serviteur de Tseundu, qui chevauchait à quelque distance devant son prétendu neveu, arrêta son cheval, jeta un regard en arrière, puis tourna bride et rejoignit le jeune homme. La voix de ce dernier avait eu un accent singulier, l'appel banal semblait un cri de détresse.

— Qu'y a-t-il ? Etes-vous malade ? s'informa Tinglé, inquiet en voyant Mipam d'une pâleur anormale, les yeux décelant la terreur et la main tremblant sur la bride de son cheval.

— Que vas-tu faire de tes yaks ? lui demanda Mipam sans répondre à ses questions.

— Moi, Kouchog... mes yaks ?...

_____

(1) Les animaux tués, par les Tibétains, pour la boucherie sont le plus souvent étouffés par ce procédé. Les Tibétains le jugent « plus compatissant ». D'autre part, ils trouvent préférable que le sang demeure dans la viande. Cependant dans les régions frontières l'animal est souvent tué avec un long couteau ou un sabre qui lui perce le cœur.

Mipam l'interrompit :

— Tu vas les vendre à un boucher pour être tués comme les autres. Je sais, maintenant, réponds !

— Mais... je... si je ne trouve pas d'acheteur qui veuille m'en donner un bon prix, il faudra... Cela se fait généralement.

— Pourquoi ne me l'as-tu pas dit l'autre jour ?

— Je ne voulais pas vous faire de la peine ; vous avez des idées... Certainement de bonnes idées, très méritoires. Vous êtes du clergé, moi, je ne suis qu'un laïque... Mais je vous assure, Kouchog, que j'aurais parfaitement arrangé toutes choses ; vous ne vous seriez aperçu de rien. Oh ! je ne suis pas si bête, je sais comment il convient d'agir avec les religieux. Quel est l'imbécile qui vous a raconté cela ? C'est un homme de rien, il ne connaît pas l'étiquette.

— Tais-toi ! Combien veux-tu de tes yaks, je te les achète.

— Acheter mes yaks, pourquoi ? Ce n'est pas raisonnable.

— J'ai de l'argent, je te les paierai d'avance, dès ce soir, si tu veux.

— Pourquoi dépenser votre argent, vous en aurez besoin. Que ferez-vous de yaks ?

— Combien ? demanda durement Mipam.

— Ah ! si c'est ainsi. Je les ai payés trente *sangs* chacun.

— Cela signifie que tu veux les vendre plus cher. Il te faut un profit, le boucher t'en donnerait davantage.

— Oh ! vous êtes un saint lama, je le comprends maintenant. Pardonnez-moi si je ne vous ai pas témoigné assez de respect. Mais moi je suis un laïque, simplement un *mi nag*.

— Cinq *sangs* de plus par yaks ne te paraîtront peut-être pas un bénéfice suffisant. Veux-tu davantage ? Mais songe que ce que je te donnerai diminuera la somme que je puis employer à sauver d'autres bêtes.

— Vous voulez en acheter d'autres ! s'exclama Tinglé. Kouchog, ce n'est pas raisonnable, vous ne pouvez pas les acheter toutes.

— Malheureusement non, répondit gravement le jeune homme, mais il faut faire autant de bien qu'on le peut.

Tinglé commençait à éprouver une sorte de honte.

— Je ne demande rien de plus que les trente *sangs* que

j'ai payés, dit-il. Puissé-je, par les mérites de cette bonne action, vendre avantageusement les marchandises que j'ai apportées.

— Bien, dit Mipam, et il dirigea son cheval dans une autre direction, souhaitant demeurer seul.

Le troupeau continuait sa marche lente vers la mort.

Le soir de ce même jour, tandis que Tinglé achevait de décharger ses bêtes, deux yaks déjà libérés de leurs fardeaux s'en vinrent flâner près de celles-ci, regardant Mipam qui déployait sa petite tente. Dans le regard endormi des gros animaux poilus, le jeune homme crut discerner une lueur de conscience, un secret appel émanant des profondeurs de leur âme obscure.

— Tinglé, appela-t-il, attache un morceau de corde à l'une des cornes de chacun de ces yaks, informe-toi de leur propriétaire et achète-les pour moi.

Le serviteur de Tseundu n'osa rien répliquer. Il trouvait folle la conduite de son jeune compagnon, mais, au Tibet, toute action inspirée par la compassion éveille, même chez les plus matériellement grossiers des paysans ou des marchands, un instinctif sentiment d'admiration respectueuse. Tchénrézigs aux mille bras secourables, symbole de la Pitié infinie, n'a pas été choisi en vain pour le Suprême Seigneur et Protecteur du haut Pays des Neiges.

A l'intérieur de sa petite tente, Mipam se jeta sur le sol herbeux et sanglota de désespoir en pensant à sa pauvreté. Mais ce n'était pas d'être trop pauvre pour obtenir Dolma qu'il se désolait, c'était de manquer d'argent pour sauver de la douleur les misérables brutes qui paissaient autour de lui.

8

MIPAM continua sa route en proie à une tristesse dont l'objet dépassait le malheureux destin des yaks qu'il avait sous les yeux. Des visions affligeantes de la commune misère des bourreaux et des victimes le hantaient. Le souvenir des voix tragiques que, petit pèlerin innocent, il avait entendues, une nuit, dans la hutte de l'ermite, au sein de la forêt, s'était réveillé dans sa mémoire. Il se rappelait le léopard qu'il avait protégé et sa fuite de la maison paternelle en quête du pays où tous sont amis. L'aboutissement de cette merveilleuse enfance, c'était ce grand jeune homme, un futur marchand, s'acheminant vers un centre de trafic à la suite d'hommes rapaces. Il s'apitoyait alors sur lui-même, sur sa déchéance spirituelle, et il lui venait de sourdes colères en constatant la place dominante que les préoccupations matérielles tenaient dans son esprit, en se surprenant à être tourmenté par une inquiétude croissante au sujet de son avenir immédiat en Chine.

Tseundu ne lui avait rien dit à ce sujet et lui-même, dérouté par un départ inattendu et concentrant toutes ses pensées sur Dolma, n'avait pas songé à lui demander d'explications. Sans nul doute, Dordji se proposait de le guider par des conseils utiles et Tseundu, en lui remettant une forte somme d'argent, comptait qu'il saurait s'en servir adroitement pour assurer sa subsistance et jeter les fondations de son établissement. Ses cent cinquante *sangs* d'argent pouvaient constituer un capital de début pour une entreprise commerciale. Bon nombre de marchands, devenus très prospères, ont commencé avec des sommes moindres. Il comprenait que Tseundu n'entendait pas le prendre à son service. Il avait voulu l'aider à se créer une situation indépendante. Probablement, il comptait qu'avant peu, l'un ou l'autre *tsonga,* revenant de la Chine, rapporterait à Ténzing l'argent qu'il avait pris sur lui de lui faire prêter. Prêter, non pas donner. C'était bien ainsi qu'il devait interpréter la pensée de Tseundu, et le remboursement d'un prêt s'accompagne d'intérêts. Ce n'était pas seulement cent cinquante *sangs* qu'il devait à Ténzing, mais cent cinquante *sangs* plus le montant des intérêts en usage parmi les marchands. Combien ? Il ne le savait pas exactement ; au moins cinquante *sangs* par an, peut-être soixante-quinze, ou même davantage. Et lui ne possédait rien que quelques *trankas,* le restant de son « trésor » de petit garçon qu'il avait emporté, noué dans sa ceinture, en fuyant de son pays et dont il avait déjà dépensé une partie tandis qu'il se rendait à Jigatzé avec Dolma, puis, ensuite, à Gahlden, lorsqu'il y avait offert des lampes, dans les temples.

Il se mit à rire ironiquement, à rire de désespoir, mais il ne regrettait pas sa folie charitable. Sa détresse augmentait, au contraire, son amour pour les brutes qu'il avait sauvées. Il se sentait le désir de les étreindre dans ses bras et aurait trouvé une joie amère à mourir de faim et de misère, abandonné dans les *tchang thangs,* entouré par ses gros yaks paissant heureux et placides, indifférents à sa souffrance, incapables de comprendre son sacrifice.

Il ne reculait pas devant cette fin, il lui venait de l'orgueil de s'en savoir capable, mais était-elle indispensable ? A dix-sept ans l'on a plus d'une ressource, en dehors de l'argent. Il avait à conquérir Dolma, il lui avait promis son amour et une belle maison pour abriter leur bonheur, il les lui devait.

Et, ici, Mipam, d'ordinaire si habile à voir clair en lui, discernait mal qu'il venait de penser à la conquête de sa jeune amie comme à un devoir qui lui incombait, plutôt que comme à un besoin de son cœur et de sa chair.

Le garçon serra les poings, releva la tête :

— Cela va ! prononça-t-il tout haut.

C'était l'acceptation des conditions d'une lutte. Par

quels moyens la conduirait-il, il n'en savait encore rien, mais il se sentait capable de vaincre.

Les jours qui suivirent, Mipam chevaucha, taciturne, élaborant des plans. Mais la réalisation de plans bien ordonnés, conçus et mûris selon la sagesse courante des hommes, ne pouvait point avoir de place dans la vie du « fils de Tchénrézigs ». D'autres influences dirigeaient celles-ci, des influences dont l'origine plongeait profondément dans le mystère du passé, ce que les sages du Tibet appellent : la force des actions anciennes.

Un peu avant d'arriver à Dangar, la caravane passa près d'un monastère. A sa vue, un désir subit surgit en Mipam. La paisible apparence des maisonnettes monastiques l'attirait impérieusement et il éprouvait une irrésistible tentation de s'arrêter auprès d'elles. Passer la soirée dans une auberge pleine de marchands bruyants qui fêteraient leur arrivée en buvant force eau-de-vie lui parut soudainement odieux, trop épouvantable pour qu'il pût le supporter. Il mit son cheval au trot pour rejoindre Tinglé.

— Ecoute, lui dit-il. Tu vas continuer à suivre la caravane. A Dangar, dès qu'ils auront été déchargés, tu prendras possession des deux yaks qui m'appartiennent et que nous avons marqués d'un signe entaillé dans leurs cornes. Tu les feras garder avec les trois autres que je t'ai achetés. Qu'on les conduise dans un bon pâturage. Je vais m'arrêter ici, laisse-moi la tente et ce qui te reste de provisions, tu trouveras de quoi manger à la ville. Je me reposerai près du monastère. Si, après-demain, je ne suis pas allé à Dangar, viens jusqu'ici me dire si Dordji est arrivé.

— Etes-vous malade ? s'enquit Tinglé. Dans ce cas, vous seriez mieux dans une chambre où l'on vous porterait un bon dîner, que seul, la nuit, dans la campagne.

— Je ne suis pas malade, je suis seulement un peu fatigué et je ne veux pas de bruit autour de moi.

Tinglé avait perdu l'habitude d'insister pour faire prévaloir ses avis auprès de son obstiné « neveu ». Il fit ce qui lui était demandé, promit de s'occuper des yaks, de revenir le surlendemain, si Mipam n'allait pas le retrouver à Dangar et s'en alla à la suite de la caravane.

Mipam était parfaitement décidé à coucher dans sa

petite tente, à proximité du monastère ; mais il éprouvait quelque inquiétude au sujet de son cheval. Les voleurs de grands chemins ne s'aventurent pas si près des villes ; par contre, les maraudeurs pullulent, l'animal courrait le risque d'être volé. Pourquoi ne s'adresserait-il pas au monastère ? L'un ou l'autre des *trapas* lui permettrait, probablement, d'attacher son cheval dans une écurie. Ce lui serait aussi un prétexte pour pénétrer dans la *gompa* : il en mourait d'envie. Mipam jeta un coup d'œil sur sa robe. Elle était en bon état, mais poussiéreuse et déteinte par l'action du soleil. Il n'avait pas l'air d'un mendiant, mais d'un voyageur quelconque venant de loin. C'était exactement ce qu'il *était,* mais était-ce ce qu''il convenait qu'il *parût?* Le jeune homme décida que non. Il guida son cheval derrière un repli de terrain qui le mettait hors de vue du monastère, délaça (1) un de ses sacs, en tira son bel habit, semi-ecclésiastique, de lama qui voyage, s'en revêtit, remit sa vieille robe dans le sac et remonta sur sa bête. Plein d'assurance, maintenant qu'il se savait élégamment vêtu, il avança vers le monastère. Comme il approchait de ses murs, deux *trapas,* marchant dans la même direction, le saluèrent poliment et lui demandèrent s'il se rendait à leur *gompa* et s'il allait y rendre visite à l'un des moines.

— Je ne connais personne dans votre monastère, répondit Mipam, j'espère seulement que quelqu'un me permettra d'y abriter mon cheval pour la nuit, tandis que je coucherai dans ma tente, et d'un signe de tête il indiquait celle-ci roulée en un paquet et attachée derrière sa selle.

Les deux *trapas* regardaient ce voyageur bien habillé avec une considération marquée.

— Bien certainement, Kouchog, dit l'un d'eux, on donnera une place à votre cheval. Je suis sûr que notre *gegén* (professeur) sera heureux de vous rendre ce service. Voulez-vous le lui demander ? Nous vous conduirons chez lui.

— Vous êtes bien bons, répondit poliment Mipam. Je vous suis.

(1) Les sacs de cuir de fabrication tibétaine se ferment au moyen d'un laçage.

Il mit pied à terre et marcha avec les *trapas*, tenant son cheval par la bride.

— D'où venez-vous, Kouchog ? s'enquit le plus âgé des deux moines.

— De Jigatzé. Je suis venu par Tchérkou avec une caravane. J'ai des yaks dans celle-ci, ajouta-t-il négligemment.

— Ah ! Kouchog fait du commerce, dit l'autre *trapa*.

— Un peu, répondit Mipam. Ce n'est pas là ma principale occupation. On me destinait à devenir un *tsipa*, mais je préfère étudier la philosophie (1).

— *Lags, lags so*, Kouchog, firent ensemble les deux moines dont l'estime pour le voyageur augmentait.

En le voyant en compagnie de deux moines du monastère et reconnaissant à ses vêtements qu'il appartenait au clergé, ceux qu'ils croisèrent dans les rues de la *gompa* ne lui adressèrent aucune question.

Le *gegén* habitait une petite maison faisant partie du palais d'un lama *tulkou* mais isolée dans une cour et pourvue d'une entrée indépendante. Mipam n'eut pas à attendre longtemps au-dehors. L'un des moines qui l'avaient conduit revint bientôt en compagnie d'un autre de ses confrères et annonça à Mipam que son cheval serait abrité, ses bagages mis en lieu sûr et qu'il était invité, par le *gegén*, à boire du thé chez lui. Mipam remercia, retira un *kadag* de l'un de ses sacs et entra dans la maison.

Introduit dans la chambre du lama (2), il lui offrit le *kadag*, exprima poliment sa gratitude pour le service qui lui était rendu et pour l'invitation de son hôte, s'assit, but du thé et mangea un peu de *tsampa*.

Comme l'avaient déjà fait ses deux élèves, le professeur s'enquit de l'endroit d'où venait Mipam, du but de son voyage et de maintes choses qui forcèrent le garçon à inventer des histoires afin de dissimuler ce qu'il ne voulait pas que l'on sût. Or, lorsqu'il racontait des « histoires », Mipam s'y montrait, d'ordinaire, tel qu'il souhaitait être, plutôt que tel qu'il était en réalité. De sorte que, sans intention préméditée, il donna, à son hôte, l'impression

(1) Mtshan . ñid : « l'essence même des choses »
(2) Le titre de lama est donné, par courtoisie, à tous les moines instruits et distingués, même s'ils n'y ont pas régulièrement droit.

d'avoir devant lui un jeune moine de bonne famille et suffisamment aisé. Un fait contribua à confirmer le *gegén* dans cette opinion. Ayant demandé à Mipam s'il avait des connaissances à Dangar, celui-ci lui dit qu'il devait y rejoindre son ami Dordji, le fils du *tsongpön* Tseundu de Jigatzé, et qu'il y verrait aussi l'agent du *tsongpön* Ténzing de Lhassa, ce dernier étant un grand ami de son père. Entendant ces noms, le *gegén* s'exclama qu'ils lui étaient bien connus. Plusieurs lamas du monastère et entre autres le *tulkou*, propriétaire de la maison qu'il habitait, étaient en relations d'affaires avec les agents de ces deux grands marchands. Dès ce moment, Mipam cessa d'être un étranger, il inspirait pleine confiance. Il ne pouvait être question de le laisser camper dehors, il coucherait au monastère et, comme la permission du *chélngo* était nécessaire pour héberger un hôte pendant la nuit, le *gegén* donna un *kadag* à un de ses élèves pour qu'il le présente à ce haut fonctionnaire et sollicite l'autorisation requise.

Celle-ci fut accordée et, après avoir pris sa part d'un plantureux souper, Mipam fut conduit, par l'un des *trapas* servant le professeur, dans une petite cour sur laquelle deux logements prenaient jour, se faisant vis-à-vis. Les couvertures et les sacs du jeune homme avaient déjà été apportés dans l'un d'eux et posés sur le *kang* (1), une petite lampe brûlait sur une console.

— *Kalé jou den jag* (2), dit aimablement le *trapa* à son hôte, puis il se retira.

Resté seul, Mipam regarda autour de lui, inspectant l'endroit où on le laissait. L'inventaire de la chambre ne demandait pas longtemps, elle était complètement vide ; plus longue que large, ses deux extrémités se terminaient chacune par un *kang*. La porte s'ouvrait au milieu de la pièce entre deux larges baies fermées par une boiserie

(1) De même que leurs voisins, les Chinois du Nord, les Tibétains de la frontière du Kansou construisent, dans les chambres, des estrades en maçonnerie qui leur servent de lits. Ces estrades forment le dessus d'une sorte de four, clos du côté de la chambre, dans lequel on entretient continuellement le feu, pendant l'hiver. L'estrade ainsi chauffée sert donc en même temps, de poêle et de lit. Elle est dénommée *kang*.

(2) « Asseyez-vous doucement. » Formule de politesse en quittant quelqu'un.

ajourée sur laquelle était collé du papier transparent faisant office de vitres.

Mipam disposa ses couvertures sur le *kang* et se coucha. Le travail de son esprit, où surgissaient quantité de pensées diverses, l'empêchait de s'endormir. Il n'envisageait plus seulement son avenir en Chine, mais un futur tout proche, qui serait le « présent » au lever du soleil et auquel il devrait faire face. En entrant à la *gompa*, en y acceptant l'hospitalité, il venait sottement de se créer un surcroît de difficultés. Le lendemain, il lui faudrait, selon l'usage, témoigner sa gratitude à son hôte par un léger présent et payer aussi le coût du grain et de la paille mangés par son cheval. Or il était dénué d'argent. Les quelques *trankas* qui lui restaient ne pouvaient suffire à couvrir cette dépense. Qu'allait-il faire ? Que pouvait-il inventer pour se tirer de ce mauvais pas ? Il se le demandait sans trouver aucune solution au problème.

Sa lampe s'éteignit et il demeura, les yeux ouverts dans l'obscurité. Alors, après quelques instants, il remarqua plusieurs déchirures dans le papier tendu sur la fenêtre à laquelle il faisait face. Il ne les avait point aperçues tandis que sa chambre demeurait intérieurement éclairée ; maintenant, la faible lumière d'une nuit claire pénétrait à travers chacune des petites ouvertures, l'une d'elles encadrait une étoile et plus bas, dans une autre, dansait une lueur jaune et vacillante qui semblait provenir d'une lampe éloignée.

Il n'était donc point seul dans cette partie des bâtiments, ainsi qu'il l'avait cru. De l'autre côté de la cour étroite, quelqu'un habitait. Ce voisinage dont il n'avait point eu conscience lui fut tout à la fois un réconfort et une gêne. Il éprouvait de la contrariété d'avoir agité dans son esprit les difficultés matérielles de sa situation, comme il aurait pu en ressentir s'il les avait exprimées tout haut, à portée d'oreilles indiscrètes et, d'autre part, la petite lueur lui était amicale. Ses éclats intermittents ressemblaient à des appels sympathiques ! « Viens ! viens ! » disait-elle, hypnotisant lentement le jeune homme, l'attirant avec une force douce, persistante et irrésistible.

« Je manque d'air », pensa confusément Mipam. Il se leva, passa sa vieille robe et sortit. Adossé au chambranle de la porte, il respira, longuement, l'air frais de la nuit.

Pourquoi son voisin excitait-il tant sa curiosité, se demandait-il, tout étonné.

En face de lui, le jeu de lumière continuait ses appels magnétiques, faisant courir des ondes sur le papier closant les baies d'un petit bâtiment identique à celui où il logeait.

Mipam céda à l'attraction. De près, il découvrirait sans doute, pensait-il, quelque minime déchirure lui permettant de jeter un coup d'œil à l'intérieur de la chambre. Sans bruit, il traversa la cour, s'approchant de celle des fenêtres qui lui paraissait la moins éclairée. Arrivé tout près d'elle, il s'arrêta, examinant l'impénétrable rideau de papier, décidé à le percer du bout de l'ongle pour contempler l'ensorcelante lumière qui semblait attirer son cœur hors de sa poitrine. Alors une voix calme, douce et autoritaire prononça un mot :

— Entre !

Mipam ne sursauta pas, ne s'étonna pas. Il se trouvait dans un état de conscience particulier, un peu semblable à celui que l'on a en rêve, alors que l'on accepte, sans en éprouver de surprise, les faits les plus fantastiques. D'ailleurs, il s'attendait vaguement à « quelque chose ». Ce « quelque chose » venait de se produire : « Entre ! » lui était-il dit. Il entra.

La chambre dans laquelle il se trouva était vaste et évidemment bâtie entre deux cours car, en face de la porte par laquelle il y avait pénétré, se voyait une autre sortie et, de chaque côté d'elle, une baie existait aussi au bout de chaque *kang*. Seulement, au lieu d'être soigneusement closes avec du papier intact, comme celui qui avait défié la curiosité du jeune homme, les baies et la porte qui lui faisaient face avaient une apparence délabrée. Le papier qui y était collé pendait, déchiré en maints endroits, laissant apercevoir de grands espaces de ciel et des masses sombres qui semblaient être des bâtiments.

Sur l'un des *kangs,* près d'une de ces fenêtres misérables, un vieux moine était assis, enroulé dans un *zen* en loques. Derrière lui, accroché à la muraille, penchait un grand *tanka* représentant Djampéyang (1) et au pied du

(1) Le mystique seigneur de la science et de l'éloquence, patron des lettrés. Les *tankas* sont des tableaux sans cadre, qui peuvent être roulés.

kang se trouvait un brasero en terre, cassé à sa partie supérieure. La pièce, faiblement éclairée dans la partie où se tenait le vieillard, ne contenait aucun meuble.

Puisqu'on lui avait dit : « Entre ! », Mipam s'attendait, naturellement, à rencontrer quelqu'un dans la chambre, mais il s'attendait, surtout, à y voir, immédiatement, la lampe dont la lumière avait, en premier lieu, attiré son attention, puis s'était si singulièrement imposée à lui, la lampe à cause de laquelle il se trouvait là. Mais aucune lampe n'était visible, et, pourtant, il y avait de la clarté.

Passablement interdit, le jeune homme salua et tenta de formuler quelques excuses, bien qu'il ne sût pas trop de quoi il avait à s'excuser, mais dès les premières paroles embarrassées qu'il articula, tout en faisant un pas en avant pour se rapprocher du vieux moine, celui-ci l'interrompit.

— Assieds-toi !

Il repoussait son visiteur nocturne, lui commandant, par un geste, de demeurer près de la porte par laquelle il était entré.

Mipam s'assit.

Le vieillard le considérait en silence et, ne sachant que dire, Mipam demeurait muet.

— Pourquoi ton esprit s'agite-t-il comme l'eau du Tso Nyönpo (1) un jour de tempête, dit enfin le moine. Les vagues (2) qu'il soulevait dans l'air me venaient heurter jusqu'ici. Qu'importe que, demain, tu doives avouer au *gegén* que tu n'as rien à lui offrir pour prix de son hospitalité. Il n'en souffrira pas. Il est riche. C'est toi qui souffriras en te sentant humilié par cet aveu. Pourquoi t'es-tu vanté, pourquoi as-tu changé de robe, désirant paraître un homme important et as-tu éprouvé du plaisir en constatant que tu y réussissais ? L'instant du plaisir est passé, celui qui lui succède t'est pénible. Quel autre que toi-même a troublé la sérénité de ton esprit en y faisant surgir de la joie et du chagrin. D'où viens-tu ?

(1) Le grand lac indiqué, sur les cartes, par son nom mongol : Koukou-nor : « Lac bleu ». Le nom tibétain signifiant la même chose.
(2) Un Occidental dirait les « ondes » ou les « vibrations », c'est ce qu'exprime le terme tibétain *rba rlabs*, « vague ».

Mipam ouvrait la bouche pour répondre qu'il arrivait de Jigatzé, mais une main ridée sortant à demi du *zen* en loques de son interlocuteur, d'un geste calmement impérieux, lui enjoignit le silence. Le singulier vieillard le fixa pendant un long moment et puis son regard sembla se retourner vers quelque objet situé en lui-même : comme les Bouddhas, peints sur les murs des temples, il « regardait en dedans ».

Mipam osait à peine respirer.

— Ah ! tu as sauvé cinq yaks de la mort, c'est ce qui t'a démuni d'argent et tu as pleuré parce que tu ne pouvais pas en sauver un plus grand nombre. Tchénrézigs aussi s'est désespéré de son impuissance à libérer tous les êtres de la douleur.

Le nom de Tchénrézigs parut avoir, sur le voyant, l'effet d'une pierre qu'un voyageur n'a pas aperçue sur sa route et contre laquelle il se heurte, remarquant aussitôt ce qui entoure l'obstacle qui s'est imposé à son attention.

— Tchénrézigs, murmura-t-il. Quelqu'un t'a appelé fils de Tchénrézigs. Je le vois dans la forêt, tu es tout petit. Et... quelle cicatrice as-tu près de l'épaule ?... Un léopard ami ; il te regardait... Va, mon fils, va dormir. Tout est vain sauf la bonté.

Très impressionné et quelque peu effrayé par la clairvoyance du vieillard, Mipam se prosterna trois fois comme on le fait devant les Grands Lamas, et sortit sans oser prononcer un seul mot.

La cour, qu'il dut traverser, lui sembla plus sombre que lorsqu'il était sorti de sa chambre, peu de temps auparavant. Il se retourna vers le logis du voyant : la lampe qui l'avait mystérieusement attiré ne brillait plus.

La fatigue l'emportant sur les préoccupations diverses auxquelles il était en proie et sur les émotions qu'il venait d'éprouver, Mipam finit par s'endormir, mais son sommeil ne fut pas de longue durée ; il se réveilla à l'aube. Immédiatement, la question de son départ se présenta à lui, mais elle ne lui causait plus la même angoisse. Comme s'il l'avait trouvée tout en dormant, la solution lui apparut. Il devait attendre, au monastère, que Tinglé vînt l'y chercher, ainsi qu'il le lui avait commandé. Tinglé aurait de l'argent, il lui prêterait la somme dont il avait besoin pour quitter son hôte honorablement. Les beaux vêtements monastiques que Tseundu lui avait fait confectionner à Jigatzé étaient un gage suffisant, il les donnerait à Tinglé qui les vendrait. Sur le produit de cette vente Tinglé se rembourserait et il lui verserait le reliquat. Rien de plus simple.

La combinaison était parfaite, mais son début dépendait du *gegén* plutôt que de lui. Sous quel prétexte resterait-il jusqu'au lendemain à la *gompa* ? Il y rêvait lorsque la porte s'ouvrit et le *trapa* qui, la veille, l'avait conduit à sa chambre, entra avec un jeune novice portant un grand pot de thé, un sac de *tsampa* et un brasero plein de cendres rouges pour tenir la théière au chaud.

— Vous êtes sans doute fatigué, Kouchog, dit le *trapa*, paraissant un peu étonné de trouver Mipam couché. Vous avez fait un long voyage ?

Mipam se sentit illuminé, le moyen de demeurer au monastère lui était apparu.

— J'ai eu la fièvre cette nuit, répondit-il, et la tête me tourne. En cours de route nous avons campé dans des endroits marécageux, à cause des bêtes qui y trouvaient de la bonne herbe, je crois que cela m'a été mauvais. Merci pour le thé. Je n'ai pas besoin de *tsampa*, j'en ai dans mon sac et, aussi, de la viande séchée. Je serai mieux, bientôt, et pourrai partir.

— Rien ne presse, Kouchog. Restez couché et tenezvous chaud.

Le novice aperçut l'étui contenant le bol (1) de son hôte, l'ouvrit, en retira le bol, le remplit de thé et le tendit au jeune homme, puis se retira.

« Comment mon stratagème va-t-il opérer, se demandait Mipam. Il va falloir que je me dise, tout à l'heure, plus malade, afin de ne pas partir comme je l'ai annoncé. Il n'eut, toutefois, pas le temps de s'inquiéter beaucoup à ce sujet. Le *trapa* qui lui avait apporté du thé revenait.

— Kouchog, le *gegén* m'envoie vous dire que vous ne devez pas partir aujourd'hui si vous avez la fièvre ; il faut vous reposer et bien manger. Si vous le voulez, nous

_____

(1) Les Tibétains ont l'habitude d'avoir un bol personnel dans lequel ils ne permettent à personne de boire. En voyage ce bol est renfermé dans un étui, muni de courroies que le voyageur porte en bandoulière. S'il a un valet qui le suit ce dernier se charge de l'étui contenant le bol.

enverrons quelqu'un à Dangar pour prévenir vos amis que vous n'arriverez pas aujourd'hui.

— Oh! mille fois merci! s'écria Mipam, le *gegén* est trop bon. Certainement, une journée de repos me fera grand bien. Je me sentais très fatigué hier soir et j'avais mal à la tête, c'était pourquoi je voulais dormir tranquillement dans ma tente au lieu de passer la soirée avec mes compagnons marchands qui fêteraient leur arrivée. Demain, je serai tout à fait bien. Un des serviteurs du *tsongpön*, Tseundu, m'a accompagné pendant mon voyage. Ne me voyant pas arriver aujourd'hui, il viendra me chercher demain et, ne trouvant pas ma tente dressée, il s'informera certainement de moi à la *gompa*. Remerciez bien le *gegén* de ma part.

Une fois seul, Mipam se leva tout joyeux. Il se versa du thé, fit une *pa* avec de la *tsampa*, sortit la viande séchée de son sac et commença à manger de bon appétit.

Les idées des Tibétains concernant le régime convenant aux malades diffèrent complètement de celles des Chinois ; tandis que ces derniers préconisent une diète rigoureuse, leurs voisins de l'Ouest ont une confiance dans les bons effets d'une suralimentation intensive. Mipam put donc amplement satisfaire sa fringale sans crainte d'éveiller des soupçons quant à l'authenticité de son état.

Vers le milieu de la journée, le *trapa* vint lui demander s'il se sentait mieux et s'il voulait venir dîner avec le *gegén*, ou s'il préférait qu'on lui apportât à manger dans sa chambre. Mipam déclara qu'il se trouvait beaucoup mieux et qu'il aurait grand plaisir à accepter l'aimable invitation du *gegén*. Sortant de sa chambre, il donna un coup d'œil à la maisonnette située de l'autre côté de la cour. Elle était entièrement close et paraissait inhabitée. Ainsi lui avait-elle paru toute la matinée, tandis qu'il examinait à travers les déchirures du papier collé sur ses fenêtres, sans pouvoir surprendre le moindre mouvement, le moindre bruit décelant la présence d'un habitant.

— Qui donc vit là ? demanda-t-il au *trapa*.

— Personne, répondit ce dernier. Les deux chambres donnant dans cette cour servent à loger les visiteurs qui viennent voir le lama, son intendant ou le *gegén*.

— Personne, répéta Mipam troublé. Avait-il donc rêvé l'extraordinaire entrevue de la nuit précédente ?

Son trouble se lisait sur sa figure lorsqu'il entra chez son hôte. Celui-ci crut y discerner les symptômes de la fièvre dont Mipam s'était plaint.

— Eh! oui, dit-il, en considérant le jeune homme, on voit que vous êtes malade. C'est un effet de la fatigue, évidemment, et puis de ces camps dans les marais. Mais cela ne durera pas. Surtout, mangez beaucoup; il n'y a pas de meilleur remède pour guérir la fièvre.

Mipam fit honneur au repas; malade ou bien portant, joyeux ou triste, il avait toujours faim. Les émotions, quelles qu'elles fussent, demeuraient sans effet sur son inaltérable appétit.

Après le repas, un moine vêtu d'un beau costume monastique, avec veste en drap d'argent, entra chez le *gegén*. Mipam fut informé que le visteur était le *niérpa* (intendant) du lama *tulkou*, maître de l'habitation et qu'il se nommait Paldjor. Le *niérpa* avait appris la présence d'un ami du *tsongpön* Ténzing chez le professeur et comme il connaissait celui-ci, il était curieux de voir son jeune ami.

Mipam répéta que son frère aîné vivait chez Ténzing, que ce dernier était un vieil ami de son père et que, quant à lui, il avait l'intention de trafiquer en Chine. Puis, la conversation roula sur le commerce. Mipam n'y connaissait rien et, précisément à cause de son ignorance des méthodes traditionnelles des marchands, il en exposa d'autres de son invention qui étonnèrent tous ceux présents. Comme il était naturellement éloquent et parlait avec assurance, ses auditeurs, sans bien le comprendre, l'admirèrent et reconnurent en lui l'étoffe d'un négociant génial promis à tous les succès.

— Voulez-vous bien venir passer un instant chez moi, Kouchog, lui demanda le *niérpa* lorsqu'il se leva pour retourner dans son appartement.

— Avec plaisir, répondit Mipam.

— J'ai, lui dit le *niérpa* lorsqu'ils furent assis dans sa confortable chambre, une certaine quantité de marchandises qui ont été offertes à mon lama et à quelques dignitaires du monastère qui me les ont confiées parce qu'ils me savent capable en affaires. Je songeais à les remettre à un marchand de Ziling (1) pour être vendues, mais ce que vous venez de nous expliquer m'inspire beaucoup de confiance, je vous crois plus habile que lui. Vous obtiendrez probablement un meilleur prix des marchandises. Vous-voulez les voir ?

— Je veux bien, consentit Mipam d'un ton marquant la prudente réserve d'un négociant sérieux.

Le *niérpa* le conduisit, alors, dans une vaste pièce où étaient entassées quantité de marchandises hétéroclites comprenant des articles d'alimentation, des étoffes et des tapis.

— De quoi auriez-vous la vente dans ceci ? demanda Paldjor qui, décidément, tenait Mipam pour un marchand avisé.

Mipam n'en avait pas la moindre idée, mais se garda bien de l'avouer.

— Je ne puis pas, répondit-il, me charger de beaucoup de choses parce que j'ai l'intention d'emporter des marchandises chinoises dans ma prochaine tournée. Voyons, je vous prendrai du *nambou*, quelques rouleaux de *pourouc* et de *terma,* trois ou quatre tapis, du beurre si vous le voulez. Et puis, je me fournirai chez vous de *tsampa* et de viande séchée comme provisions : leur prix étant à vous solder avec celui des marchandises vendues. J'ai hâte de commencer ma tournée. Les deux *tsongpöns* avec qui j'ai voyagé apportent des quantités de marchandises. Je dois prendre les devants, ne pas attendre que les leurs soient en circulation pour offrir les miennes.

— Excellent, bien pensé, Kouchog, approuva le *niérpa*.

Les deux hommes employèrent le reste de l'après-midi à composer la cargaison que Mipam devait emporter. Ils discutèrent les prix que ce dernier trouvait trop élevés du double et, finalement, il fut décidé que, le surlendemain, le jeune homme amènerait ses yaks et prendrait livraison des ballots.

Tout étant convenu, Paldjor invita son nouveau mandataire à manger avec lui pour sceller leur accord et, le repas fini, Mipam se retira, triomphant, dans sa chambre. Il n'était plus le pauvre de la veille, il avait en main les

_____

(1) Nom tibétain de Sining, une ville importante de la province chinoise du Kansou. Sining est proche de Dangar.

premiers éléments d'une fortune qu'il se sentait capable d'édifier.

— Dolma, murmura-t-il, si tu me voyais, tu serais fière de moi.

Mais Dolma était loin et, tout près de lui, un mystère s'imposait à la pensée de Mipam.

Cette chambre, en face de la sienne, où il était entré la nuit précédente, dans laquelle un vieux moine lui avait rappelé des incidents de sa vie que nul dans cette *gompa* ne connaissait, cette chambre était inhabitée, lui avait-on dit. Alors, il avait donc rêvé : rêvé l'appel singulier de la lampe, la traversée de la cour avec le désir de voir dans la chambre où la lumière brillait et puis, ce commandement soudain : « Entre ! » Tout cela, il l'avait rêvé. C'était singulier, mais possible, certains rêves laissent une impression aussi vive que celle produite par des faits réels. Pourtant...

Par les déchirures du papier de ses fenêtres, il s'obstinait, de nouveau, à regarder le petit bâtiment qui lui faisait face. Il attendait que ses fenêtres s'éclairassent, mais elles demeuraient obscures.

Alors, il sortit, traversa la cour, s'arrêta devant la porte qu'il avait franchie la veille, espérant entendre la même voix lui commandant d'entrer : le silence continuait. Il se hasarda à pousser la porte, elle s'ouvrit. L'obscurité régnait à l'intérieur, à peine mitigée par la faible clarté pénétrant par la porte restée ouverte. En face du jeune homme, les deux baies et la porte au papier déchiré donnant sur le dehors, de l'autre côté du bâtiment, auraient dû laisser passer une clarté semblable et se dessiner en taches plus claires dans l'ombre environnante, mais il ne voyait devant lui que la ligne obscure d'un mur. La chambre paraissait rapetissée. Il avança droit devant lui vers la sortie qu'il avait vue la nuit précédente et se heurta à un mur. Celui-ci n'était pas une illusion due à l'obscurité, mais un mur réel s'étendant d'un bout à l'autre de la chambre et dans lequel il n'existait aucune ouverture.

Mipam sortit, voulant s'assurer si, contre toute vraisemblance, il était entré dans un autre bâtiment. Il n'y en avait aucun autre. La cour étroite était bordée, dans toute sa largeur, d'un côté par la pièce où il logeait, de l'autre par la chambre mystérieuse où il était entré la veille et où il venait de retourner. Comment celle-ci pouvait-elle être différente de celle qu'il avait vue ? Les probabilités s'accordaient pour qu'elle fût, en réalité, telle qu'il la voyait maintenant. Cependant, il n'était point fou, il se rappelait, dans tous leurs détails, son entrevue avec le vieux moine et l'endroit où elle avait eu lieu. Alors... alors il s'agissait vraiment d'un rêve.

Soit, il avait rêvé et les rêves de cette sorte sont envoyés par des déités amies. Le sien venait de lui rappeler les pensées qui avaient occupé son enfance et son voyage merveilleux, à travers la montagne, en quête du pays où tous sont amis.

Pourquoi donc avait-il écouté le *naldjorpa* rencontré dans la forêt, pourquoi était-il retourné chez son père ? Qui sait où il serait arrivé, en ce monde ou dans un autre, s'il avait continué son voyage. Maintenant, il était un marchand, il *devait* être un marchand, un marchand riche...

Le lendemain, vers le milieu de la matinée, un *trapa* amena Tinglé à la chambre de Mipam.

— On vient de me dire que vous avez eu la fièvre, Kouchog, combien j'en suis triste, dit immédiatement le serviteur de Tseundu.

Mipam sourit :

— Je vais très bien, Tinglé, ne t'inquiète pas. Dordji est-il arrivé ?

— Il est à Dangar depuis avant-hier.

— Sais-tu pourquoi nous ne l'avons pas rencontré sur la route de Nagtchoukha ?

— Il a été forcé de retarder son départ de Jigatzé, m'a-t-il dit ; je crois que c'est à cause de vous. Il vous expliquera cela.

— Tinglé, nous allons boire du thé — le *niérpa* nous en offrira — et puis je partirai tout de suite avec toi pour Dangar. Je dois y louer une grande chambre et, demain, nous reviendrons ici avec mes yaks, prendre mes marchandises. Je suis devenu un *tsongpa*, Tinglé.

Tinglé croyait plutôt que la fièvre faisait divaguer son compagnon de voyage.

— *Lags, lags so*, fit-il du ton conciliant avec lequel on parle aux malades.

200

Mipam comprit sa pensée et se mit à rire.

— Je me porte très bien, je t'assure, dit-il. Viens voir le *niérpa* et les marchandises qu'il me confie. Mais auparavant, il faut que tu me prêtes de l'argent. Je dois offrir quelques présents au *gegén* qui m'a hébergé et aux *trapas* qui m'ont rendu service et ont pris soin de mon cheval. Je n'ai presque plus rien. Je te donnerai, en gage, le costume monastique qu'Akou Tseundu m'a fait faire, il est tout neuf et de belle qualité, tu le vendras et tu te rembourseras sur ce que tu en obtiendras. Je prendrai le surplus.

— Je vous prêterai l'argent dont vous avez besoin, Kouchog, je n'ai pas besoin de gage, vous me rembourserez quand vous le voudrez, répondit Tinglé, tout confus en comprenant que, depuis leur transaction au sujet des yaks, Mipam le tenait pour intéressé et méfiant.

Il tira quelques lingots d'argent d'un sac qu'il portait en bandoulière, sous sa robe, et les remit au jeune homme.

— Nous les pèserons chez le *niérpa*, si tu n'as pas ta balance, dit Mipam. Allons chez lui.

Il se trouva que Paldjor avait rencontré Tinglé l'année précédente, au comptoir de Tseundu et qu'il se souvenait de lui. Grâce à cette circonstance, la présence de Tinglé auprès du jeune homme confirmait ses dires au sujet de ses relations amicales avec le riche *tsongpön* patron de Tinglé, et le *niérpa* se félicita d'avoir eu l'idée de le charger de la vente de ses marchandises.

Dangar est une toute petite place fortifiée située, en sentinelle avancée, à l'extrémité de la province chinoise du Kansou, au seuil des grandes solitudes du Tibet septentrional. Plusieurs gros négociants tibétains y possèdent des habitations où ils logent pendant leurs séjours dans la ville qui leur servent, aussi, d'entrepôts pour leurs marchandises. En plus de ces demeures particulières, il existe aussi, à Dangar, des maisons collectives à l'usage de marchands originaires d'une même région. Une assez grande quantité de transactions s'y effectuent, et à quelques kilomètres de là, se trouve Sining, une importante ville fortifiée et le marché le plus considérable du Nord pour les marchandises d'origine tibétaine et les exportations de marchandises chinoises au Tibet.

Bien qu'il y ait continuellement, à Dangar, une assez considérable population flottante de Tibétains, l'aspect de la ville est pourtant chinois. Mipam regarda avec intérêt les boutiques bordant la rue étroite dans laquelle il s'engagea, dès après avoir passé sous la voûte de la porte percée dans le minuscule mur d'enceinte. Que d'objets divers étaient là offerts en vente, savamment exhibés pour tenter les passants. Mipam n'avait pas vu le marché de Lhassa, et celui de Jigatzé lui semblait présenter bien moins d'intérêt que cette suite de boutiques largement ouvertes sur la rue, exposant tout leur contenu et formant, ainsi, un vaste étalage.

Du haut de son cheval, il scrutait aussi la physionomie des négociants assis derrière leur comptoir et celle des gens qu'il croisait. Ces Chinois lui semblaient des êtres très différents de ses compatriotes. Minces, élancés dans leurs robes étroites, très blancs, graves, ayant l'air de méditer des ruses, ils lui semblaient énigmatiques, inquiétants, de redoutables adversaires devaient-ils être, sur le terrain des affaires, et c'étaient eux qu'il allait affronter comme marchand. Mipam commençait à soupçonner que l'exercice de sa profession, en Chine, n'irait pas sans difficultés.

L'accueil que lui fit Dordji causa quelque désappointement à Mipam. Il s'attendait à un intérêt cordial, à des questions sur sa santé, sur la façon dont son voyage s'était effectué et aussi, sinon à des excuses, du moins à des explications au sujet de l'absence de son ami au rendez-vous de Nagtchoukha, mais les premiers mots de Dordji furent :

— Pourquoi n'es-tu pas venu ici avec Tinglé ? Qu'avais-tu à faire dans une *gompa* ?

— Eh ! répliqua Mipam en souriant, je suis du clergé, Dordji. C'est précisément dans une *gompa* que je suis à ma place.

Dordji ne parut pas goûter la plaisanterie.

— Es-tu venu en Chine pour jouer au saint lama ? rétorqua-t-il sans aménité. Et qu'est-ce que cette histoire de *yaks* que tu as achetés en dépensant l'argent que mon père t'a donné ; qu'est-ce que ces fantaisies ?

Mipam ne songeait plus à plaisanter ; le ton avec lequel Dordji lui parlait le choquait.

— L'histoire des yaks me regarde, dit-il froidement. Quant aux cent cinquante *sangs* d'argent que ton père m'a avancés au nom d'Akou Ténzing, je les rembourserai dès que cela me sera possible. Est-ce là tout ce que tu as à me dire, Dordji ?

Le fils de Tseundu n'était pas méchant, la conduite bizarre de Mipam l'avait contrarié, mais il ne lui en gardait pas rancune.

— Assieds-toi, nous allons manger, nous causerons en même temps. Tu es un jeune écervelé, voilà tout. Demain je verrai à arranger tes affaires.

— Je les ai déjà arrangées, Dordji, répondit calmement Mipam. Mais, dis-moi, pourquoi ne t'ai-je pas trouvé sur la route de Nagtchoukha ? Tinglé et moi nous avons attendu ton passage pendant quatre jours.

— Il est survenu quelque chose de fâcheux, répondit Dordji dont la figure reprenait une expression ennuyée.

« Le jour qui a suivi ton départ, un *koudag* commanditaire et client de mon père, chez qui tu as été avec moi, l'a fait mander. Le cousin de ton *gyalpo,* qui est en bonnes relations avec lui, lui avait écrit, le priant de s'enquérir à ton sujet. Or, ce *koudag* t'avait vu, il savait où tu étais. Tu lui avais plu, il ne te souhaitait pas de mal ; il ne voulait pas davantage causer d'ennui à mon père, mais il ne désirait nullement se brouiller, à cause de nous, avec un fonctionnaire du gouvernement.

« Ne pouvant pas nier que tu avais demeuré chez lui, mon père informa son client que tu étais parti. Parti pour quel endroit ? — Il prétendit ne pas le savoir, toi-même, lors de ton départ, n'ayant pas de projet arrêté. Mais le *koudag* ne fut pas dupe de cette supercherie ; il comprit, immédiatement, que tu allais voyager avec moi et il le dit à mon père. Mon père le nia et après qu'il l'eut nié, il jugea imprudent de mentir à un personnage influent. Tôt ou tard, celui-ci découvrirait qu'on l'avait trompé.

« Dans sa colère, il pourrait alors rompre ses relations commerciales avec mon père, retirer les fonds qu'il place chez nous... Tu comprends...

« Ainsi, afin de bien montrer qu'entre ton départ et le mien il n'existait aucun lien, j'ai laissé passer dix jours avant de partir. Je savais bien que tu ne pourrais pas demeurer aussi longtemps à m'attendre dans une région déserte. Ce que tu ferais, quelle route tu suivrais, je l'ignorais, mais tu étais avec Tinglé et tu ne manquais pas d'argent ; il n'y avait donc pas de raison de s'inquiéter à ton sujet. Te voilà bien arrivé, du reste, comme je l'avais pensé.

Mipam avait écouté, en silence, cette longue explication.

— Je comprends, dit-il simplement lorsque Dordji se tut.

Entre l'intérêt commercial et celui d'un fugitif poursuivi par un grotesque despote qui voulait sa mort, le choix avait été vite fait. On avait donné un guide et de l'argent au garçon, c'était grande générosité. Il devenait gênant, on l'écartait, l'abandonnant dans le désert. « Il n'y avait pas de raison de s'inquiéter à son sujet », pensait Dordji.

— Je comprends, répéta Mipam.

Il demeura encore silencieux pendant quelques instants, puis, très calme, très froid, il s'adressa au fils de Tseundu :

— Le commerce est chose intéressante, dit-il, je crois que j'y réussirai. J'ai déjà commencé. Tu n'auras pas à t'occuper de moi, ceci mettra ton père tout à fait à l'aise vis-à-vis de son commanditaire et des fonctionnaires de Lhassa ou d'ailleurs. Je vais m'établir marchand dès demain. J'ai déjà une certaine quantité de marchandises... Je n'ai point perdu mon temps à la *gompa* comme tu le crois. Maintenant, je dois te quitter. Il faut que je trouve une chambre à louer pour y entreposer mes ballots.

— Où as-tu pris ces marchandises ? en quoi consistent-elles ?

— Tu sauras cela ; je te les montrerai après-demain.

— Tu ne veux pas rester ici ? Je puis te donner de la place dans la maison.

— Non, merci, il vaut mieux que je sois seul, je ferai plus vite mon apprentissage

— Comme tu voudras. Viens manger avec moi quand cela te plaira.

— Cela me plaira plus d'une fois, sois-en sûr.

Les deux jeunes gens se séparèrent amicalement, mais le cœur naturellement aimant de Mipam souffrait de ce qu'il considérait comme une défection de son ami. Calcule-t-on tant, est-on si raisonnable, quand on aime ?

Tinglé attendait Mipam, il le conduisit visiter deux hôtelleries où logent les marchands de passage. Dans l'une d'elles le jeune homme trouva la vaste chambre qu'il cherchait. Tinglé devait se rendre auprès du gardien des yaks, faire rassembler ceux-ci et les amener le lendemain à la *gompa*.

Lorsqu'il fut parti, Mipam attacha son cheval à l'écurie, lui fit donner de la paille et du grain et emporta sa selle dans sa chambre où il avait déjà placé ses bagages.

Il éprouvait du plaisir à se trouver seul, à procéder, lui-même, à son installation. Il avait cessé d'être un petit garçon dépendant d'autrui, toujours contraint d'obéir. Dorénavant il agirait à son gré ; il était, soudainement, devenu un homme, un marchand qui devait gagner de l'argent pour vivre, pour rembourser ce qu'il devait, pour économiser, aussi, afin d'étendre ses affaires et de devenir riche. Cela n'irait pas sans peine ni sans lutte, mais la perspective du combat lui plaisait. Dolma serait fière de lui.

Mipam se fit expliquer par son aubergiste où se trouvait la maison du *garpön* et s'y rendit. Il se présenta comme un débutant dans le commerce, déjà pourvu de quelques marchandises et qui désirait se renseigner sur les marchands chinois de Ziling (1) avec qui il pourrait conclure des échanges. Il voulait, disait-il, faire une tournée, parmi les tribus de pasteurs des environs, avec un petit chargement de marchandises chinoises. Que pensait le *garpön* de ce projet ?

Bien que sa haute stature et son air délibéré le fissent paraître d'au moins deux ou trois ans plus âgé qu'il ne l'était, le *garpön* pensait que Mipam était bien jeune pour s'improviser d'emblée *tsongpön*. D'ordinaire, le métier s'apprend comme employé d'un marchand, à moins qu'on ne soit fils ou parent de marchand. Mais Mipam était élégamment vêtu et parlait avec assurance, cela dénotait qu'il avait de l'argent. Le *garpön* se sentit enclin à le traiter avec considération. Il l'invita à boire du thé et lui fournit les renseignements qu'il désirait. Puis, d'autres marchands étant entrés, on servit aussi de la bière et les hommes se mirent à parler d'affaires.

Tout à fait négligemment, Mipam mentionna, au cours de la conversation, ses relations amicales avec Ténzing de Lhassa et Tseundu de Jigatzé.

(1) Marqué Sining sur les cartes.

Sa famille doit être riche, pensèrent les marchands, et, au Tibet, la richesse confère le droit à une haute estime.

L'un des *tsongpas* demanda à Mipam quelle était la profession de son père.

— C'est un officier, un *gyapön*, répondit le jeune homme, se rappelant que l'on donnait parfois ce titre à Puntsog en souvenir des combats où il avait mené des « braves » armés de flèches.

Un *gyapön*... c'était un gentilhomme ou peu s'en fallait : Mipam s'auréolait de noblesse.

— Pourquoi voulait-il être marchand ?

— Pour devenir très riche.

— Pourquoi tenait-il tant à être très riche ?

— Pour obtenir la fille riche que j'aime, avoua Mipam en riant.

Tous lui firent écho, s'imaginant que ce fils de bonne famille avait jeté les yeux sur la fille d'un *chapé* ou d'un autre grand noble de Lhassa ou de Tsang et nul ne soupçonnant qu'il s'agissait de celle de leur confrère Ténzing.

Le lendemain, Mipam ayant dûment pris pied parmi la gent marchande de Dangar s'en retournait au monastère voisin.

9

MIPAM, en compagnie de son associé, le *niérpa* Paldjor, surveillait le chargement de ses marchandises dans une grande cour, le long de laquelle étaient bâties des écuries.

— Imaginiez-vous, Kouchog, lorsque vous êtes entré dans cette *garba,* il y a quatre jours, que vous y feriez vos débuts comme *tsongpön,* dit en plaisantant le *niérpa.*

— Je ne prévoyais pas exactement cela, répondit Mipam. Je savais seulement que je *devais* m'arrêter ici. Votre *gompa* m'a appelé quand je suis passé près d'elle avec la caravane des marchands. Mais je ne suis pas du tout certain que son appel concernait ma profession de marchand. Peut-être s'agissait-il de quelque chose de supérieur au commerce.

Mipam pensait au « rêve » singulier qu'il avait fait et l'envie lui prenait de revoir, en plein jour, la chambre où il était entré la nuit.

— Des dieux ou des bodhisatvas doivent visiter votre monastère, Kouchog *niérpa,* dit-il à son associé. Je les ai sentis passer près de moi lorsque j'ai couché ici. Je suis du clergé et, bien que je me fasse, maintenant, marchand, je sais que toutes les choses qui sont du « monde » (1) n'ont

_____

(1) Ce qui, d'après sa signification tibétaine, doit se comprendre comme le monde de l'impermanence et de la souffrance. Le monde illusoire imaginé par notre esprit obscurci par l'ignorance et cédant à l'influence de fausses perceptions.

guère de valeur. « Comme des « images vues en rêve ; ainsi faut-il les considérer », est-il dit.

— *Lags, lags so*, Kouchog, c'est bien vrai. Vous comprenez la religion. Un jour, quand vous aurez fait fortune, vous vous ferez construire une belle *tacha* dans un monastère et vous y vivrez paisiblement, lisant nos livres Saints.

— Je suis un *cha mar* (un religieux de la secte des bonnets rouges), je me marierai et je demeurerai avec ma *youm* et ma famille, mais j'aurai certainement une *tacha* dans un de nos monastères, peut-être à Mindoling, pour y faire une retraite, de temps en temps.

— *Lags, lags so*, Kouchog. Il y a des *cha mar* très instruits dans les doctrines religieuses et qui possèdent de grands pouvoirs spirituels. On en connaît dans la région.

— C'est par là, n'est-ce pas, que j'ai logé ?

Du geste, Mipam indiquait la direction à laquelle il tournait le dos.

— Exactement derrière le mur contre lequel est bâti ce vieux petit bâtiment.

— Il y a là une cour étroite où deux chambres se font vis-à-vis ? précisa Mipam.

— Oui, l'une s'accote à ce même mur qui la sépare de celle qui donne par ici, l'autre est construite en face d'elle, comme vous le dites. C'est le quartier réservé à nos visiteurs.

En parlant, le *niérpa* avait, lui aussi, désigné d'un mouvement de bras le petit bâtiment et le mur dont il était question. Le jeune homme se retourna, suivant machinalement du regard le geste de son interlocuteur.

Sur le seuil du logement délabré auquel il avait ainsi fait face, un vieillard drapé dans un *zen* loqueteux était debout. Instantanément, le jeune homme le reconnut : c'était le voyant qui lui avait parlé pendant la nuit. Il n'avait donc pas rêvé.

— Qui est ce *trapa* ? demanda-t-il rapidement à son associé.

— Un pauvre fou que notre lama garde et nourrit par charité, répondit le *niérpa* à voix basse. Nous ne savons ni qui il est, ni d'où il vient. Il ne parle que très rarement et pour dire des choses dénuées de sens. Il ne sort jamais de sa chambre et n'y allume jamais de lumière. C'est une de ses manies ; il dit qu'il peut éclairer toutes choses avec son esprit. Le pauvre homme ! Je me demande ce qui a pu l'attirer au-dehors... Oh ! mais voyez, il est déjà rentré.

Tinglé et son aide avaient à peu près fini de charger les yaks. Mipam alla vers eux.

— J'ai encore à faire pendant quelque temps ici, dit-il à Tinglé. Puisque tu as eu la bonne idée d'amener un homme avec toi, vous pouvez, tous les deux, retourner sans moi à Dangar. Attends-moi à mon auberge, nous souperons ensemble.

— *Lags so*, Kouchog.

Mipam revint près du *niérpa*.

— Je désire parler à ce vieux *trapa*, lui dit-il.

— Pourquoi ? En quoi peut-il vous intéresser ?

— Est-ce que vous ne voulez pas me le permettre ?

— Allez le voir si vous y tenez, Kouchog. Je vous avertis seulement que, s'il vous répond, il ne fera que déraisonner. Mais il est très paisible, pas du tout agité. Vous n'avez rien à craindre de lui. Il ne nous a jamais causé d'ennuis. Voulez-vous que j'aille avec vous ?

— Non, merci. Je préfère le voir seul.

— Comme vous voudrez.

Le *niérpa* quitta la cour, vaguement inquiet. La soudaine fantaisie de son nouvel associé lui paraissait bizarre. Pourquoi voulait-il parler à ce vieux fou ? — Est-ce que lui-même, aurait l'esprit un peu dérangé ? — Dans ce cas, n'avait-il pas été imprudent de lui confier des marchandises. Mais peut-être s'agissait-il d'autre chose. Qui sait si le jeune *tsongpön* n'avait pas conçu une idée concernant l'identité du pauvre insensé et ne voulait pas tâcher de la vérifier en lui parlant. Cela était possible, et cette pensée rassura Paldjor quant au sort du capital qui le quittait, sur le dos des yaks de Mipam, pour affronter les hasards du négoce.

Mipam poussa la porte branlante du logis misérable au seuil duquel il venait d'apercevoir le mystérieux *trapa*, et entra. Il se retrouvait dans le cadre qu'il avait vu en « rêve ». Aux fenêtres, le papier pendait en loques et, à travers ses déchirures, on distinguait la toiture de l'écurie correspondant aux lignes sombres des bâtiments, entrevus dans la nuit. Un *tanka* représentant Jampéyang, le patron des lettrés, était accroché à la muraille et le brasero, cassé à sa partie supérieure, se trouvait au pied du *kang*. Sur celui-ci, assis, enveloppé dans sa toge en guenilles, le vieillard le regardait en silence. Le tableau reproduisait identiquement sa vision, sauf en deux détails. La chambre qu'il voyait maintenant était plus petite que celle qu'il avait contemplée trois nuits auparavant, et, du côté opposé à l'entrée, elle se terminait par un mur. Il retrouvait là les mêmes particularités que lors de ses investigations nocturnes de l'avant-veille, qui l'avaient amené à mettre sur le compte d'un rêve son entrevue avec le reclus. A la grande clarté du jour, il apercevait nettement que le mur auquel il s'était heurté dans la nuit séparait complètement, sans aucune ouverture, le logis du *trapa* de la chambre d'où il avait pourtant vu ce dernier et conversé avec lui.

Que signifiait cette fantasmagorie ?

— Pourquoi te laisses-tu troubler par des choses sans importance ? dit lentement le vieillard.

— Kouchog, répondit Mipam, je vous reconnais, c'est vous qui m'avez appelé pendant la première nuit que j'ai passée dans cette *garba*. Je reconnais aussi votre chambre, mais... mais je n'y étais pas entré de ce côté et, pourtant je vous ai vu, j'ai vu votre chambre tout comme je vous vois et comme je la vois ; il y avait deux portes se faisant face. L'on pouvait passer de la cour où j'étais, dans celle d'où je viens maintenant, et pourtant il y a un mur entre les deux... un mur solide et pas de passage. Kouchog, expliquez-moi cela, je vous en supplie, je ne puis rien y comprendre, j'en deviendrais fou.

— Fou, c'est moi qui suis fou. Le *niérpa* te l'a dit. Que veux-tu d'un fou ?

— Kouchog, je sais que vous n'êtes pas fou. Vous êtes un *doubthob*. Expliquez-moi...

— Expliquer quoi ? — Celui qui est capable de comprendre n'a pas besoin d'explication et quelles que soient les explications qu'on lui donne, celui qui n'est pas apte à comprendre ne comprendra pas. Tu as déjà oublié qu'un jour tu as enfoncé ton bras dans un roc plus solide que ce mur et tu en as retiré de la *tsampa*. De la *tsampa* dans un rocher ! ah ! ah ! ah ! voilà qui est bien impossible. Il n'y a qu'un fou qui puisse imaginer chose semblable. Tu es aussi fou que moi d'avoir cru que tu tenais de la *tsampa* dans ta main. Mais tu l'as mangée et elle t'a nourri. Cela suffit.

— Comment savez-vous tout cela, Kouchog ? — L'autre nuit vous m'avez rappelé des choses que j'ai faites étant tout enfant...

— Les êtres portent leur passé inscrit sur eux et en eux, il ne faut que savoir le lire.

— Comment cela est-il marqué sur eux, par quels signes ? — Et comment peut-on voir en eux ?

— Comment peut-on voir à travers un mur, mon fils ?

Mipam sursauta :

— Voir à travers un mur, dites-vous !... Est-ce cela ?... Je vous ai vu à *travers* ce mur quand je me trouvais dans l'autre chambre... Mais c'est impossible. On ne peut pas voir à travers un mur.

— Tout ce que nous voyons, nous le voyons *à travers* quelque chose. Cela peut être à travers du brouillard ou à travers les divagations de notre esprit. Pourquoi pas à travers un mur, si nous n'avons pas l'idée préconçue de l'existence d'une barrière impénétrable. Est-il besoin du contact de l'œil pour que des images nous apparaissent ? Ne vois-tu pas des formes lorsque tes yeux sont fermés ? N'en vois-tu pas dans tes rêves ? Mais ce que tu ne vois pas, mon fils, c'est *toi-même* et cela, seul, importe.

— Kouchog, puisque vous pouvez lire, sur moi, les faits de ma vie passée, vous savez aussi ce que j'entreprends. Dites-moi, réussirai-je ?

— L'avenir ! Tu veux connaître l'avenir ; tu crois qu'il est inscrit sur toi comme y est inscrit le passé. Dans ce passé se trouve vraiment le germe de l'avenir ; le *rgyu* (cause principale) est là, mais non pas les multiples *rkyen* (causes secondaires) qui modèleront le germe, le fortifieront ou l'affaibliront, feront un arbre puissant de la graine menue, ou bien détruiront la jeune pousse alors qu'elle perce la terre, montant vers la lumière. L'avenir existe, mais seulement dans les causes qui peuvent l'engendrer, comme l'arbre existe dans la graine. Les combinaisons possibles de ces causes sont en nombre infini, elles comprennent des rencontres entre des forces originaires de notre monde et des forces issues d'autres mondes. Comment celui qui appartient à un monde particulier, celui dont les conceptions sont limitées aux choses de ce monde-là, pourrait-il prévoir l'irruption de forces étrangères dont la nature et l'activité sont différentes de tout ce qu'il est capable de connaître ?

« Sais-tu quelle figure a l'avenir lorsqu'on le regarde ? — Elle ressemble à la danse des poussières dans l'air, le long des routes, par les jours de sécheresse. Elles sont là au repos sur la route, elles existent, prêtes à répondre à l'incitation qui les mettra en mouvement. Le vent passe et les voilà qui se soulèvent, voyagent et dansent, se rapprochant, se heurtant, formant des groupes, des dessins imprécis qui se défont avant qu'on ait eu le temps de reconnaître à quoi ils ressemblaient. Ce sont des ébauches avortées de ce qui aurait pu être et qui ne sera pas parce que quelque choc imprévu a dispersé l'assemblage qui s'organisait.

« Les images de l'avenir que l'on peut contempler ne sont que probabilités et jamais certitudes.

Les idées exprimées par le vieillard étaient trop compliquées pour l'entendement de Mipam. La croyance simpliste du jeune homme, dérivée de celles ayant cours dans son entourage, était qu'un savant *tsipa* et, mieux encore, un *doubthob* pouvait prédire, à coup sûr, le sort d'un individu et de ses entreprises. Il revint timidement à sa question.

— Kouchog... mon commerce ?

— Ton commerce... il paraît devoir prospérer. Tu es capable de le bien mener... Il prospérera... Es-tu satisfait, maintenant ?

— Oui, certes, Kouchog ; mais une autre question encore... Soyez bienveillant envers moi, Kouchog. Veuillez bien me dire...

Il s'arrêta, embarrassé.

— La fille à qui tu penses, n'est-ce pas ? — C'est d'elle qu'il s'agit. Il y a longtemps, longtemps que vos chemins se rencontrent pour votre bonheur ou pour votre malheur. Bien des fois, au cours de vos vies passées, vous avez fait route ensemble. Vous vous êtes séparés, puis de nouveau réunis. Et la voilà revenue sur ta voie. Mais les compagnons de voyage n'avancent pas toujours du même pas. L'un ralentit sa marche, s'engage dans un sentier de traverse, s'attarde en quelque hostellerie s'ouvrant sur le bord du chemin ou, fatigué, s'assoit au pied d'un arbre, tandis que l'autre se hâte et le dépasse...

« Va, va, jeune marchand. Un mur est devant toi, dont les pierres sont des idées, un brouillard t'environne formé d'imaginations. Ah ! ah ! ah !... Je suis fou, mon garçon. Fou comme les *tsongpas* qui croient voir à travers les murs, fou comme les *niérpas* obtus qui déclarent insensé ce qu'ils ne peuvent comprendre. Ah ! ah ! ah !...

Mipam se sentait mal à l'aise, le rire singulier du vieillard l'inquiétait. Il se prosterna pour prendre congé et sortit de la chambre. Il ne doutait pas que le vieux *trapa* ne possédât des pouvoirs supranormaux ; il lui en avait donné la preuve en devinant son passé, mais il ne lui avait pas expliqué le prodige par lequel, lui Mipam, avait vu d'une chambre dans une autre à travers un mur et avait conversé avec quelqu'un se trouvant de l'autre côté de ce mur.

Il s'était aussi refusé à lui prédire quelque chose de précis concernant le succès de ses affaires et son mariage avec Dolma. Tout ce qu'il disait était incompréhensible. Fallait-il croire le *niérpa* qui l'avait prévenu qu'il n'entendrait que les divagations d'un fou. Mipam, avec une humilité inspirée par la sagesse, inclinait plutôt à penser que son manque d'intelligence l'empêchait de comprendre le sens des paroles du *doubthob*. Il n'en éprouvait, d'ailleurs, pas un bien ardent désir. Dès qu'il eut quitté la cour, se rendant chez son associé, toutes ses pensées se concentrèrent de nouveau sur son commerce et sur Dolma. Le « mur » qui le masquait à lui-même se refaisait plus épais, le « brouillard » plus dense.

Ce que l'on nomme chance est, surtout, habileté. La clairvoyance, la sûreté des déductions logiques innées en Mipam et son inlassable énergie lui procurèrent un succès rapide. Il dirigeait, vers le négoce, des qualités qu'il aurait pu employer à des poursuites plus hautes, continuant à ignorer sa véritable personnalité, se contentant de se faire une place dans le troupeau des êtres aveugles au lieu d'en sortir.

Très rapidement, il apprit suffisamment de chinois pour converser dans cette langue. Il manifesta, alors, plus de hardiesse, prit à son service un métis chinois-tibétain nommé Tachi, acheta quelques mules et étendit le champ de ses opérations.

Dix-huit mois après ses débuts, il envoyait deux cents cinquante *sangs* d'argent à Ténzing comme remboursement, avec intérêts, des cent cinquante que celui-ci lui avait prêtés à son départ du Tibet. Le même messager, portait deux pièces de belle soie chinoise à Dolma et à sa belle-mère.

Mipam avait tenu à conserver un domicile à Dangar ; cette ville minuscule, au seuil des grandes solitudes tibétaines, lui plaisait. Entre deux voyages d'affaires il gagnait, à cheval, la rive du Koukou-nor et vivait là quelques jours sous une petite tente, oubliant presque qu'il était un *tsongpön* et donnant audience aux souvenirs de sa jeunesse qui, d'ordinaire, n'osaient point se présenter à son esprit tout occupé par des combinaisons commerciales. Etendu parmi les hautes herbes ou sur les cailloux mauves et roses, pailletés d'argent, il accueillait en souriant l'image du petit Mipam. Avec une tendresse émue, il écoutait la voix faible et lointaine du juvénile mystique exprimant ses aspirations et ses rêves enfantins. Puis le congé qu'il s'était accordé arrivé à sa fin, il disait adieu au cher fantôme menu qui se dissipait sans lutte, avec une douceur attristée et celui qui rentrait à Dangar était le *tsongpön* avisé, laborieux, âpre au gain, déjà hautement considéré par ses confrères surpris de voir autant d'habileté et de ténacité chez un garçon de moins de vingt ans.

Dès que ses moyens le lui avaient permis, Mipam avait quitté sa chambre d'auberge. La cohue et le bruit continuaient à lui déplaire, il n'était pas insensible à un certain confort et, d'autre part, il estimait que le fait de posséder une demeure lui conférerait une importance dont ses transactions profiteraient.

Une maisonnette ayant été mise en vente, Mipam avait pu l'acheter à terme. Ce n'était pas encore la « belle maison » promise à Dolma, mais, au besoin, une jeune épouse pouvait y vivre, sans s'y trouver trop malheureuse. L'habitation, construite à la mode chinoise, comprenait une boutique en bordure de la rue. A côté de celle-ci, une porte donnait accès dans un couloir à ciel ouvert conduisant à une cour, au fond de laquelle s'élevait un modeste bâtiment se composant d'une pièce au rez-de-chaussée et d'une pièce à l'étage. Un balcon en bois courait le long de cette dernière. Les côtés de la cour étaient occupés par une écurie et une cuisine auprès de laquelle se voyait un puits.

Mipam louait la boutique à un Chinois, et habitait la maison située au fond de la cour. Il entreposait ses marchandises au rez-de-chaussée de celle-ci et y recevait ceux avec qui il traitait des affaires. La chambre de l'étage constituait son appartement particulier. Pendant ses séjours à Dangar, Mipam vivait très retiré ; il consacrait à l'étude les loisirs que lui laissaient ses occupations commerciales. Le gérant-comptable du comptoir de Ténzing lui enseignait à tenir les comptes et à écrire des lettres d'affaires en tibétain ; un Chinois lui apprenait à lire et à écrire les caractères élémentaires de son langage, nécessaires à une correspondance limitée au même objet.

Quelques transactions effectuées avec un chef tibétain des environs de Payenrong conduisirent, indirectement, Mipam à faire la connaissance des étrangers blancs résidant à Dangar. Il avait bien entendu dire que des Philings (1) habitaient la ville et y prêchaient une religion, mais comme il était presque constamment en voyage et que, pendant ses courts séjours chez lui, ses occupations le retenaient à la maison, il n'avait pas eu l'occasion de les rencontrer.

Ces étrangers étaient des missionnaires protestants : un Anglais, Mr Peary, homme d'une cinquantaine d'années, sa femme d'origine hollandaise et un jeune Australien, leur assistant. En plus d'une salle pour le culte et la prédication, la mission comprenait un dispensaire et une école de garçons qui recevait des internes et des externes. Le fils du *pönpo* de Payenrong, un garçon de dix-huit ans, nommé Tobdén, faisait partie de ces derniers. Ni son père ni lui ne songeaient le moins du monde à devenir chrétiens, mais le chef jugeait utile que son fils fût instruit à la mode occidentale et apprît, aussi, convenablement le chinois. Une telle éducation, pensait-il, procurerait à Tobdén un poste lucratif dans l'administration chinoise qui contrôlait le pays tibétain d'Amdo. Or, l'école des missionnaires dispensait gratuitement cet enseignement. Pour

_____
(1) Etrangers et, plus spécialement, les Anglais.

être admis à l'internat, il suffisait que l'élève apportât, en nature, une quote-part suffisante à la cuisine commune des pensionnaires. Ces conditions avantageuses avaient souri au chef et, de leur côté, les excellents missionnaires estimaient que la présence de fils de bonnes familles, parmi leurs élèves, contribuait à bien poser la mission aux yeux des indigènes et à provoquer des conversions — ce en quoi ces braves gens s'illusionnaient.

— Voyez donc quelquefois Tobdén quand vous serez à Dangar, avait dit le chef à Mipam. Je serai heureux qu'il ait votre compagnie. Tout jeune que vous soyez encore, vous êtes déjà un homme sérieux et menez adroitement vos affaires, vous lui serez un bon exemple.

Ce fut ainsi que Mipam fut amené à se rendre à la mission.

— Que voulez-vous ? lui demanda le portier chinois.

— Je viens voir le fils d'un *pönpo* de Payenrong qui s'appelle Tobdén.

— Quel est le motif de votre visite ?

— Motif ?... le voir. Son père m'a demandé d'aller le voir.

— Qui êtes-vous ?

— Suis-je ici au Potala chez le Précieux Protecteur (1) et êtes-vous son *degnier* (2) ? demanda ironiquement Mipam.

Le vieux Chinois s'offensa de cette moquerie et répondit d'un ton pénétré qu'il croyait imposant :

— Vous êtes à la Mission chez le *chinfou* (3) Peary.

— Je le sais, répliqua Mipam nullement ému, mais je ne demande pas à être introduit près de lui. Je veux simplement voir un garçon tibétain nommé Tobdén. Dépêche-toi, bonhomme, je n'ai pas de temps à perdre, va chercher Tobdén ou dis-moi où je pourrai le trouver.

Le portier hésitait.

— Ça va, l'ami, conclut Mipam. Reste là ; j'aurai vite fait de découvrir Tobdén. S'il est aussi grand que son père, il ne doit pas être facile à cacher.

(1) Le Dalaï Lama.
(2) Introducteur des visiteurs, un haut fonctionnaire, sorte de chef du protocole.
(3) Appellation chinoise désignant surtout les prêtres catholiques, mais parfois aussi ceux que les indigènes leur assimilent.

— Je vais l'appeler, cria le Chinois, arrêtant l'impatient visiteur qui sortait déjà de la loge. Attendez ici.

Il s'en alla, laissant le jeune *tsongpön* dans une petite pièce dont les murs étaient couverts d'images et d'inscriptions reproduisant, en chinois et en tibétain, des textes bibliques incompréhensibles à qui n'était pas instruit de l'ensemble des doctrines auxquelles ils se rapportaient. Mipam les parcourut d'un œil distrait, puis s'arrêta devant une image représentant une procession de gens qui se divertissaient de différentes manières : buvant, jouant aux dés, cavalcadant en compagnie de femmes. Tous s'engouffraient joyeusement sous un grand porche au-delà duquel ils étaient saisis par des diables de couleurs variées et précipités dans une mer de flammes. Une autre procession, moins nombreuse, se composait d'hommes et de femmes à l'allure guindée, qui s'acheminaient mélancoliquement vers une porte étroite derrière laquelle ils trouvaient un escalier très raide menant au sommet d'une montagne.

Mipam avait vu, aux portes des temples de villages, des fresques représentant des scènes analogues, mais les fidèles s'avançant vers un paradis n'y avaient point l'air triste et, au lieu de gravir un escalier pénible, ils cheminaient à l'aise, sur un bel arc-en-ciel. Bien qu'il fût peu versé dans les doctrines de sa religion, Mipam savait que ces images sont l'œuvre d'ignorants s'adressant à d'autres ignorants.

— Cette image vous intéresse, mon jeune ami ?

Quelqu'un qui venait d'entrer lui posait cette question en langue tibétaine, mais avec une prononciation bizarre.

Mipam se retourna. Un étranger se tenait derrière lui. Un homme corpulent, avec une bonne figure joufflue et rougeaude encadrée de cheveux couleur de paille fraîche et des yeux... des yeux... — Mipam en restait pétrifié d'étonnement — des yeux bleu pâle comme ceux des gros chiens qui gardent les tentes des *dokpas* dans les *tchang thangs*.

— Cette image vous intéresse ? répéta aimablement l'étranger, en souriant d'un air engageant.

— Non, répondit Mipam, fixant toujours les yeux extraordinaires de son interlocuteur.

Il comprenait que l'homme au physique anormal qui lui

parlait devait être le *chinfou* maître du logis. Par un effort de volonté, désirant se montrer courtois et bien élevé, il détourna son regard de l'objet qui le fascinait et expliqua poliment ce qui l'amenait.

— Je suis en relations d'affaires avec le père de Tobdén, dit-il. Celui-ci m'a demandé d'aller voir son fils et de lui procurer quelques distractions pendant mes séjours à Dangar. Je viens l'inviter à dîner chez moi.

— En relations d'affaires ? Vous êtes donc un *tsongpa* ; chez lequel des marchands êtes-vous employé ?

— Je suis un *tsongpön* et dirige mes propres affaires, annonça Mipam, du même ton dont il aurait pu proclamer sa qualité d'empereur de l'univers.

— Oh ! excusez-moi, vous êtes bien jeune pour être patron. Etes-vous marié ?

— Non.

— De quel pays êtes-vous ?

— De très loin d'ici, au sud de Lhassa.

— Ah !... Je crois que Tobdén n'est pas encore libre ; le cours de chinois n'est sans doute pas terminé. En attendant, venez prendre une tasse de thé chez moi. Je ferai avertir Tobdén qu'un ami de son père est là.

— Vous êtes bien bon.

— Par ici, suivez-moi.

Dans la salle à manger où Mipam fut introduit, se tenaient Mrs Peary et Mr Simon qui se disposaient à boire du thé. Sur la table était posé un petit pot au lait, un petit sucrier, une petite assiette portant de petites tranches de pain beurré. Tout semblait, à Mipam, anormalement petit. Mrs Peary elle-même n'était pas grande, mais la largeur suppléait, chez elle, à la hauteur. Ses cheveux tirés à plat, en arrière, à la mode chinoise, la coiffaient d'une sorte de calotte jaune pâle et ses yeux paraissaient encore plus incolores que ceux de son mari.

Mr Simon était jeune, grand, mince, son crâne couvert de cheveux à peu près noirs, et ses yeux bruns lui donnaient une physionomie que Mipam reconnut, avec soulagement, comme honnête et normale. Lorsqu'on l'invita à s'asseoir, instinctivement il rapprocha sa chaise de celle de cet humain avec qui il se sentait une vague parenté de race. Le couple Peary, certainement, devait appartenir à la catégorie des *mi ma yins*.

Mrs Peary tendit une petite tasse de thé à Mipam et lui offrit, d'abord, d'y verser du lait, ce qu'il refusa énergiquement, puis d'y mettre du sucre, ce à quoi il consentit avec plaisir.

— Notre hôte est déjà patron d'une maison de commerce, dit Mr Peary, s'adressant à sa femme et à Mr Simon. Il trafique avec le *pönpo* de Payenrong, le père de notre élève Tobdén. Il est venu voir celui-ci. Je l'ai trouvé attendant dans la loge du portier. Il était très intéressé par l'image représentant les sorts contraires des pécheurs allant vers l'enfer et celui des fidèles qui ont accepté le pardon de *Kuntchog* et marchent soutenus par sa grâce.

— Votre image est laide, répliqua Mipam, et cet escalier sur les bords duquel croissent des épines est déplaisant. Nos peintres représentent cela beaucoup mieux. Je pourrais vous fournir, pour un prix très modéré, un tableau tout à fait joli. Les gens s'avançant vers le paradis y auraient l'air heureux et chemineraient agréablement sur un large arc-en-ciel, précédés par un lama bien habillé. Au Tibet aussi l'on voit des scènes de ce genre peintes à la porte des temples, mais seulement dans les villages et, même là, elles ne figurent pas à l'intérieur des temples eux-mêmes.

— Pourquoi ? demanda Mr Simon qui aimait à s'instruire.

— Parce qu'elles représentent les croyances des ignorants. Ceux qui connaissent la doctrine savent que les enfers et les paradis ne sont nulle part ailleurs que dans notre esprit et ils s'en délivrent en les effaçant de leur pensée.

Mipam répétait cette belle phrase qu'il avait entendue de son professeur, le disciple de Kouchog, Yéchés Kunzang. Il aurait été bien en peine d'en expliquer la signification, mais il jugeait, qu'empruntée à un savant lama comme Yéchés Kunzang, elle devait avoir un sens profond. Tout mystérieux que celui-ci demeurât pour lui, il en émanait, d'ailleurs, une force convaincante qui attirait Mipam. Il avait entendu chanter les poèmes mystiques de Milarespa :

...Séms rang nés tchyoung
Sems nang la tim (1).

Machinalement il murmura la mélopée. Mr Simon paraissait intéressé. Mrs Peary semblait faire un effort de patience.

— Ce sont des idées fausses, déclara-t-elle. Enfer et paradis sont de terribles réalités. Ceux qui dénient leur existence en seront un jour convaincus pour leur malheur. *Kuntchog* a livré son fils unique pour être tué afin que nos péchés soient pardonnés et que nous puissions entrer pour toute éternité dans son paradis. Ceux qui n'acceptent pas son don, dans ce monde, brûleront éternellement dans l'autre.

— Oh! s'exclama Mipam, cela est méchant, absolument méchant. Il est cruel de livrer quelqu'un pour être tué. Moi, j'ai sauvé cinq yaks de la mort en empêchant qu'ils soient vendus au boucher et j'ai été très affligé de ce que je n'avais pas assez d'argent pour en acheter un plus grand nombre et les sauver aussi. Et puis, vous vous trompez, on ne peut pas rester éternellement dans un enfer ou dans un paradis parce que là, comme ici, il faut un jour mourir et, étant mort, l'on renaît, là où vous conduisent les fruits de vos actions. Mais que parlez-vous de *Kuntchog* ? *Kuntchog* n'a pas de fils. *Kuntchog* n'est pas une personne, c'est un nom qui désigne, ensemble, le Bouddha, sa doctrine, et l'ordre des religieux. C'est pourquoi nous disons *Kuntchog Soum*.

— *Kuntchog* n'est pas cela, rectifia Mrs Peary. Il est le créateur du ciel, de la terre et de tout ce qui existe. Son fils est venu sur la terre pour sauver les pécheurs...

— Erreur, erreur, *Tcham Kouchog* (2), protesta Mipam. Vous n'êtes pas Tibétaine et je sais mieux que vous ce que veulent dire les mots de mon langage.

— Il faut lui donner des brochures, pour qu'il les lise et comprenne. Arthur, donnez-lui aussi l'Evangile de saint Jean.

— Oui, répondit Mr Peary.

(1) « Surgi de l'esprit. — Dans l'esprit est englouti. » Englouti de nouveau, après en avoir surgi. Ce qui est couramment illustré par le mouvement des vagues qui s'élèvent et retombent et ne sont autres que l'eau de l'océan.
(2) *Tcham Kouchog*, « Madame épouse », est une appellation polie en s'adressant à une femme mariée.

Puis, à la grande stupéfaction de Mipam, la bonne dame entonna un chant étrange avec des paroles tibétaines, sur un air qui n'avait absolument rien de tibétain.

— *Join ! Join !* (Joignez-vous, prenez part.)

La chanteuse, s'interrompant une seconde, commandait impérativement, en anglais, à son mari et à Mr Simon de mêler leurs voix à la sienne.

Aiguillonnés par elle, ils obéirent. Mr Peary, de bon cœur, son assistant avec un manque visible d'enthousiasme. Il eût préféré continuer à causer avec Mipam.

Le chœur était en pleine vigueur lorsque Tobdén apparut sur le seuil de la porte. D'un geste autoritaire Mr Peary lui ordonna de ne pas avancer, mais Mipam, insensible aux charmes de la musique vocale dont on le régalait, et non initié aux coutumes polies de l'Occident, se leva, allant vers le garçon.

— Tu es Tobdén, dit-il. On ne peut pas s'y tromper ; tu ressembles tout à fait à ton père. Moi, je suis Mipam, un *tsongpön* de Tromo. Ton père m'a demandé d'aller te voir. Je t'emmène dîner ce soir chez moi.

Peary et Simon s'arrêtèrent, mais Mrs Peary acheva imperturbablement le cantique.

Mipam les salua tous très poliment, remercia pour l'aimable réception qu'on lui avait faite et quitta la salle à manger avec Tobdén. Tous deux traversaient la cour, se dirigeant vers la sortie, lorsque Mr Simon les rejoignit.

— Mr Peary m'a chargé de vous donner les brochures dont il vous a parlé. Attendez-moi un instant, dit-il à Mipam.

Il entra dans un petit bâtiment et en ressortit presque immédiatement, tenant en main un livre minuscule et quelques feuilles imprimées.

— Ceci vous éclairera sur notre sainte religion, dit-il en les tendant à Mipam.

— *Lags so !* fit ce dernier.

— Il faudra revenir nous voir. J'aimerais causer avec vous.

— *Lags so,* répéta Mipam. Vous êtes bien bon.

Les deux jeunes gens franchirent la grande porte et se trouvèrent dans la rue.

Tobdén éclata de rire.

— Ils sont extraordinaires, pas vrai, Kouchog ?

— Certainement, ils sont curieux, déclara Mipam. Je n'avais pas encore vu de Philings. Quels drôles d'yeux ils ont ! Ils paraissent pourtant y voir clair, tout comme nous. Ce n'est pas une maladie qui a déteint la couleur de leurs yeux. Ils sont naturellement blancs, comme ceux des chiens des *dokpas,* on dirait que du fromage leur sort de la tête. C'est horrible !

— Pas beau, certainement, confirma Tobdén.

— Et pourquoi se sont-ils mis à chanter tout à coup ?

— C'est leur façon de prier leur *Po lha.* Ils nous font chanter aussi, chaque jour, en classe.

— Tu sais chanter comme eux ?

— Je le sais.

— Ce n'est pas beau comme nos *gourmas.*

— Pas beau du tout.

Puis les jeunes gens se mirent à parler d'autre chose et, tout en flânant, gagnèrent la maison de Mipam.

— Là, tu es chez moi, annonça ce dernier à son compagnon, la maison et la boutique m'appartiennent.

— *Lags so,* fit Tobdén, admiratif. Vous êtes riche, Kouchog.

— Non, pas encore, mais je suis jeune et je deviendrai riche avec le temps, répondit Mipam en introduisant Tobdén dans sa chambre.

Il s'approcha de la porte-fenêtre qui était ouverte sur le balcon et frappa dans ses mains. Deux « *lags so* » vigoureux lui répondirent, montant de la cuisine, et un instant plus tard, un de ses serviteurs entrait dans la chambre. Mipam lui commanda de faire apporter quelques plats du restaurant chinois voisin pour ajouter à la *toupa* et à la viande bouillie qui seraient préparées dans la maison.

Depuis le choc moral que lui avait causé la révélation du sort réservé aux yaks venus de Tchérkou, Mipam était redevenu végétarien, bien que moins strictement que dans sa jeunesse. Ses relations avec ses confrères et ses clients l'obligeaient à inviter ceux-ci à dîner ; or, en dehors de quelques lamas ou de très pieux laïques, un dîner sans viande est chose inconcevable pour les Tibétains. Mipam se résignait donc à donner de la viande à ses hôtes et comme, depuis qu'il y avait goûté, il en était devenu friand, il succombait à la tentation et en mangeait avec ses invités.

Tobdén ne pouvait pas faire exception. Il fut régalé de mouton bouilli et de *momos*.

Le fils du chef de Payenrong était un aimable garçon, gai, insouciant, nullement méchant, généreux à l'occasion, mais passablement dissipé. Il aimait les boissons fortes qui donnent une agréable sensation de brûlure en descendant vers l'estomac, il aimait le jeu et les émotions qu'il suscite, mais il aimait surtout les femmes. Il en voulait à son père de l'avoir placé comme pensionnaire chez les missionnaires. Il appréciait l'enseignement qu'il y recevait, et, conscient de son utilité pour le conduire à un poste lucratif, il se montrait bon élève, mais il aurait pu, pensait-il, suivre les classes comme externe si son père avait loué, pour lui, une chambre dans la ville et sa liberté n'aurait point été entravée.

Mipam, aisé, indépendant, lui parut propre à devenir un complice effectif des stratagèmes qu'il élaborait pour échapper à la surveillance du ménage Peary.

— Tu ne dois pas m'appeler *Kouchog*, je ne suis pas tant plus âgé que toi et notre sang est égal, appelle-moi Mipam, venait de dire le jeune *tsongpön* à son invité.

La familiarité que cette permission autorisait encouragea Tobdén. Après le dîner, ayant bu, tout seul, plusieurs bols d'eau-de-vie, son hôte s'en abstenant, Tobdén en vint au sujet qui lui tenait le plus à cœur.

— Est-ce que tu n'as pas une femme chez toi ?

— Je ne suis pas marié.

— Je ne dis pas une *tcham* (épouse), je dis une *nyingdou* (maîtresse) comme les autres *tsongpöns*.

Mipam était chaste sans effort, par indifférence, mais il n'était pas prude. Il se mit à rire.

— Quand je pars en voyage, j'emmène mes domestiques, la femme resterait seule avec les marchandises. Eh ! c'est une tentation, peu y résistent. Elle aurait, sans doute, un autre ami pour me remplacer pendant mes absences, et mes rouleaux de *pourouc* (drap fin) pourraient bien se transformer en habits pour mon lieutenant. Non. Tobdén, de solides verrous à des portes solides et pas de femme à l'intérieur, voilà ce qu'il faut au magasin d'un *tsongpa* en voyage.

— Tu as sans doute raison. Mais tu en fais venir quand tu es ici ? — Moi, vois-tu, je dois toujours dépister le *chinfou*. Il est curieux et malin, tu ne peux en avoir une idée. Il fait espionner les grands élèves par de vilains vieux Chinois qui disent être de sa religion pour lui soutirer de l'argent. Il les espionne lui-même aussi. On a beau faire, il arrive toujours à savoir où l'on va.

« Dis, ami, je pourrai amener des femmes chez toi, n'est-ce pas ? — Le *chinfou* se méfiera moins, je lui dirai que tu m'invites à dîner et si l'un ou l'autre de ses Chinois parvient à savoir que des femmes ont dîné avec nous, je lui dirai qu'elles venaient pour toi.

— Pas bête, ta combinaison, mais elle ne me va pas. Je ne veux pas de femmes ici. Elles ne sont jamais satisfaites avec le cadeau qu'on leur donne et tâchent toujours de s'approprier quelque chose en sus.

— Tu as une belle opinion des femmes.

— Celle qu'il est prudent d'avoir.

— Comment fais-tu, alors ? Tu vas chez elle ?

— Elles ne me tentent pas. Je les trouve laides et stupides.

— Il y en a de jolies, je t'assure. Je puis t'en faire connaître de très jolies.

— Tu perdrais ta peine, camarade. J'ai dans le cœur une image si jolie que toutes les filles que tu me montrerais me sembleraient, par comparaison, de hideuses guenons.

— Oh ! oh ! Où est-elle, ta beauté ?

— Au Tibet. Elle sera ma *tcham* quand j'aurai assez d'argent pour que son père me la donne.

— Oh ! c'est sérieux cela, une fille riche et de bonne famille... Cela n'empêche pas, puisque tu es seul ici ; mais tu économises, n'est-ce pas ? — Ton futur beau-père est exigeant. Tous les pères le sont. J'ai une sœur aînée, je t'assure que son mari ne l'a pas obtenue pour rien.

La conversation changea, puis, le soir venant, Tobdén prit congé de son hôte car il devait être rentré à la mission avant la nuit.

Mipam repartit en tournée, colportant ses marchandises, revint à Dangar en en rapportant d'autres, alla offrir celles-ci dans d'autres régions et les mois passèrent. A cause de la présence de Tobdén à la mission, le jeune *tsongpön* noua quelques relations avec le ménage Peary et Mr Simon lui rendit parfois visite.

Aux démonstrations que ceux-ci tentaient pour lui prouver la nature erronée et absurde des croyances lamaïstes, Mipam répondait en indiquant les contradictions existant entre certaines de leurs théories et les faits réels. Lorsqu'ils lui parlaient de l'amour de Dieu pour ses créatures, il leur rappelait l'universelle détresse des êtres en proie à la maladie, à la vieillesse, à la mort. Il dépeignait les drames de la nature, le plus faible servant de nourriture au plus fort ; l'insecte à l'oiseau, le chevreuil au léopard ; il leur disait l'angoisse de l'arbre fixé au sol, qui sent la liane s'attacher à lui, croître et l'enserrer, ou les mousses tisser autour de ses branches immobiles un linceul qui l'étouffera. Si nous n'avons pas vécu d'autres vies avant notre vie présente, où donc est la justice, la divine bonté, quand certaines naissent aveugles, infirmes ou stupides. Qui donc s'amuse à les créer ainsi ?

Les Peary répliquaient avec difficulté, manquant d'arguments, butés dans leurs croyances qu'ils se refusaient à examiner critiquement. Ce que leur rétorquait Mipam glissait sur leur esprit comme la pluie sur les feuilles luisantes de l'yeuse et la répétition obstinée de leurs affirmations qui jamais ne répondaient à ses objections, augmentait l'éloignement du jeune homme pour leur religion dénuée de pitié.

Mipam trouvait Mr Simon plus compréhensif. Il se sentait sympathiquement attiré vers lui. Un incident dont il fut témoin augmenta encore cette instinctive sympathie.

Un jour, revenant d'une tournée chez les *dokpas* et ayant rapporté un chargement de beurre, il alla en offrir deux mottes à Mrs Peary, comme remerciements pour les tasses de thé qu'elle lui offrait parfois lorsqu'il venait chercher Tobdén. Il trouva les Peary et Mr Simon dans un parloir où ceux-ci recevaient les indigènes qu'ils ne voulaient pas laisser entrer dans leur salle à manger. Leurs visiteurs étaient trois Chinois, un couple d'âge moyen et le père du mari, un vieillard. Mrs Peary, très animée, pérorait avec autorité et une légère pointe d'irritation.

— C'est une superstition de païens, disait-elle. Si vous voulez recevoir le baptême qui effacera vos péchés, il faut y renoncer. Vous brûlerez les tablettes de vos ancêtres et les statuettes des faux dieux qui sont chez vous, puis vous dînerez ici avec les Anciens de notre Eglise, des Chinois qui sont rachetés par le sang de Christ et à qui le Ciel est promis.

Le mari écoutait tête basse, la femme pleurait, la figure ridée du vieux se contractait ; il semblait soutenir une lutte intérieure.

— Voilà qui est réglé, continuait Mrs Peary. Demain, deux des Anciens iront chez vous assister à l'incinération des idoles et, après-demain, vous dînerez à la mission et mangerez de la viande avec nous.

Elle esquissait un mouvement pour se lever et congédier les Chinois, lorsque, de façon inattendue, le vieillard intervint :

— Non, dit-il.

— Quoi ? Non ? Refusez-vous de détruire les objets de votre idolâtrie ou de rejeter une superstition ridicule ? — Si votre obstination est telle que vous repoussiez le salut qui vous est offert, vos enfants l'accepteront et il sera fait, par eux, suivant ce que j'ai dit.

— Non, répéta le vieux, redressant son échine courbée. Dans ce pays, le père est le maître. On ne brûlera pas, chez moi, les tablettes où résident les esprits de mes ancêtres, ni les statues des dieux qu'ils ont vénérés. Ce serait commettre un meurtre. Ceux de ma famille qui encouragent les bouchers en mangeant de la viande seront chassés de ma maison. Un fils dont le cœur est aussi dénué de pitié pour la souffrance des pauvres animaux serait capable de tuer son père et sa mère s'il y trouvait du profit.

— Il n'est pas nécessaire de manger de la viande pour être chrétien, prononça Mr Simon d'un ton conciliant.

— Pas nécessaire si l'on s'en abstient pour raison de santé ou parce qu'on ne l'aime pas, riposta Mrs Peary. Mais chez ces gens, c'est une superstition, la superstition de ne pas tuer d'animaux et celle-ci est contraire à l'ordre établi par le Seigneur.

— On ne peut pas affirmer cela avec une entière certitude, se permit de répliquer doucement Mr Simon. Il est écrit : « Je vous ai donné toute herbe portant semence, qui est à la surface de la terre, et tout arbre qui a en soi du fruit d'arbre portant semence, ce sera votre nourriture (1). Il n'est point question de viande.

(1) *Genèse*, I, 29.

L'érudition intempestive manifestée par l'Australien exaspéra l'autoritaire Mrs Peary ; elle se tourna violemment vers lui et l'accabla d'un flot de paroles en langue anglaise.

Le vieux Chinois et son fils les regardaient en silence, la femme pleurait toujours et Mipam, son paquet de beurre à la main, comprenant que le moment était mal choisi pour offrir un cadeau, songeait à s'esquiver poliment... Il fit un signe à Mr Peary qui, après avoir vainement essayé d'endiguer l'éloquence véhémente de son épouse, s'était enfoncé, inerte, dans son fauteuil, lui montra le paquet, déposa celui-ci dans l'embrasure d'une fenêtre, désigna du doigt Mrs Peary pour indiquer que ce qu'il laissait lui était destiné. Ensuite, il souleva son chapeau et gagna la porte.

Son mouvement réveilla l'énergie des auditeurs, médusés, de Mrs Peary. Mr Simon prononça quelques mots en anglais, se leva, salua d'un signe de tête compatissant le vieux païen au cœur tendre et sortit. A son exemple, les Chinois se levèrent, le père d'abord, puis ses enfants obéissants.

— Vous oubliez ce qui vous a été enseigné pendant toute une année, la grâce, le don de la Vie éternelle, le Ciel que le baptême allait vous ouvrir ! cria Mrs Peary.

— Je suivrai mes pères, j'irai où ils sont allés, répondit placidement le vieillard.

— Mais vous, insista la missionnaire en s'adressant au couple qui restait muet.

— Le devoir du fils est d'obéir à son père, répondit l'homme. La femme demeura silencieuse, mais sa main saisit un pan de la robe de son époux : son maître et son guide.

Dans la cour, Mipam s'arrêta, Mr Simon venait derrière lui, rentrant dans son logement particulier.

— Il a raison, ce Chinois, lui dit Mipam. Causer la mort de bêtes innocentes, pour les manger, est cruel ; c'est une œuvre démoniaque. Pourquoi y pousser ceux qui, heureusement, se sont toujours abstenus d'y participer. Cela est certainement méchant.

— Oui, murmura Mr Simon.

— Puisque vous le comprenez, dites-le donc à ces Chinois. Les voilà qui viennent.

Le trio se dirigeait lentement vers la sortie.

Le fils de l'obstiné païen s'approcha de l'Australien et, timidement, lui demanda :

— Cette étoffe, *chiensé* (1), que vous m'avez donnée pour vous faire un vêtement, faudra-t-il que je vous la rapporte ?

— Pourquoi ? fit Mr Simon, étonné.

— Si nous ne sommes pas baptisés, si nous ne venons plus à l'église, voudrez-vous tout de même que je couse le vêtement ?

— Oui, sans nul doute, mon ami. Et vous m'en ferez d'autres encore, quand j'en aurai besoin, protesta chaleureusement le jeune missionnaire. Vous êtes un bon tailleur et un brave homme, pourquoi vous retirerais-je ma pratique ?

Le Chinois regardait son client avec des yeux reconnaissants et sa femme, qui ne pleurait plus, lui souriait enfantinement.

— Dites-lui que, vous aussi, vous trouvez mal de manger de la viande et que son père a raison d'avoir pitié des bêtes, suggéra Mipam, parlabt tibétain à Mr Simon.

Ce dernier leva les épaules tristement.

— A un de ces jours, *tsongpön lags,* dit-il.

Puis il passa sous l'arche qui donnait accès au jardinet au fond duquel se trouvait son logis, et disparut.

— Je vous le dirai, moi, ce qu'il ne veut pas vous dire, déclara Mipam aux Chinois.

Il saisit le bras du vieillard.

— Tu as bien répondu à la dame aux yeux blancs, vieux père. Les animaux souffrent comme nous, les tuer est mal, tu fais bien de ne pas laisser manger de viande dans ta maison. Nos saints lamas n'en mangent pas et quand, nous autres pécheurs le faisons, nous savons que nous nous rendons pareils aux bêtes de proie, et que les Bouddhas se détournent de nous.

— Bien, bien ; je vois que vous comprenez, répondit le vieux. Enfin, c'est fini.

Qu'est-ce qui était fini, il ne le précisa pas.

Le père franchit le portail de la mission, le fils le suivait et la femme suivait son mari.

L'image de Mr Simon rentrant tristement dans son

(1) Un équivalent chinois de « monsieur ».

appartement solitaire hanta Mipam pendant tout le restant de la journée. Il imaginait le missionnaire en proie à un pénible conflit de pensée et en butte au ressentiment du ménage Peary. Sans aucun doute, Simon avait bon cœur, se disait Mipam, mais il n'osait pas suivre les impulsions généreuses qui lui venaient. Pourquoi ? — Avait-il peur des Peary ? Ceux-ci pouvaient-ils lui nuire ? Le jeune *tsongpön* n'en savait rien, mais de déduction en déduction, son esprit inventif finit par conclure que Mr Simon — du moins pour le moment — était malheureux et délaissé. De là à éprouver le désir de lui témoigner sa sympathie et de l'aider, s'il en était capable, il n'y avait qu'un pas pour le compatissant Mipam. A la tombée du soir, il retourna à la mission et, cette fois, sans demander Tobdén, il passa directement dans le jardinet de l'Australien et entra chez lui.

Dans la petite pièce qui lui servait de cabinet de travail. Mr Simon était assis dans un fauteuil, près de sa table. Visiblement, il ne faisait rien, car il n'avait pas allumé sa lampe et la chambre était déjà trop obscure pour que l'on pût lire ou écrire.

— Comment, c'est vous ! dit-il, très surpris par la visite du marchand.

— Est-ce que je vous dérange ?

— Non. Il ne vous est rien arrivé de fâcheux, je l'espère ?

— Non, rien...

Tous deux se regardèrent en silence. Mipam, qui en sortant de chez lui trouvait sa démarche toute naturelle, se sentait, maintenant, embarrassé. Pouvait-il dire à cet étranger : « Vous êtes malheureux, je viens vous offrir mes services. » Peut-être, après tout, Mr Simon n'était-il pas malheureux ; il pourrait trouver son visiteur impertinent pour l'avoir supposé et s'être permis de le lui dire.

— Pourquoi êtes-vous venu ? demanda gentiment l'Australien.

Sa voix était amicale, avec une note de lassitude attristée. Mipam n'hésita plus :

— Depuis que je vous ai quitté après votre... dispute avec Mrs Peary, à propos de ces Chinois, je n'ai fait que penser à vous. Il m'a semblé que vous pouviez être triste et seul et je suis venu...

Il s'arrêta, ne sachant pas comment exprimer ce qu'il croyait pouvoir faire pour empêcher le missionnaire d'être triste.

— Vous êtes bon, très bon, *tsongpön lags*, répondit l'Australien, tout ému. Votre visite me fait grand plaisir.. plus que du plaisir. Asseyez-vous.

Ils demeurèrent de nouveau silencieux.

— Vous ne vous entendez pas avec les Peary, n'est-ce pas ? dit Mipam. Avec Mrs Peary encore moins qu'avec son mari, sans doute. Votre religion n'est pas pareille à la sienne. *Tcham* Peary n'est pas compatissante et vous l'êtes...

— Vous ne pouvez pas comprendre, dit doucement Simon.

— Si, je puis comprendre. J'ai lu l'histoire de Issou Machika (1) dans le livre que vous m'avez donné. Il y est raconté qu'Issou est allé, un soir, dans un jardin, alors qu'il était affreusement triste ; les gens qu'il avait tenus pour être ses amis le délaissaient. Sans doute, eux et lui ne pensaient pas de même, comme vous et les Peary. Quand cela arrive, chacun suit son chemin, sans se préoccuper de celui qu'il laisse. Son père, aussi, l'avait abandonné, je l'ai lu dans le livre. « Issou était certainement un brave homme, bien qu'il affirmât, parfois, des choses très fausses. Il disait — c'est raconté dans le livre - que son *Po lha*, qu'il appelait son père, nourrit les oiseaux. Ce n'est pas vrai. Les oiseaux, comme les autres bêtes sauvages, se donnent beaucoup de peine pour trouver leur nourriture et, quand vient l'hiver, le gel et la neige, beaucoup d'oiseaux meurent de faim. Le *Po lha* de Issou l'a, aussi, laissé tuer sans le protéger. Ce n'était pas bien à lui.

Mr Simon ne pouvait s'empêcher de sourire. La logique pittoresque avec laquelle Mipam commentait l'Evangile l'éclairait sur les sentiments intimes des auditeurs indigènes de ses sermons dominicaux.

Ingénument, l'énergique Tibétain proposait ce qui lui paraissait une solution raisonnable.

— Si les Peary se montrent désagréables, ne restez pas chez eux, installez-vous ailleurs et si vous n'avez plus foi

_____

(1) Jésus-Christ, selon l'appellation des missions protestantes aux frontières du Tibet. Dans les missions catholiques l'on dit simplement Issou.

dans la religion de Issou, quittez-la, mais ne vous faites pas de peine.

Le jeune missionnaire ferma un instant les yeux, semblant s'absorber dans la contemplation d'une image qu'il voyait en lui-même.

— *Tsongpön lags,* dit-il à voix basse, vous êtes venu me voir parce que vous me croyiez malheureux et seul. Dois-je, moi, déserter Celui que tous ont abandonné..

— Je comprends, répondit lentement Mipam.

Soulevant son chapeau, il salua et sortit.

Mr Simon, les coudes appuyés sur la table, avait laissé tomber sa tête sur ses mains ; peut-être pleurait-il, mais nul n'était là pour le voir.

10

MIPAM continuait à entretenir d'amicales relations avec Paldjor le *niérpa*, son premier associé, à qui il devait ses faciles et heureux débuts dans la carrière commerciale. Celui-ci ayant vanté l'habileté du jeune *tsongpön* aux administrateurs des biens de la *gompa*, ces derniers l'avaient agréé comme marchand attitré et le chargeaient souvent de la vente des marchandises offertes par les fidèles ou reçues des tenanciers du monastère.

Il en résultait que Mipam était de temps en temps amené à passer un jour ou deux à la *gompa*. Il saisissait avec empressement ces occasions pour revoir le mysté-rieux reclus, hôte du logis où s'opéraient des prodiges. Il le trouvait toujours assis sur le *kang*, à la même place, enveloppé dans son *zen* loqueteux. En vain, Mipam avait-il insisté pour qu'il lui permît de lui offrir des vêtements neufs et de rendre plus confortable sa misérable chambre, le vieillard avait obstinément refusé d'accepter quoi que ce soit.

— Un fou, un véritable fou, disaient avec une commisé-ration vaguement méprisante les *trapas* mis au courant de son refus.

Et tous, fort intrigués, se demandaient quelles raisons pouvaient induire un jeune *tsongpön* intelligent à passer de longs moments auprès de ce vieil insensé. Que se disaient-ils au cours de ces visites ? S'ils y avaient assisté, leur conviction concernant la folie incurable du pauvre *trapa* se fût, probablement, étendue à son jeune visiteur.

Souvent ce dernier demeurait assis au pied du *kang* sans

que le voyant lui adressât la parole, sans qu'il parût même s'apercevoir de sa présence. Mipam lui parlait mais il ne semblait pas l'entendre et le jeune homme devait le quitter sans qu'il en ait obtenu ni un mot, ni un regard. D'autres fois, au contraire, le vieillard lui donnait les conseils ou les enseignements qu'il avait souhaités, avant qu'il eût formulé une demande à leur sujet. Mais qu'il parlât ou qu'il restât muet, une force paisible émanait de lui. Mipam la sentait qui dirigeait ses pensées, illuminait les problèmes obscurs qui avaient résisté à ses investigations et soulevait des voiles derrière lesquels il entrevoyait les images imprécises d'une vie différente de celle qu'il menait. Il contemplait alors Mipam le *tsongpön* objectivement, comme un étranger qui se séparait de lui, mais le Mipam qui demeurait, regardant son sosie s'éloigner, celui-là, il le discernait mal. Profondément troublé, il s'arrachait brusquement à la fascination de ces visions confuses; se prosternait en silence et quittait le vieux *trapa* toujours impassible.

L'entreprenant Mipam ne négligeait aucune occasion d'augmenter le nombre de ses clients, dès qu'il avait eu connaissance de l'existence, dans le pays, des étrangers prêchant les deux religions de « Issou » : celle « avec statues » et celle « sans statues » (1), il s'était ingénié à découvrir ce qu'il pourrait leur fournir. Son habileté, son éloquence et son imperturbable aplomb avaient agi sur les étrangers comme sur des indigènes et d'appréciables bénéfices en étaient résultés pour l'adroit marchand.

En plus de profits, ses relations avec les missionnaires protestants ou catholiques procuraient à Mipam le plaisir de contempler, de près, les faits et gestes de gens mus par un esprit tout à fait différent de celui des Tibétains. Naturellement curieux et réfléchi, il ne se lassait pas de ces observations qui l'égayaient ou l'affligeaient, suivant les circonstances. Il se méprenait, du reste, fréquemment, sur les sentiments auxquels obéissaient les Blancs dont il considérait les actes ou les paroles et son incompréhension des concepts courants en Occident déterminait chez lui de subites explosions de raillerie ou d'horreur dont le côté

---

(1) Les « Kou yeu pa » (sku yod pa) : les catholiques et les « kou méd pa » (sku med pa) : les protestants.

comique, qu'il ne pouvait discerner, échappait également à ceux qui les causaient : « Ce stupide païen ! » disaient ces derniers dédaigneusement apitoyés. « Ces méchants imbéciles ! » pensait Mipam.

L'Orient et l'Occident se toisaient sans sympathie.

Mipam assis dans sa jolie chambre, à Dangar, et mélancolique sans cause apparente, regardait, par sa fenêtre ouverte, le soleil qui s'abaissait vers les murs crénelés de la ville. Le *tsongpön* voyait, par la pensée, les *tchang thangs* herbeux qui, au-delà de ces remparts, étendent leur immensité vide et les pistes menant vers le sud, vers Lhassa, qui les sillonnent. Bientôt il serait temps, pour lui, de se mettre en route à travers ces déserts pour aller quérir le prix de ses efforts. Si sa fortune n'égalait pas encore celle dont il avait enfantinement rêvé en fuyant du Tibet, elle suffisait, cependant, pour lui permettre de se présenter, le front haut, devant la père de Dolma. Il était devenu, dès maintenant, un gendre acceptable, et l'avisé marchand qu'était Ténzing ne manquerait pas de discerner, d'après le succès que, tout jeune, il avait déjà obtenu, celui qui lui viendrait par la suite. Mieux valait ne pas attendre plus longtemps. Il y avait près de quatre ans qu'il s'était séparé de sa jeune amie, sur la route, après leur pèlerinage à Gahlden. L'esprit tendu vers un but unique : gagner de l'argent, il avait, lui, vu passer rapidement ces années, mais à elle, qui ne faisait qu'attendre passivement, elles avaient sans doute paru longues. Oui, il allait se hâter.

Tachi, son premier employé, s'était mis peu à peu au courant des affaires, il pourrait, en son absence, effectuer à sa place les tournées habituelles et son fidèle associé le *niérpa* Padjor, homme avisé par excellence, consentirait volontiers à le diriger. D'ailleurs, il ne s'attarderait pas longtemps. Peut-être ferait-il bien de ne pas descendre vers la vallée de Tromo où vivaient ses parents. Le *gyalpo* pourrait l'y faire saisir et assouvir, sur lui, sa vengeance longtemps différée, mais il comptait que sa bonne mère, Tchangpal et Puntsog viendraient à Lhassa au moment de son mariage.

Il était décidé ; dès le lendemain, il commencerait ses préparatifs, et pour débuter, irait prendre congé de

Mr Simon. Il ne l'avait plus revu depuis le soir où il l'avait laissé dans sa chambre enténébrée, face à face avec le souvenir de ce Issou dont le livre disait que ses amis l'avaient délaissé et que, lui, Mr Simon, ne voulait point abandonner, même s'il ne pouvait pas croire que tout ce qu'il enseignait fût vrai.

Un saint homme, ce Mr Simon, pensait Mipam, s'il avait eu connaissance des hautes doctrines qu'enseignent nos sages *gomchéns,* il aurait sans doute approché bien près de l'illumination spirituelle, peut-être l'aurait-il même atteinte, cette Délivrance pareille au réveil qui dissipe un mauvais rêve. Mipam réfléchit. Avant de partir, il aurait à s'entretenir avec le *niérpa* Paldjor. Il irait au monastère, il demanderait la bénédiction du vieux *trapa* que, dans son for intérieur, il tenait pour son *gourou* et... Pourquoi n'amènerait-il pas Mr Simon chez le vieillard qui lisait dans les esprits ? Celui-ci saurait ce qu'il convenait de lui dire, de lui enseigner, de lui faire voir, afin qu'il discerne la bonne voie et soit délivré de la tristesse qui pesait sur lui. C'était cela qu'il fallait. Lui, Mipam, n'était qu'un stupide marchand, il ne pouvait pas être utile à Mr Simon, le *doubthob* le pouvait. Dès le lendemain, il aviserait à préparer cette entrevue.

Mipam s'absorbait dans ses charitables intentions lorsque son domestique entra dans la chambre.

— *Tsongpön lags.* Un homme vient de la part de Tobdén qui est à l'école des Philings. Il demande que vous lui prêtiez une paire de bottes et des jarretières. C'est Tobdén qui en a besoin.

— Des bottes pour Tobdén ?... Pour quoi faire ?

— Je ne sais pas, Kouchog.

— Fais monter cet homme.

— *Lags so.*

Quelques minutes plus tard un Tibétain était introduit auprès de Mipam. Sa mine souriante indiquait que l'affaire qui l'amenait n'avait rien de tragique.

— Kouchog, c'est Tobdén qui m'envoie, il désire que vous lui prêtiez une paire de bottes.

— Tu te moques de moi, qu'est-ce que c'est que cette plaisanterie ? Tobdén ne manque pas de bottes.

— Sûrement, Kouchog, il en a dans sa chambre, à

l'école, mais il n'est pas là. C'est pour venir chez vous qu'il demande des bottes. On lui a pris les siennes.

— On lui a volé ses bottes... Où cela ?

Le Tibétain sourit plus largement.

— Il est chez une femme, Kouchog.

— Bon ! et elle lui a volé ses bottes... C'est bien singulier. Je crois, camarade, que tu me racontes une histoire pour te procurer, toi-même, des bottes sans les payer.

— Oh ! protesta le Tibétain, je suis un honnête homme. Je suis employé à l'administration du sel, je puis m'acheter des bottes quand j'en ai besoin. La femme n'a pas volé les bottes de Tobdén, c'est le Philing qui les lui a prises.

— Qu'est-ce que cela veut dire ? Si Tobdén était chez une femme, le Philing n'y était certainement pas avec lui.

— Si. Pas pour la même raison que Tobdén, certainement. Il venait chercher Tobdén, il voulait l'emmener. Oh ! ce qu'il lui disait ! Ce qu'il disait à son amie ! Tous deux devaient tomber dans le feu et brûler pour toujours... Il criait !... criait ! et Nordzinma, qui est brave, riait ; Tobdén était furieux. Des gens accouraient et riaient aussi quand ils apprenaient ce dont il s'agissait. Quand le Philing a vu que l'on se moquait de lui et que Tobdén ne l'écoutait pas, il a saisi les bottes de son élève avec ses jarretières qui étaient dedans. Ah ! sa ceinture aussi, je l'oubliais ; Tobdén demande aussi que vous lui prêtiez une ceinture...

— *Yatsen !* s'exclama Mipam, c'est fantastique. Mais comment sais-tu tout cela ?

— J'étais là, Kouchog, chez une voisine de l'amie de Tobdén. Nous buvions de la bière, la porte était ouverte. Nous avons vu le vieux Philing entrer dans la cour ; avec lui était un Chinois qui faisait des gestes indiquant la chambre de Nordzinma. Il n'est pas resté longtemps ; il avait, sans doute, peur de Tobdén ; ces Chinois ne sont point braves comme nous. Mon amie à moi a tout de suite compris. « Il vient surprendre le fils du chef de Payenrong, m'a-t-elle dit, je vais tâcher de le faire entrer ici, si je puis l'y retenir un moment, tu iras avertir le jeune homme pour qu'il se sauve. » Elle sortit, se mit devant le Philing, sourit, parla, l'invita à entrer chez elle, lui demanda s'il venait distribuer des petits livres d'histoires ou de jolies images.

Elle aurait voulu des images. Et elle le regardait avec des yeux engageants... Oh ! oh ! elle est jolie, ma petite amie ! Je l'épiais à travers un trou dans le papier de la fenêtre ; à la place du Philing, je n'aurais pas pu lui résister, mais, lui, il lui a dit des injures et, alors, je suis sorti pour lui en dire autant, en retour. Mais il n'entendait rien, il était comme fou. Il a foncé sur la porte de la chambre où se trouvait Tobdén et à coups de pied, à coups de poing, l'a ouverte. Alors, comme je vous l'ai raconté, il s'est mis à le menacer du feu et des démons. J'étais allé voir ce qui se passait et ma petite amie aussi.

— Quoi, lui a-t-elle dit. Ils ne causent de mal à personne. Si vos parents n'avaient point fait comme eux, vous ne seriez pas né.

C'est alors que tout le monde s'est esclaffé et que le Philing a saisi les bottes et la ceinture qui se trouvaient à sa portée et s'est sauvé avec elles. Je crois qu'il ne savait plus trop ce qu'il faisait, tant il était en colère. Comme il passait la grande porte, j'ai aperçu le Chinois qui l'avait amené et l'attendait dans la rue. J'ai couru à lui et l'ai battu, d'une façon dont il se souviendra, pour lui apprendre à espionner d'honnêtes Tibétains. Puis je suis revenu chez mon amie. Le fils du chef a offert de l'eau-de-vie à tous ceux qui se trouvaient là. Plusieurs hommes voulaient lui prêter leurs bottes pour retourner chez le Philing, mais Tobdén, qui est fier, les trouvait sans doute trop usées ; il m'a demandé d'aller chez vous en emprunter. Il ne veut pas retourner à l'école. Il veut venir ici.

— C'est bien, dit Mipam que l'aventure égayait. Puis s'adressant à son domestique que la curiosité avait retenu dans la chambre :

— Prends une paire de bottes neuves, des jarretières et une ceinture rouge dans le magasin, tu iras les porter à Kouchog Tobdén.

— *Lags so,* fit l'homme.

— C'est cela, dit l'émissaire de Tobdén, vous ne pouvez pas lui prêter les vôtres parce que ce sont des bottes de *trapa* et votre ceinture est jaune (1). Je n'y avais pas

(1) Les bottes des membres du clergé, plus simples que celles des laïques, ont la tige rouge ou grenat et ne sont point ornementées d'applications en drap vert ou de broderies de couleurs voyantes comme celles des laïques. La ceinture jaune est un signe distinctif des religieux.

pensé. Vous êtes peut-être un *gelong*? ajouta-t-il, interprétant, ainsi, le fait que Mipam s'abtenait d'aller luimême rejoindre son ami dans la maison d'une femme légère.

— Oui, mentit Mipam qui devinait sa pensée.

Une heure plus tard, Tobdén, hilare et quelque peu ivre, entrait chez Mipam, l'accablait de protestations de gratitude et tout en soupant, lui refaisait le récit de son aventure.

— Mr Peary va te chasser de son école, conclut Mipam.

— Il ne me chasserait pas, parce que je suis le fils d'un chef et qu'il aime avoir des élèves distingués, mais je ne veux pas retourner chez lui. Je suis un homme, Mipam, j'aurai vingt ans bientôt, je ne puis pas me laisser traiter comme un gamin.

— Oui, oui, dit Mipam conciliant, mais il y a tes études. Ton père y tient. Que va-t-il dire?

— Je sais déjà passablement le chinois et je sais bien notre langue, je crois possible d'obtenir une place de second interprète au *yamen*. Je serai peu payé mais, dans cet emploi, on peut compter sur les cadeaux offerts par les solliciteurs dont on interprète les requêtes. Des gens viennent aussi vous demander des conseils, ou bien vous prier de présenter leur pétition au mandarin. Les profits ne manquent pas lorsque l'on appartient à la maison d'un fonctionnaire. Je pourrai payer mon logement et des maîtres pour poursuivre mes études. Mon père continuera volontiers à me fournir des vivres, cela ne le gêne pas. Je lui demanderai aussi de m'envoyer un garçon de chez nous pour me servir... Mipam, je serai comme toi, demeurant chez moi et ayant un domestique qui m'apportera mon repas à l'heure que je voudrai. Mipam, je t'inviterai... Comme ce sera gentil! J'en ai assez de leur école et de leur cloche qui nous appelle pour manger, même si nous n'avons pas faim, et qui nous commande de nous coucher, même si nous n'avons pas sommeil. Non, Mipam, je ne retournerai pas chez les Philings et tu seras un bon ami, tu viendras avec moi chez mon père lui expliquer toutes choses afin qu'il ne se fâche pas et me donne de l'argent pour m'installer chez moi.

— Il te dira de retourner à Payenrong, chez lui.

— Non, j'aurai la place de second interprète. Je le sais.

239

Il ne s'agit que d'offrir un cadeau au secrétaire du mandarin. Je le connais. Mon père sera satisfait et fier de mon succès. Le vieux Peary en étouffera de dépit. Mipam, tu offriras, pour moi, le cadeau au secrétaire, n'est-ce pas ? Je te rembourserai ta dépense plus tard.

Le jeune sacripant était éloquent. Mipam riait, rien dans son caractère ne l'inclinait à la sévérité.

— J'offrirai le cadeau, promit-il, mais je ne puis pas m'engager à aller à Payenrong. J'ai décidé de partir très prochainement pour Lhassa et je dois m'occuper des préparatifs de mon voyage.

— Aller chez mon père ne te prendra pas longtemps, une semaine au plus. Et puis, peut-être te demandera-t-il de te charger de quelques affaires pour lui à Lhassa. Tu ne peux vraiment pas partir sans l'avoir vu.

Le rusé Tobdén avait touché juste, le mot magique « affaires » avait sur le *tsongpön* un effet irrésistible.

— Tu es trop malin, camarade, dit-il en tapant amicalement sur l'épaule de son ami. J'irai avec toi à Payenrong.

Cédant encore à la prière du jeune libertin qui ne voulait plus revoir Mr Peary, Mipam se rendit le lendemain à la mission pour informer son irascible directeur que Tobdén se refusait à retourner à l'école. Il devait, en même temps, se faire remettre les vêtements et les livres qui lui appartenaient.

Le marchand ne goûtait guère la commission dont son écervelé ami l'avait chargé et l'idée de devoir écouter les longues déclamations du ménage Peary concernant l'immoralité de leur élève l'ennuyait. En chemin, il décida de s'adresser à Mr Simon. Celui-ci consentirait certainement à transmettre à Mr Peary le peu qu'il avait à lui dire. Il avait, du reste, décidé de rendre visite à l'Australien afin de l'amener à l'accompagner au monastère pour y faire la connaissance du voyant. Les circonstances lui fournissaient un motif tout naturel pour rendre cette visite, il pourrait, ainsi, aborder la question d'une rencontre du missionnaire avec le vieux *trapa* sans paraître être venu expressément à ce sujet.

Mr Simon écrivait dans sa chambre lorsque Mipam entra chez lui.

— Soyez le bienvenu, *tsongpön lags,* dit-il. Il y a bien

longtemps que je ne vous ai vu. Avez-vous été en voyage ?
Vos affaires vont-elles toujours bien ?

— De mieux en mieux, merci. Oui, j'ai été absent de
Dangar. Je viens vous déranger. Vous savez probablement
ce qui est advenu hier entre Tobdén et Mr Peary.

— Je le sais.

— Tobdén est un peu dissipé dans sa façon de vivre,
mais je ne puis pas comprendre que Mr Peary se mêle de
choses qui ne le regardent pas. Je dois vous dire que sa
conduite, chez cette femme, est très mal jugée chez tous
les gens de la ville. Il ne devait pas aller chez elle. Et
pourquoi a-t-il emporté les bottes de Tobdén ? Qu'est-ce
que cela signifiait ? C'est l'acte d'un fou.

« Bref, Tobdén ne veut plus revenir ici. J'irai dans
quelques jours à Payenrong avec lui. Son père sera mis au
courant de ce qui s'est passé et décidera ce qu'il voudra.
Tobdén est un homme ; il ne peut plus être surveillé et
commandé comme un petit garçon.

— L'intention de Mr Peary était bonne. Peut-être en a-
t-il exagéré la manifestation. Je comprends aussi que
Tobdén ne veuille plus revenir à l'école. C'est dommage, il
était un bon élève.

— Je crois qu'il va pouvoir continuer ses études. Il a en
vue un emploi qui le lui permettra.

— Ah ! tant mieux. Il est intelligent... Il voulait devenir
fonctionnaire...

— Je vous demanderai de faire remettre à mon domestique qui attend dans la cour, les effets qui se trouvent
dans la chambre de Tobdén.

— Allez donc voir Mr Peary à ce sujet.

— Je préfère l'éviter. Il m'accablerait de ses récriminations concernant mon ami ; c'est inutile.

Mr Simon sourit.

— Je ferai le nécessaire, dit-il.

Il fit appeler un surveillant chinois, lui donna l'ordre
d'emmener le domestique du *tsongpön* à la chambre de
Tobdén et d'y empaqueter, avec lui, les vêtements et les
livres du jeune homme qui devaient être emportés.

— Comptez-vous faire un long séjour à Payenrong ?
demanda Mr Simon à Mipam, lorsque la question du
déménagement de Tobdén eut été réglée.

— Non. Pas plus de temps qu'il n'en faudra pour

terminer l'affaire qui m'y conduit. J'essaierai, auparavant, d'aider Tobdén à obtenir la place de second interprète au *yamen*, qui est vacante. Si elle lui est donnée, il arrivera dans sa famille en triomphateur et ne recevra que des compliments. Je ne sais pas pourquoi il tient tant à ce que je l'accompagne. Il n'a besoin de personne pour le soutenir devant son père. Il sera bien reçu.

« Et je partirai pour Lhassa.

— Un long voyage, *tsongpön*. Je sais que vous autres, Tibétains, ne trouvez pas excessif de rester trois mois en route. Vous êtes de grands voyageurs.

— J'irai en bien moins de temps. Je ne conduirai pas de convoi. Ce n'est pas un voyage d'affaire.

— Ah !...

— Mister Simon, quand je reviendrai, je serai marié. Je viendrai vous rendre visite avec ma jolie femme.

— Qui est-elle, *tsongpön* ?

— La fille du *tsongpön* Ténzing qui a un comptoir ici.

— Un grand marchand Ténzing, dit-on. Je vous souhaite tout le bonheur possible. Mais je n'aurai pas le plaisir de vous voir à votre retour... Je vais partir, moi aussi.

— Où allez-vous ? Pour combien de temps ?

— Je vais sur la côte, à Changhaï d'abord. Avant de venir ici, j'avais commencé des études médicales ; je vais les reprendre pour devenir docteur.

— C'est très beau d'être un médecin. Pourquoi n'avez-vous pas continué vos études ?

Mr Simon semblait regarder à travers la fenêtre les arbustes du jardinet, mais ce qui lui apparaissait, c'était lui-même, tel qu'il était, plusieurs années auparavant, lorsqu'il avait, soudainement, cessé ses études pour devenir un simple missionnaire, pensant que sauver les âmes valait mieux que soigner les corps.

— J'avais sans doute trop présumé de moi, répondit-il pensivement. Je ne suis moi-même qu'un aveugle et j'ai cru pouvoir éclairer les autres. J'espère, maintenant, réussir dans le rôle plus humble de soulager leurs souffrances physiques.

— Cela veut dire que vous ne croyez plus à la religion de Mr Peary et que vous ne voulez plus la prêcher, conclut Mipam avec la pénétration simpliste et brutale qui lui était propre. Mais parce que vous êtes bon, vous avez pitié des malades et vous voulez les guérir. Combien de temps faut-il pour que vous finissiez vos études ?

— Environ trois ans, je crois.

— Alors, dans trois ans, vous reviendrez ici ?

— Ici... ou ailleurs ; je ne puis savoir où l'on m'enverra.

— Vous envoyer ? Vous ne pourrez pas aller où vous voudrez ?

— Probablement pas, *tsongpön.* J'appartiens à une société missionnaire, elle m'enverra là où un médecin sera nécessaire.

— Les médecins sont utiles partout. Je voudrais que vous reveniez ici.

« Pourquoi voulez-vous rester dans cette société de Mr Peary si vous ne croyez plus à sa religion ?

— Ce n'est pas la religion de Mr Peary, *tsongpön,* c'est la religion de Issou.

— Et vous ne voulez pas quitter Issou, vous me l'avez dit ; mais Issou ce n'est pas Mr Peary et ses amis. D'ailleurs puisque vous ne croyez plus à ce que Issou a dit... Je sais que vous ne le croyez plus.

Obstiné et convaincu, Mipam revenait à son idée, son esprit tranchant ne concevait point les compromissions sentimentales.

— La foi, *tsongpön,* c'est peut-être, en somme, peu de chose, une illusion née d'une opinion présomptueuse de notre capacité. Nous pensons, nous imaginons avoir saisi quelque chose qui nous paraît réel et sûr et nous disons que nous croyons. Que sommes-nous, pauvres êtres à l'esprit étroit et débile, pour oser parler de convictions. Sur quoi la baserions-nous ? Pouvons-nous concevoir ce qu'est Dieu, ce que sont ses desseins, pourquoi les êtres surgissent dans le monde pour y souffrir et ensuite disparaître. Quelle audace téméraire et aveugle de notre part de nous en croire capables ! Qui sait ce qu'Issou croyait dans le fond de son âme, qui sait ce qu'il a pensé à Gethsémani et sur la croix ? Comment pourrai-je — moi misérable pygmée — explorer les hauteurs où il planait, lui, le très pur, le très saint, le très grand.

« Ce que je sais, c'est qu'il a aimé les hommes, qu'il a essayé de leur enseigner à s'aimer. La foi est peu de chose, *tsongpön,* l'amour vaut mieux. Peu importe ce que je puis croire concernant la cause des souffrances de ceux qui m'entourent. Ils souffrent, c'est un fait ; en tâchant de supprimer une partie de leurs maux, j'obéis à ce que mon cœur m'inspire... Je n'en sais pas davantage.

Mipam se sentait à la fois ému et affligé. Il admirait l'esprit de charité qui animait Mr Simon et il comprenait, en même temps, que l'humilité dans laquelle s'enlisait le missionnaire lui barrait la route montant vers les cimes que les maîtres spirituels de son pays montrent à leurs disciples. Sans doute, ni Mr Simon, tout généreux et saint qu'il fût, ni lui qui, reniant ses rêves d'enfance, n'était plus qu'un vulgaire marchand, ne pouvaient espérer atteindre, dans leur vie présente, ces lointains sommets, mais ils pouvaient se mettre en marche. D'autres vies, de nombreuses autres vies, succéderaient à celle-ci, mourant dans l'une, renaissant dans l'autre, ainsi que, peu à peu, l'on gravit les degrés d'un escalier, ils pouvaient s'élever vers la Lumière. Mais Mr Simon n'était point prêt à entendre l'appel de ceux qui enseignent à secouer tous les liens. Son cœur aimant restait attaché à son *gourou* Issou, bien qu'il discernât des erreurs dans sa doctrine, et lui, Mipam, qui s'était mis en route pour le pays de l'universelle amitié, il avait abandonné ce merveilleux voyage par amour pour une femme. Attachement, quel qu'en soit l'objet, sublime ou puéril, attachement, source de la douleur ?

Devait-il parler à Mr Simon du *doubthob* de la *gompa*... Peut-être.

— Avant que vous quittiez Dangar, mister Simon, dit Mipam, je voudrais que vous alliez voir un vieux lama qui vit à la gompa. Un sage, sans besoins, sans désirs, qui sait lire dans les pensées. Vous ne savez pas ce qu'est notre religion. Vous n'avez jamais rencontré que d'ignorants *trapas* aussi préoccupés d'amasser de l'argent que nous autres marchands. Il serait bon que vous sachiez ce que nos maîtres enseignent pour ne point emporter d'idées fausses sur nous, dans votre pays.

— Mon pays, je ne crois pas y retourner. Je resterai en Chine. Les médecins ne manquent pas dans mon pays ; je serai plus utile ici. Et puis... je comprends votre pensée, *tsongpön*, elle est bonne, elle me touche, je vous en remercie, mais c'est inutile ; je ne cherche pas à m'instruire, à comprendre, à atteindre quelque chose. Il n'y a en moi qu'un sentiment : la pitié, je ne veux pas d'autre guide.

Mipam comprit que toute insistance serait vaine.

— Un jour, dans une forêt, dit-il avec émotion, quand je n'étais encore qu'un petit enfant, un *naldjorpa* m'a dit que j'étais le fils de Tchénrézigs, le Grand Compatissant. C'est vous qui êtes son fils, mister Simon.

— Tous ceux qui ont pitié des malheureux sont les fils du même Père, *tsongpön lags*, répondit l'Australien en tendant la main à Mipam, à la manière occidentale.

Mipam ne devait jamais revoir Mr Simon.

Tobdén obtint l'emploi qu'il convoitait et le voyage des deux amis fut joyeux. Le chef se montra agréablement surpris d'apprendre la nomination très inattendue de son fils à un emploi officiel et celui-ci ne manqua pas de raconter à son père comment Mipam avait contribué à son succès en offrant un cadeau de poids au secrétaire du mandarin.

Le *pönpo* lui témoigna une vive gratitude ; il repaya largement ce que le *tsongpön* avait déboursé en lui offrant deux très belles mules de Sining. Puis, il lui proposa de l'accompagner à Lhabrang d'où on lui avait annoncé l'arrivée de quelques chevaux qu'il pourrait être intéressant d'acheter. Mipam ne pouvait refuser d'examiner une affaire qui promettait d'être avantageuse. Deux ou trois bons chevaux, avec les belles mules qui venaient de lui être offertes, consitueraient un présent à offrir au père de Dolma, pour le bien disposer.

Mipam partit donc pour Lhabrang où, en même temps que deux chevaux, il acheta différentes marchandises qu'il obtint à un prix laissant une large marge pour un beau bénéfice. Il savait pouvoir les vendre en partie à Lantchou. Dans cette grande ville, nombre d'objets chinois et étrangers peuvent être obtenus, que les lamas riches des *gompas* reculées paient sans marchander le triple de leur valeur. Un aussi capable marchand que Mipam se devait de profiter de l'occasion qui lui était offerte. Il fit des achats, organisa un nouveau convoi, partit, vendit, acheta encore, revendit. Il eut de la chance, continua des pérégrinations qui se montraient fructueuses et ne rentra à Dangar que trois mois plus tard. La saison était trop tardive pour traverser les *tchang thangs*. A cette époque de l'année, les pasteurs se retirent avec leurs troupeaux en des recoins ensoleillés des montagnes, à l'abri du vent. Aucune tente ne se rencontre le long des pistes, tout ravitaillement en cours de route devient impossible pour le voyageur. Les pâturages couverts de neige ne permettent pas aux animaux de paître et leurs maîtres n'y peuvent plus trouver la bouse sèche qui sert de combustible. Mipam dut ajourner son voyage jusqu'au printemps suivant.

11

L<small>A</small> poste est une innovation de date relativement récente au Tibet. Ses services ne s'étendent guère qu'à deux routes reliant Lhassa, d'une part à la Chine par Tchiamdo et, de l'autre, à l'Inde, *via* l'Himalaya. Entre Dangar et le centre du Tibet, il n'existe pas de service postal. Les Tibétains ne sont point habitués à recevoir des nouvelles de ceux des leurs qui partent en voyage et ils ne songent guère, non plus, à les tenir au courant de ce qui se passe chez eux en leur absence.

Depuis son arrivée à Dangar, Mipam avait revu une fois Dordji, le fils de Tseundu de Jigatzé et, à deux reprises, le *garpön* lui avait transmis des lettres de Ténzing et de Dogyal, apportées par des conducteurs de caravanes. Dans l'une d'elles, Ténzing remerciait Mipam de lui avoir remboursé, avec d'amples intérêts, les cent cinquante *sangs* d'argent que Tseundu lui avait donnés, en son nom, à son départ de Jigatzé. Le père de Dolma manifestait un étonnement heureux de cet envoi auquel il ne s'attendait pas, son intention ayant été de faire cadeau de cet argent à son jeune ami. Cependant, comme ce remboursement témoignait de la prospérité de Mipam, il s'en réjouissait et lui souhaitait la continuation de son succès. De Dolma il ne disait rien dans aucune de ses deux lettres, sinon qu'elle était en bonne santé. La lettre de Dogyal apprenait à Mipam que Ténzing, ne conservant que la somme payée à titre d'intérêt, lui avait remis les cent cinquante *sangs* pour être envoyés à leur père, Puntsog. Il congratulait son cadet d'être devenu si rapidement patron marchand. Peut-être un peu d'envie perçait-elle dans ses félicitations; lui, l'aîné, n'était qu'un employé, tandis que Mipam jouissait d'une agréable indépendance.

Passablement laconiques, bien qu'affectueuses, ces lettres n'informaient point Mipam de la situation précaire à laquelle le *gyalpo* avait réduit Puntsog pour se venger, sur lui, du crime supposé de son fils fugitif. Ténzing et Dogyal s'accordaient pour juger préférable de ne pas créer de soucis à Mipam alors qu'il lui fallait concentrer toute son attention sur la conduite de ses affaires, s'il voulait maintenir le succès qui avait favorisé ses débuts. A l'insu du *gyalpo* qu'il jugeait capable de s'irriter de son intervention et de faire confisquer ses envois, Dogyal expédiait des provisions et de l'argent à ses parents et ceux-ci ne manquaient pas du nécessaire.

La seconde fois où il reçut des nouvelles de Lhassa, Mipam trouva, dans le paquet contenant divers cadeaux envoyés par Ténzing, un billet que Dolma y avait introduit « Ne reviendras-tu pas bientôt ? » écrivait la jeune fille.

Aller vivre à Lhassa, Mipam n'y pouvait pas songer. Il n'y avait aucune situation tandis que la sienne devenait de plus en plus florissante en Chine. Mais maintenant qu'il était décidé à se rendre, au printemps, chez Ténzing pour lui demander Dolma en mariage, il employait les mois d'hiver à agrandir et à embellir sa maison pour y recevoir sa femme.

Le Nouvel An vint, Mipam régala des amis chez lui et alla festoyer chez eux. Les réjouissances durèrent pendant tout le premier mois de l'année chez les Tibétains aisés; Mipam en prenait sa bonne part lorsqu'un jour, à la fin d'un banquet, la nouvelle la plus inattendue qu'il eût pu imaginer anéantit sa quiétude.

Il dînait chez le *garpön* et parmi les nombreux invités de celui-ci se trouvaient trois pèlerins, pieux bourgeois de Lhassa, qui avaient accompli un pèlerinage aux lieux saints existant en terre chinoise. Ils étaient allés à Omichan, la montagne consacrée à Kuntou Zangpo (1), du sommet de laquelle l'on voit apparaître, dans le vide, l'image du

(1) Le « Tout bon ». Un Bouddha mystique appelé, en sanscrit, Samantâbhâdra. D'après la légende il a visité le mont Omi, en voyageant sur un éléphant blanc.

Bouddha, puis à Riwotsénga (1), la montagne dédiée à Jampéyang. De là, ils s'étaient rendus à Sining et y attendaient le départ des premières caravanes du printemps pour retourner à Lhassa avec l'une d'elles. Des amis du *garpön* qui connaissaient l'un des pèlerins les avaient amenés, avec eux, chez lui.

Les voyageurs venaient d'apprendre, par un autre convive, que Mipam était en relations amicales avec le *tsongpön* Ténsing et que ce dernier était un vieil ami de son père.

— Je suis aussi un ami de Ténzing, dit l'un d'eux à Mipam. Ainsi, vous êtes le frère cadet de Dogyal qui va épouser Dolma. Nous irons certainement à sa noce. Ne viendrez-vous pas à Lhassa, vers ce moment ?

« Savez-vous exactement quand le mariage aura lieu ? Akou Ténzing m'a dit, avant mon départ, que la date en serait fixée à un jour favorable du troisième ou du quatrième mois (2). Il a consulté un savant astrologue à ce sujet. Celui-ci n'avait pas encore terminé ses calculs quand j'ai quitté Lhassa.

Mipam vit les choses tournoyer autour de lui, il sentit la maison s'effondrer sous ses pieds et l'entraîner, avec elle, dans une chute vertigineuse. La voix de son interlocuteur et celles des autres convives devinrent, soudain, pour lui, le rugissement d'un torrent qui le roulait dans sa course, le projetant hors de ce monde. Des deux mains, il s'agrippa aux coussins sur lesquels il était assis et le peu de lucidité qui surnageait dans le désarroi de son esprit l'incitant à un effort il put répondre :

— Je ne sais rien quant à la date. Il y a longtemps que je n'ai eu de nouvelles de mon frère.

Déjà passablement gorgé de bière et d'eau-de-vie, l'interlocuteur de Mipam ne remarqua que vaguement le trouble du jeune *tsongpön* et, ne sachant pas que ce dernier n'avait point bu d'alcool, il l'attribua à un

---

(1) Riwotsénga, la montagne « aux cinq pics », appelé Wou taï chan par les Chinois. On y vénère le patron des lettrés, Manjouçri, appelé par les Tibétains Jampal ou Jampéyang.
(2) Les Tibétains ne donnent pas de noms aux mois de l'année ; ils les distinguent par leur numéro de succession : le premier, le deuxième, etc L'année tibétaine commence à une date mobile, basée sur l'âge de la lune, qui correspond à la nouvelle lune de février.

commencement d'ivresse. Tous les convives du *garpön* étaient déjà plus ou moins ivres, ce qui constitue un compliment à l'hôte, de la part de ses invités, et prouve la libéralité avec laquelle ils ont été traités. Ce fait permit à Mipam de quitter la pièce sans attirer beaucoup l'attention.

Il rentra hâtivement chez lui, ayant déjà arrêté son plan. Le lendemain, le surlendemain au plus tard, il partirait pour Lhassa. Le premier mois de l'année était à peine entamé, le mariage ne devait avoir lieu que dans le cours du troisième mois au plus tôt. S'il faisait diligence, il lui restait le temps d'intervenir.

La soirée était trop avancée pour qu'il pût songer à se rendre au monastère. Même en pressant son cheval, il y arriverait après la fermeture des portes ; il fallait attendre le lendemain. Mipam comptait confier, ainsi qu'il l'avait déjà envisagé, la surveillance de ses affaires à son associé le *niérpa* Paldjor ; en tant qu'associé commanditaire, ce dernier avait intérêt à maintenir la prospérité du commerce de son ami. Tachi, l'aîné des employés, resterait à Dangar et engagerait un aide pour effectuer avec lui les tournées indispensables. Kalzang, le plus jeune, l'accompagnerait à Lhassa et il trouverait, sans doute, à la *gompa,* deux ou trois *trapas* habitués à parcourir les *tchang thangs,* à qui il plairait d'être du voyage, il emmènerait les deux belles mules reçues du chef de Payenrong et les deux chevaux achetés à Lhabrang, en plus des montures pour ses hommes et pour lui. Ayant ainsi des bêtes de rechange, il pourrait franchir bon train de longues étapes. Certes, la neige couvrait encore une grande partie des *tchang thangs* mais on y rencontrait déjà des endroits exposés au soleil où elle avait fondu. Et puis la lune serait, le lendemain, dans son sixième jour, pendant près de deux semaines elle éclairerait la route, permettant les marches nocturnes qui tiennent les bêtes en mouvement et les empêchent de souffrir du gel.

Il fallait se hâter. Qui sait à quelles résolutions extrêmes Dolma, sans nouvelles de lui, pouvait se résoudre. Il la voyait, par la pensée, ayant, comme elle en avait fait le serment, coupé ses longs cheveux, et revêtu la robe des religieuses. Combien il se reprochait de n'avoir pas informé Ténzing de ses intentions. Il avait voulu attendre d'être plus riche, plus riche encore, de pouvoir étonner le grand marchand par les cadeaux qu'il lui offrirait pour obtenir Dolma. Son orgueil et son manque d'audace l'avaient desservi. Son mariage avec son amie d'enfance était tellement arrêté dans son esprit qu'il le tenait pour chose inéluctable et l'idée que Dolma pourrait épouser un autre que lui ne lui était jamais venue. Jamais il n'avait envisagé que son frère Dogyal, vivant auprès de Ténzing, devenu son bras droit, eût pu être choisi par lui pour gendre. Pourtant, il le comprenait maintenant, c'était là un aboutissement logique de l'adoption de Dogyal par Ténzing. C'était, sans doute, en vue de ce mariage que Puntsog avait consenti à se séparer de son aîné dont il était si fier. Comment n'avait-il jamais pensé à cela !

Oh ! s'il avait pu comprendre !... il aurait... il aurait... Qu'aurait-il pu faire ?... Il ne le discernait pas, mais il s'accusait de ne pas avoir agi comme il le devait et il s'agitait sur les coussins de sa couche où il s'était jeté, étouffant ses cris de rage dans les longues manches de sa robe. Dolma ! Dolma ! Elle devait le maudire pour son silence, son inaction, son imbécillité... Dolma ! Dolma ! Il l'avait laissée seule, comme abandonnée, sa petite, sa chère bien-aimée, Dolma !...

Bien avant le lever du jour, Mipam trottait sur la route conduisant au monastère. Quand il y arriva, des étoiles brillaient encore au ciel qui pâlissait ; sur le toit-terrasse de la salle des assemblées, les novices, soufflant dans des conques, appelaient les moines à la réunion matinale. La porte de l'enceinte venait de s'ouvrir ; par les ruelles étroites encombrées de *trapas* se rendant au *tsokhang,* Mipam gagna le *garba* où résidait son ami. Le *niérpa,* comme beaucoup de fonctionnaires du monastère, était, sauf aux jours de grandes fêtes religieuses, dispensé d'assister à l'office matinal, Mipam savait le trouver chez lui.

— Qu'est-ce qui vous amène à cette heure ? s'exclama Paldjor surpris en voyant le *tsongpön* entrer chez lui. Etes-vous arrivé hier soir ? Avez-vous couché ici ?

Puis, malgré l'ombre dans laquelle la chambre était encore plongée, il remarqua la physionomie défaite de son ami.

— Qu'y a-t-il ? lui demanda-t-il avec empressement.

Vous est-il arrivé quelque chose de fâcheux ? Etes-vous malade ?

— Rien de mal en ce qui concerne les affaires. Je ne suis pas malade... Je dois partir pour Lhassa demain.

— Demain ! En cette saison ! Mais pourquoi ?

Mipam hésita. Devait-il confier le réel motif de son voyage au *niérpa*. Il ne pouvait se dispenser de lui donner une raison plausible. Son associé ne devait le soupçonner d'aucune action répréhensible. Mieux valait sans doute lui dire la vérité.

— Vous me garderez le secret, un strict secret ? demanda-t-il.

— *Youm tchénmo !* (1) répondit le *niérpa* en faisant un serment.

— Le père de la fille que je veux épouser va la donner à un autre.

— Oh ! fit le *niérpa* poussant un soupir de soulagement.

Il estimait le fait de peu d'importance après avoir craint une catastrophe d'ordre commercial.

— Vous aviez peut-être visé un peu trop haut. Vous ne m'avez jamais dit de quelle famille il s'agissait. Le père de cette fille est un riche *koudag*, sans doute.

— C'est Ténzing le marchand.

— Mais alors, vous avez toutes chances qu'il vous préfère à un autre ; vous m'avez dit que Ténzing est un ami de votre père.

— C'est ainsi.

— Et vous êtes marchand, comme Ténzing, un marchand prospère, entendu en affaires... Quel est le gendre à qui il pense ?

— Mon frère aîné qu'il a adopté. Il vit avec lui depuis plusieurs années et s'occupe de ses affaires.

— Il lui donnera une autre de ses filles. Est-ce qu'il n'en a qu'une ?

— Une seule, et pas de fils. J'ai été un fou, je ne songeais qu'à mon commerce, qu'à amasser assez de biens pour la demander en mariage, et j'étais si sûr de l'obtenir, c'était chose faite dans ma pensée. Malheur ! J'ai attendu

(1) Serment par le livre sacré de Prâjnâ Pâramitâ auquel les Tibétains appliquent l'épithète déférente de « Grande Mère » (Youm tchénmo), c'est-à-dire Sagesse qui engendre l'illumination spirituelle des Bouddhas.

trop longtemps pour parler à Ténzing. Enfin, je pars demain, je suis venu vous demander de prendre la direction de mes affaires en mon absence. L'aîné des garçons, Tachi, restera à Dangar, il est au courant de mes habitudes et connaît mes clients.

— Vous pouvez compter sur moi. N'ayez aucune inquiétude à ce sujet.

— Je n'en ai pas.

— Je vous souhaite bonne chance dans votre démarche, mais ne prenez pas trop la chose à cœur, mon jeune ami. Il y a beaucoup de filles aimables et beaucoup de pères seraient heureux de vous avoir pour gendre.

— C'est la fille de Ténzing que je veux.

— Il vous la donnera probablement, vous êtes éloquent, on ne peut guère vous résister... Votre voyage sera dur. Combien d'hommes emmenez-vous ?

— Je ne dispose que de Kalzang, c'est là ma difficulté. J'ai pensé que peut-être, ici, je trouverais deux ou trois *trapas*, habitués aux voyages, qui aimeraient aller à Lhassa.

— Tous les *trapas* aiment aller à Lhassa, mais il vous faut des hommes robustes et de confiance. Je vous donnerai un des miens et j'en sais deux, dans la *garba* voisine, qui seront enchantés de faire ce voyage. Leur lama est, pour le moment, en Mongolie ; mon confrère le *niérpa* qui régit sa maison leur accordera un congé et notre *chélngo* n'y fera pas obstacle.

« Voilà qui est arrangé. Maintenant, déjeunez.

Après avoir déjeuné, Mipam se rendit chez le vieux voyant. Il voulait lui demander son aide, le prier d'user de ses pouvoirs supranormaux pour influencer, de loin, le père de Dolma et le contraindre à lui donner sa fille. Mais quand il se trouva en face du vieillard, il n'osa point formuler sa requête : l'atmosphère qui l'entourait dissolvait les désirs de ce genre. Tout bouleversé et plein d'angoisse qu'il fût, après un instant passé auprès du *doubthob*, Mipam sentit pénétrer en lui une vague de calme qui submergeait irrésistiblement ses préoccupations, sa révolte, sa douleur, sa volonté de combattre et jusqu'à l'image de Dolma qui se faisait menue, s'effaçait, allait s'engloutir. Il vit, derrière ses paupières closes, cette marée impalpable atteindre sa petite fée, vêtue comme au jour de leur première rencontre, il la vit atteindre les doubles manches vertes et rouges qui flottaient autour de la sombre robe de *pourouc* comme les ailes d'un papillon apeuré ; elle montait, atteignait les épaules, allait toucher le cou où pendait le reliquaire d'or... Mipam ne voulait plus voir. Il se leva d'un bond, s'inclina respectueusement les mains jointes devant le vieillard, sollicitant sa bénédiction. Il savait qu'il était inutile de lui rien apprendre. Il avait lu ses pensées, il y avait répondu et Mipam ne voulait pas accepter sa réponse.

Posant ses deux mains sur la tête du jeune homme, le *doubthob* rompit le silence qu'il avait gardé jusque-là :

— La dernière veille de la nuit, dit-il.

Et ces énigmatiques paroles prononcées, il s'absorba dans une contemplation intérieure et parut ne plus s'apercevoir de la présence et du départ de Mipam.

Sous la clarté bleue d'un brillant premier quartier de lune, un groupe de cavaliers trotte à travers le *thang* couvert de neige. Autour d'eux, bordant le vaste plateau, se distinguent confusément les masses sombres de chaînes de montagnes aux sommets arrondis, un loup hurle quelque part dans la solitude et, d'un lac qu'ils côtoient, les voyageurs entendent, soudain, s'élever des clameurs puissantes, pareilles à celles de *ragdongs* (1) emprisonnés sous sa surface glacée.

Au ciel, le croissant lunaire rougit et s'abaisse vers une cime ; le chef des cavaliers inspecte la plaine blanche, cherchant du regard, un endroit où il puisse camper. La route s'approche graduellement de la montagne, une coupure entre deux éperons massifs semble indiquer qu'elle tourne à cet endroit : l'autre versant, faisant face au sud, peut offrir quelque ravin libre de neige. Sans prononcer un mot, le chef met son cheval au galop, ses compagnons le suivent ; l'extrémité de la montagne est contournée, l'herbe durcie apparaît, une rivière libre de glace miroite à quelque distance, coulant à travers un autre plateau.

— Halte ! Déchargez les bêtes et promenez-les. Ne les laissez pas se refroidir subitement.

---

(1) Les gigantesques trompettes tibétaines en usage dans les monastères.

Les hommes obéissent en silence. L'un d'eux va puiser de l'eau à la rivière, tire un peu de bouse séchée d'un sac apporté avec les bagages, allume un petit feu. — Le combustible est rare, il faut le ménager. — La tente est dressée, le thé bout, les voyageurs mangent de la *tsampa* et de la viande séchée avec le thé beurré. Mules et chevaux reçoivent une ration de pois secs, puis tous, bien couverts d'un drap doublé de peau de mouton, sont laissés libres de brouter ce qu'ils peuvent de l'herbe gelée. Un des voyageurs, vêtu de sa robe fourrée, s'enroule dans une épaisse couverture et s'étend en plein air, son fusil à côté de lui, surveillant les bêtes et se levant de temps en temps pour ramener, près du camp, celles qui s'en écartent trop. Le chef et trois hommes dorment dans la tente, couchés sur le sol, tout habillés, leurs bottes de feutre aux pieds, la tête cachée sous une couverture étroitement serrée autour d'eux et leur selle pour oreiller.

Mipam est en marche vers Lhassa.

Malgré la hâte que le jeune homme éprouve, il est obligé de s'arrêter pendant quelques jours à Tchérkou. Les bêtes ont fourni un effort considérable et ont été insuffisamment nourries en cours de route ; elles doivent se reposer et manger à leur faim. Les hommes, aussi, sont fatigués bien qu'ils s'efforcent de ne pas le laisser voir au *tsongpön*. Sans connaître exactement le motif qui l'a induit à entreprendre ce voyage rapide en cette dure saison, ils ont appris par le *niérpa* que ce motif était sérieux et celui-ci leur a, en plus, recommandé de servir leur maître de leur mieux, de lui épargner, autant qu'ils le pourront, les ennuis inhérents au voyage et de ne point l'importuner par leurs questions ou leurs bavardages. Tous les quatre sont de braves gens, ils s'efforcent de se conformer aux devoirs qui leur ont été prescrits. Le plus difficile est, pour eux, de chevaucher en silence. Les Tibétains égaient généralement leurs longues étapes par d'amusants propos, des chansons et de rustiques plaisanteries. Mais Mipam, le *tsongpön* qu'ils connaissent et estiment, est singulièrement changé ; son visage, généralement souriant, a pris une expression qu'ils ne lui ont jamais vue et de bizarres lueurs s'allument au fond de ses yeux toujours fixés, dans le vide, sur quelque invisible objet. Il mange à peine, et quand ceux qui dorment près de lui se réveillent pendant la nuit, ils le voient, souvent, assis les yeux grands ouverts, absorbé dans sa continuelle contemplation. Comment le joyeux marchand s'est-il transformé de la sorte, quelle personnalité étrangère s'est introduite en lui ? — Il semble avoir grandi et sa voix, lorsque, rarement, il parle, a, maintenant, un accent de commandement auquel on ne peut résister. La sympathie qu'il inspirait, à Dangar, à ceux qui l'on suivi, s'est muée chez eux en respect étonné où se mêle quelque crainte. Qui donc est ce nouveau Mipam ? se demandent-ils.

Un soir, alors qu'ils gagnaient, pour camper, un endroit abrité, un ours, effrayé par leur présence, s'est enfui hors d'une caverne que l'obscurité leur avait cachée. Mipam a rappelé la bête arrêtée plus loin, regardant son gîte dont on l'avait délogée et, merveille ! l'animal est revenu lentement, a réintégré sa tanière et a passé la nuit endormi à quelques pas de leur tente.

— Il aurait été malheureux, errant sans abri, leur a dit leur maître.

Dans les histoires des ermites-*doubthobs,* des faits analogues sont narrés, mais Mipam n'est qu'un marchand, d'où lui vient ce pouvoir ?

Le beau temps continuait à favoriser les voyageurs. La neige, très épaisse au sommet des cols, en rendait le passage difficile, mais les vallées ensoleillées étaient agréables à parcourir, la température s'adoucissait graduellement. Les voyageurs atteignirent la grande piste de Tchiamdo à Lhassa ; bien qu'ils fussent encore loin du terme de leur voyage, la partie la plus dure de celui-ci était terminée.

Enfin, un après-midi, les toits d'or du Potala étincelèrent devant les cinq cavaliers, et Mipam se rappela le soir où il les avait laissés derrière lui, dans l'ombre, partant pour la Chine, près d'abandonner sa chère Dolma après un bref adieu à Gahlden. Elle l'aimait ; il se rappelait comme, sans hésiter, elle était partie avec lui à travers les montagnes, lorsqu'il avait fui son pays après avoir frappé le brutal fils du chef qui l'avait maltraitée. Chacun des incidents de leur bref voyage et le bonheur qu'ils lui avaient donné revivaient dans sa mémoire.

Il revenait, maintenant, pour la prendre et l'emporter,

sa Dolma. Il se sentait capable de la disputer à Dogyal, à Ténzing. Il n'était plus le petit garçon qui ne peut que fuir, il était devenu un homme capable de combattre.

Ce n'est pas la caravane nombreuse et bruyante imaginée par le juvénile Mipam qui s'arrêta devant la porte du *tsongpön* Ténzing, mais cinq graves cavaliers dont les visages décelaient les fatigues endurées en route.

Tandis que ses hommes dessellaient les chevaux et les menaient à l'écurie, Mipam était conduit à l'étage de la maison où Ténzing, immédiatement prévenu de son arrivée, l'attendait.

— Je n'aurais pas imaginé que tu pusses venir de Dangar en cette saison, dit le marchand surpris, en acceptant le *kadag* que lui offrait le jeune homme, mais je suis heureux de te voir. Tu as bien changé, tu n'étais qu'un petit garçon quand je t'ai vu pour la dernière fois dans ton pays. Tu as fait beaucoup de chemin depuis lors. D'après ce que l'on m'a rapporté, tu es, là-bas, un commerçant de marque et riche...

Entendant piaffer les chevaux dans la cour, il ouvrit la porte-fenêtre et passa sur le balcon. Pendant un instant il examina les bêtes en connaisseur.

— Ces mules sont à toi? demanda-t-il en distinguant immédiatement les deux grandes mules noires.

— Oui, et les chevaux aussi.

— De belles bêtes. Elles représentent pas mal d'argent. Et ces hommes qui sont-ils?

— Mes domestiques.

Ténzing hocha la tête.

— On ne m'a pas trompé, dit-il. Te voilà riche.

— Riche, non, Akou Ténzing, seulement aisé. La richesse viendra plus tard, je suis jeune et mes affaires prospèrent.

— Elle viendra, mon garçon, sois-en sûr, tu es en bonne voie.

« *Tcham* est sortie avec Dolma, tu les verras tout à l'heure. Dogyal vient de partir pour Calcutta, il ne reviendra pas avant six semaines ou deux mois. Mais tu seras encore ici à ce moment.

Une servante avait apporté du thé, de la *tsampa*, du beurre, de la viande séchée, des biscuits. Mipam but et

257

mangea un peu, il attendait que l'un de ses serviteurs vînt l'avertir que fut faite la toilette des mules et des chevaux qu'il voulait offrir à son hôte. Ses garçons, aidés par les domestiques de Ténzing, s'étaient hâtés. Les bêtes étrillées, la crinière et la queue nattées et entremêlées de rubans rouges et verts, un long *kadag* pendant à leur cou, avaient été conduits au milieu de la cour. Un des hommes monta à la chambre où Mipam causait avec son hôte, et, de la porte, lui fit signe.

— Voulez-vous venir un instant sur le balcon, Akou Ténzing ? dit Mipam.

— *Lags so,* répondit poliment le marchand en se levant.

Alors, le jeune homme tira un *kadag* de son *amphag,* le déploya, l'offrit à Ténzing et, désignant les deux mules et les deux chevaux que des domestiques tenaient par la bride.

— Akou Ténzing dit-il, je vous offre ces quatre bêtes. C'est un bien médiocre présent, mais témoignez-moi votre bonté en l'acceptant.

— Ces quatre bêtes ! Elles sont splendides ! Un cadeau digne d'être offert à *Kyabgön rimpotché* lui-même. Je descends les voir.

En un instant, Ténzing fut dans la cour, examinant les animaux. Sans être exagérément rapace, le *tsongpön* éprouvait grand plaisir chaque fois qu'une circonstance quelconque contribuait à accroître son bien. Il imaginait la satisfaction qu'il ressentirait en exhibant les quatre belles bêtes à ses amis et en leur apprenant qu'elles lui avaient été données. Au Tibet, l'importance des cadeaux qu'il reçoit donne la mesure de la grandeur sociale et du pouvoir d'un individu et est pour lui sujet de fierté.

Ténzing avait affectueusement accueilli son jeune ami ; maintenant, il lui témoignait une sorte de déférente reconnaissance dont Mipam augurait bien.

Tandis que le marchand faisait monter, à tour de rôle, chevaux et mules par un de ses serviteurs et les regardait trotter dans la vaste cour, sa femme et Dolma rentrèrent.

— *Tcham ! Poumo !* (1) cria-t-il, les appelant, Mipam est ici. Venez voir les belles bêtes qu'il me donne !

Le jeune homme salua la femme de son hôte et tandis

_____
(1) Epouse. Fille.

que, curieuse et aussi intéressée que son époux, elle s'approchait pour regarder les animaux, il saisit Dolma par le bras et murmura à son oreille :

— Dolma, je suis venu te chercher.

— *Lags so,* Mipam, répondit la jeune fille.

La réponse manquait du franc élan que Mipam attendait et les yeux de Dolma n'avaient plus la flamme d'audace et de volonté qui les animait autrefois. Voix et regard décelaient une sorte de lassitude, de contrainte.

— Tu m'aimes toujours, Dolma ? demanda Mipam, péniblement étonné.

— Oh ! oui, Mipam.

Cette fois, un indéniable accent de sincérité imprégnait ses paroles, mais la joie débordante que Mipam espérait en était absente. Il abandonna le bras de son amie et l'examina. La petite fille dont il avait gardé l'image dans son esprit se reconnaissait à peine en cette Dolma grandie, pleinement développée, tout à fait femme d'allure. Comme par le passé, elle était richement habillée et, même, sa toilette ressemblait à celle qu'elle portait lorsque Mipam l'avait vue pour la première fois : robe de *pourouc* bleu sombre, d'où émergeaient les manches de soie de deux chemisettes superposées, l'une verte, l'autre rouge. Jolie, Dolma l'était sans conteste, mais il semblait que le temps eût tissé autour d'elle un linceul ténu pareil à ceux dont les mousses pâles enveloppent les arbres dans les forêts himalayennes. Il avait atténué l'éclat hardi de ses yeux, entravé ses mouvements et peut-être enveloppé, aussi, son cœur et son esprit, y étouffant la primesautière indépendance qui la rendait si différente des autres fillettes de son âge. Dolma, *sa* Dolma se voyait comme à travers un voile qu'il faudrait déchirer pour arriver jusqu'à elle. Une souffrance physique étreignit le cœur de Mipam, elle ressemblait à celle qu'il avait ressentie lors de son voyage vers la Chine lorsqu'il avait appris que les yaks de la caravane seraient tués à leur arrivée ; elle ressemblait à celle qu'il se rappelait vaguement avoir éprouvée, dans son enfance, pendant la nuit passée au sein de la forêt, dans la hutte de l'ermite, alors que la douleur des êtres s'était imposée à lui.

Dolma le considérait également et, sans doute discernait, aussi, quelque chose d'inusité dans sa physionomie.

— Mipam, dit-elle, tu es devenu un grand marchand comme mon père, mais ton visage est celui d'un *gomchén*.

Le jeune homme tressaillit, la remarque de Dolma cadrait avec ses pensées.

— Je suis devenu un marchand pour toi, Dolma, que j'aime par-dessus tout. Pour pouvoir t'épouser. N'était-ce pas chose promise entre nous ?

— C'était promis, Mipam.

— Demain, je te demanderai à ton père. Je possède une habitation en Chine, pour t'y recevoir, et si elle te déplaît, j'en achèterai une autre.

— Oui, Mipam, répondit Dolma. Et, cette fois, il semblait que le bonheur rendît sa voix plus ferme.

Rentré dans la maison, Mipam offrit à Dolma et à Tséringma les cadeaux qu'il avait apportés pour elles : à chacune un rouleau de brocart de Chine et une très belle turquoise. Tséringma se montra ravie et, augurant bien du plaisir qu'elle manifestait, le jeune homme espéra l'avoir pour alliée, appuyant la demande qu'il allait adresser à son mari.

Le lendemain matin, Mipam, après avoir déjeuné avec son hôte, aborda le sujet qui avait motivé son voyage.

— Hier, Akou Ténzing, vous vous êtes étonné de mon arrivée à Lhassa et je n'ai pas voulu vous dire immédiatement pourquoi je suis venu. Si vous n'êtes pas occupé maintenant, voulez-vous que nous causions ?

— Certainement, Mipam. Qu'as-tu à me dire ?

— Akou Ténzing, je crois que je pourrais être pour vous un gendre qui ne vous causerait pas de déplaisir et dont vous n'auriez pas à avoir honte.

Ténzing ne répondit pas. Il réfléchissait.

— Je ne m'attendais pas à ce que tu me fisses pareille demande, dit-il après un moment de silence. Est-ce pour cela que tu es venu à Lhassa ?

— Rien que pour cela.

— Dolma doit épouser ton frère à son retour de l'Inde. C'est chose décidée.

Mipam crut préférable de ne pas paraître informé de ce fait.

— Akou Ténzing, ni vous ni Dogyal ne peuvent le savoir et Dolma n'a sans doute pas osé vous le dire. Il y a longtemps, lorsque vous avez été au Dougyul avec votre fille, vous avez, en vous en retournant, passé une nuit chez mon oncle le *tsipa*. Vous en souvenez-vous ? — Vous veniez de chez mes parents et ma mère avait chargé Dolma de m'apporter des *kabzés*.

— Je m'en souviens très bien et Ani, la femme de ton oncle, avait mis les biscuits dans son armoire. Tu les y as été chercher, et de quel air hardi tu affirmais tes droits sur eux. Ani en était tout interdite et ton oncle n'osait rien dire. Leur mine abasourdie me donnait envie de rire. Quel gamin ! Tu promettais… et tu n'as pas fait mentir ce que tu promettais…

Mipam l'interrompit.

— Eh bien, Akou Ténzing, le lendemain de ce jour-là, avant votre départ, j'ai demandé à Dolma de devenir ma femme et elle me l'a promis.

— Ah ! ah ! de mieux en mieux, ce bambin ! Quel âge avais-tu alors ?

— Treize ans.

— Et Dolma en avait dix. Ces enfants qui décidaient leur mariage ! ah ! ah ! ah !

— Certainement nous étions jeunes, Akou Ténzing, mais cette promesse d'être mari et femme, nous l'avons répétée encore à Gahlden, trois ans plus tard, lorsque je suis parti pour la Chine. Et si j'ai travaillé avec autant d'ardeur, si je me suis fait une situation déjà belle pour un jeune *tsongpön*…

— Très belle, Mipam, tu peux en être fier. Jamais je n'aurais imaginé une pareille réussite chez un garçon de ton âge.

— Eh bien ! Akou Ténzing, si je me suis efforcé de réussir c'est parce que je songeais à Dolma, parce que je voulais pouvoir venir vous la demander. Vous êtes riche, je savais que votre gendre devait, tout au moins, vous paraître capable de le devenir aussi. Akou Ténzing, que dois-je vous offrir pour être le mari de Dolma ? Dogyal a sans doute moins de bien que moi et, longtemps avant que vous ayez pensé à en faire votre gendre, Dolma et moi avions décidé notre mariage.

— Dogyal n'a rien que ce que je lui donne, il est mon employé et non pas un patron marchand comme toi, mais tu te trompes en croyant que tes projets d'enfant ont précédé les miens. Quand tu as vu Dolma pour la première fois, j'avais déjà convenu avec ton père que si ton frère Dogyal montrait des dispositions pour le commerce et se conduisait bien, il épouserait Dolma. Comprends-moi, Mipam. Le mari de ma fille unique doit être mon héritier, il doit prendre place d'abord dans ma maison, y travailler sous mes ordres. Je ne suis pas encore assez vieux pour renoncer à diriger moi-même mes affaires. Une position de second plan n'est pas ton fait. Tu es habitué à être ton maître ; il n'en faut qu'un dans une maison et, ici, le maître, c'est moi.

« Et puis, j'ai promis à ton père que j'assurerais ainsi le sort de Dogyal ; ce n'est pas le moment, maintenant qu'il est redevenu pauvre, de manquer à ma promesse.

— Que dites-vous là, Akou Ténzing, mon père est pauvre !

— Oui, Mipam. Je n'ai pas voulu te le faire savoir, jugeant préférable de t'éviter des soucis inutiles alors que tu avais besoin de toute ta liberté d'esprit pour te créer des ressources dans un pays étranger. De si loin tu ne pouvais être d'aucun secours à tes parents. J'y ai pourvu, ils n'ont jamais manqué du nécessaire.

— Mais comment cela est-il arrivé ?

— A cause de toi, mon pauvre Mipam. Le *gyalpo* ne pouvant t'atteindre s'est vengé sur ta famille. Ne te hasarde pas à t'approcher de son territoire, le temps n'a pas calmé sa colère, s'il pouvait s'emparer de toi, il te ferait torturer, n'en doute pas.

— Akou Ténzing, je voudrais pourtant aller voir ma mère. Ma chère mère, toujours si bonne pour le méchant petit garçon que j'étais. Croyez-vous que, vraiment, en prenant des chemins détournés, en ne restant qu'un jour auprès d'elle, je ne pourrais pas aller jusqu'à notre village. Je monterais un bon cheval et je ne reviendrais pas par le même chemin. Le *gyalpo* me croit loin...

— Inutile, Mipam, tu ne verras plus ta mère.

— Comment ! s'écria le jeune homme.

— Il y a près d'un an qu'elle est morte.

Mipam ne jeta pas un cri, ne proféra pas un mot ; ses yeux se fermèrent, le sang se retira de son visage. Ténzing crut qu'il s'évanouissait et se précipita vers lui pour le soutenir, mais comme il le touchait, le jeune homme rouvrit les yeux, se leva avec effort, fit un signe de la main à son hôte, comme pour le dissuader de s'occuper de lui et sortit de sa chambre.

« Jamais je n'aurais imaginé que ce hardi garçon fût aussi sensible », pensa Ténzing, plus bouleversé par le silence de Mipam qu'il l'aurait été par des pleurs et de bruyantes démonstrations de douleur.

— Tcham ! Tcham ! cria-t-il, appelant sa femme. Viens ici et fais apporter de la bière.

Le *tsongpön* éprouvait le besoin de compagnie et d'un bol de boisson forte pour se remettre de son émotion.

— Cela prouve que son cœur est bon et qu'il aimait sa mère, dit Tséringma lorsque son mari lui eut décrit l'effet produit sur Mipam par la triste nouvelle qu'il lui avait apprise.

— Evidemment, évidemment, répondit Ténzing, mais ses façons sont curieuses. Mipam a été bizarre depuis son enfance. Te rappelles-tu ce que ton frère nous a dit de lui ? Quand il n'était encore qu'un bambin, il s'est jeté devant un léopard pour lui sauver la vie et a reçu la flèche destinée à l'animal, puis il s'est enfui de chez lui. Le fils d'Akou Tseundu a aussi raconté une singulière histoire de *yaks* que Mipam a achetés, dépensant tout ce qu'il avait pour empêcher qu'ils ne soient vendus à un boucher.

« Son succès comme marchand est, aussi, extraordinaire. Qui a jamais vu un garçon de dix-sept ans entreprendre tout seul des affaires commerciales et amasser une fortune en quatre ans ! C'est merveilleux, mais un peu inquiétant. On dirait que Mipam n'est pas un homme de la même espèce que nous... Devinerais-tu pourquoi il est venu ici, en hiver, à travers les *tchang thangs* ?... C'est pour me demander de lui donner Dolma en mariage. Il paraît que lorsque la petite n'avait encore que dix ans, elle lui a promis qu'elle serait sa femme. Il dit qu'elle lui a renouvelé cette promesse à Gahlden, quand elle y a été pour lui dire adieu et offrir une lampe à Tchénrézigs avec lui. Te souviens-tu comme elle a insisté pour revoir Mipam avant son départ ?... Dolma t'a-t-elle jamais parlé de ce projet de mariage ?

— Jamais, mais les filles gardent beaucoup de choses pour elles.

— Les femmes aussi, sans doute, plaisanta le marchand en regardant sa compagne. Quoi qu'il en soit, reprit-il,

Dolma doit épouser Dogyal à son retour de l'Inde, c'est chose décidée.

— Dogyal sera un meilleur gendre pour vous, déclara Tséringma. Il vous aide avec dévouement et n'est pas porté à avoir des fantaisies comme Mipam. Avec ce dernier, on ne peut pas prévoir ce qu'il adviendrait ; une nouvelle lubie le prenant, il serait capable de quitter la maison pour s'en aller, qui sait où, à la recherche de qui sait quoi, comme quand il était enfant. Il est violent, aussi ; il ne respecte rien quand il est en colère. Il a frappé le fils de son *gyalpo*. Je n'aime pas cela. En une autre occasion, il pourrait encore se conduire d'une manière qui nous attirerait des ennuis. A cause de lui vos relations commerciales avec le *gyalpo* ont été rompues.

— Cela est sans importance ; il ne pouvait plus être un commanditaire utile. Il est presque ruiné. Une malédiction le poursuit. Sans doute celle de ce lama *naldjorpa* de Kham qui a emmené son cheval isabelle et qu'il a vainement essayé de faire mourir par des moyens magiques. Ces lamas de Kham sont de puissants magiciens. Les démons qui servent celui-là ont tué le *ngagspa* qui avait entrepris le rite dirigé contre lui. Qui sait si Mipam n'a pas, vraiment, quelques attaches secrètes avec ce dangereux lama. Dolma nous a dit qu'il a vécu près de lui tandis que la *gyalmo* faisait une retraite dans un ermitage.

— Oui, peut-être en est-il ainsi, dit Tséringma. Qui sait si, après tout, Mipam n'est pas pour quelque chose dans la mort bizarre du *gyalsé*...

Elle réfléchit, puis continua :

— *Tsonpön lags,* vous ne pouvez pas rompre la promesse que vous avez faite à Dogyal et à son père. Il doit épouser Dolma.

— Je l'ai dit à Mipam, il ne faut qu'un maître dans une maison et j'entends rester le maître ici. Il n'y a pas de place, chez moi, pour un esprit indiscipliné comme le sien.

— Attendez ! Ne le rebutez pas violemment. Ce pourrait être dangereux et contraire aussi à vos intérêts. Mipam deviendra riche. Il est généreux. Il vous a donné deux mules splendides et deux chevaux de prix. Dolma et moi avons reçu de précieuses turquoises. Pourquoi Dolma n'épouserait-elle pas les deux frères ? C'est la coutume. Dogyal demeurerait ici. Mipam prendrait la direction de votre comptoir en Chine ; il viendrait à Lhassa de temps en temps et ses séjours y seraient trop courts pour que son caractère étrange puisse vous devenir déplaisant ou vous attirer des ennuis.

— Très juste ce que tu dis, Tséringma, tu es toujours de bon conseil. Oui, voilà la solution. Dogyal l'aîné se marie comme il est convenu ; dans l'acte de mariage, nous mentionnons le nom de Mipam, son cadet, comme second mari, et tous sont satisfaits. Ma mère était la femme de trois frères ; c'est chose courante en U et en Tsang ; de cette façon, le bien des familles ne s'éparpille pas. Dolma sera riche et heureuse et si Mipam, par hasard, devenait fantasque et la quittait, elle conserverait le paisible Dogyal.

Se félicitant d'avoir si bien arrangé les choses, les deux époux burent ensemble et envisagèrent les préparatifs à faire pour les fêtes qui accompagneraient les noces.

Mipam avait quitté la maison de Ténzing presque sans s'en rendre compte et il errait sans but de par la ville. Une unique pensée occupait son esprit : sa mère était morte, il ne la reverrait plus... jamais, jamais. Elle l'avait aimé davantage que son aîné. Il ne s'en était pas bien rendu compte jusque-là, mais il comprenait, subitement qu'elle avait attendu de lui quelque chose de plus que la satisfaction qu'un bon fils peut donner à sa mère. « Les dieux ont chanté dans ma chambre au moment de ta naissance et des " signes " sont apparus autour de notre maison », lui avait-elle dit quelquefois. Il était, alors, trop jeune pour prêter attention à ces paroles, mais, à présent, il en saisissait le sens. De son fils, né parmi des prodiges, Tchangpal, avait attendu un prodige : elle avait attendu en vain. Il n'était point un *doubthob* opérant des miracles et, parti de bonne heure de la maison paternelle, il n'avait pas même eu l'occasion de se montrer un bon fils. Maintenant qu'il était revenu, capable de comprendre, et capable, peut-être, de créer, par la force de sa tendresse, la merveille attendue, sa mère n'était plus là.

Il se rappela les *gourmas* de l'ascète-poète Milarespa que les pèlerins mendiants chantent aux portes des villageois pour obtenir une aumône :

Quand j'avais une mère, je n'étais pas auprès d'elle.
Quand je reviens vers elle, ma mère est morte.

L'impermanence, l'irréalité des choses du monde, dont le voyant de Dangar l'avait parfois entretenu, se présentèrent avec force à son esprit. Qu'était ce décor qui l'entourait, ces maisons, ces gens qu'il croisait dans les rues, le grand temple du Jowo (1) et le massif palais du Potala trônant sur la colline ? Tout cela n'était qu'images dépourvues de solidité, qui s'effaceraient comme s'était effacée celle de la bonne Tchangpal. Oh! la revoir, la serrer dans ses bras !... Mais, devant lui, il ne trouvait que le vide. Et peut-être, ainsi, s'étaient-ils rencontrés des milliers de fois au cours de leurs vies successives, naissant et se rejoignant, mourant et se séparant, sans parvenir à se vraiment comprendre, à se vraiment aimer.

Puis il pensa à Dolma, à son attitude lointaine, passive, et tout à coup surgit, de nouveau, devant lui, la vision qui l'avait fait fuir de la chambre du vieux voyant, à son départ de Dangar : l'impalpable vague qui s'avançait lentement, irrésistiblement, submergeant tout ce qui l'entourait et atteignant Dolma, toujours passive, presque inerte.

Comme à Dangar, un sursaut de révolte terrassa cette hallucination. Lhassa et les choses du monde auquel Lhassa appartient reprirent leur apparente réalité et Mipam se reprit, aussi, à penser comme l'on pense dans ce monde. A la douleur que lui causait la mort de sa mère, il voulait faire succéder la joie de son amour pour Dolma. Un être qui l'aimait lui était enlevé, il étendait les bras pour en saisir un autre dont il voulait être aimé. Misère de celui dont la course haletante le mène d'amour en amour sans lui permettre d'atteindre l'Amour !

Il continua à marcher, plus calme maintenant, mais désireux de demeurer seul plutôt que de rentrer chez son hôte et de s'y trouver en butte à des consolations banales. Il arriva ainsi en face de Séra (2). De nombreux *trapas* y rentraient hâtivement après avoir passé la journée en ville.

(1) Le grand temple de Lhassa où l'on vénère une très ancienne statue du Bouddha qui le représente comme un jeune prince, avant qu'il ait embrassé la vie religieuse.
(2) Séra, l'un des grands monastères du Tibet situé près de Lhassa.

Pour eux, le monastère n'était qu'une hôtellerie dont ils s'échappaient aussi souvent qu'ils le pouvaient, allant à leurs affaires ou à leurs plaisirs, trafiquant, bavardant... Pour mener cette vie autant valait devenir, franchement, un marchand, comme lui. Pourtant, l'immense *gompa* rayonnait d'une sorte de beauté spéciale. Ses multiples maisonnettes blanches, séparées du monde extérieur par le haut mur d'enceinte, auraient pu être autant d'asiles pour des pensées différentes de celles qui tourbillonnaient au-dehors des murailles, autant de refuges où des esprits vaillants auraient pu créer des forces bonnes et les projeter dans l'espace par tous les *gyaltséns* (1) d'or qui hérissaient les toits des temples et des palais de la cité monastique. Que signifiaient ces emblèmes de victoire s'ils ne marquaient point la victoire du don par excellence, celui de la lumineuse vérité, la victoire remportée sur les pensées fausses et mauvaises, le triomphe de la Bonté

A ceux qui ont des pensées de singe, je donnerai le pur rayon de la meilleure lumière : la Connaissance qui délivre de la douleur (2)...

Où donc avait-il lu ou entendu ces paroles, il ne s'en souvenait pas.

Oui, quand il aurait épousé Dolma et qu'elle vivrait avec lui à Dangar, il achèterait une maison de *trapa* dans la gompa où demeurait son ami Taljor, le *niérpa,* et il l'habiterait de temps en temps. Bonne est la solitude et bon le silence ; à côté du monde où vivent les marchands et ceux qui leur ressemblent, il en est un autre et celui-là l'attirait.

Mipam rentra tard chez Ténzing, un domestique l'attendait, les maîtres s'étaient déjà retirés dans leurs chambres.

— Il n'est pas prudent de rester dehors après la nuit tombée, Kouchog, fit observer le domestique à Mipam. Des voleurs rôdent qui battent et détroussent les passants attardés. Tcham Kouchog a fait porter un souper dans votre chambre et je vais vous y monter du thé.

— Merci, dit Mipam.

---

(1) *Gyaltsén* signifie « signe de victoire ». Ce sont généralement des ornements dorés et de forme pointue ou cylindrique se rétrécissant vers le sommet que l'on place sur les toits des temples ou ceux des palais des Grands Lamas.

(2) Lalita Vistara. En langue tibétaine Gyatchér rolpa. Un ouvrage bouddique.

Lorsqu'il se leva, le lendemain matin, Mipam était résolu à reprendre, avec Ténzing, la conversation si abruptement interrompue par lui, sous le coup de l'émotion qu'il avait éprouvée en apprenant la mort de sa mère. Il devait convaincre le père de Dolma, l'amener à consentir à son mariage. Ténzing pouvait adopter Dogyal si bon lui semblait, de cette manière il ne se priverait pas de ses services et Dogyal ne serait lésé en rien puisqu'il hériterait de son père adoptif. Quant à lui, il ne demandait que Dolma. Il s'engagerait volontiers à renoncer à la succession de son beau-père et se sentait capable de gagner une fortune qui éviterait tous regrets à sa femme.

Les choses devaient être faciles à arranger de cette manière, mais il fallait que Dolma l'y aidât, qu'elle montrât la décision et la force de volonté dont elle faisait preuve quand elle était fillette. Il devait la voir seule, lui parler. Elle désirait, autant que lui, leur mariage, il leur suffisait de bien se concerter pour amener Ténzing à y consentir.

Il fut aisé à Mipam d'avoir l'entrevue qu'il souhaitait avec son amie. Il avait décidé d'aller offrir des lampes au Jowo, en mémoire de sa mère · il en informa la femme de Ténzing, lui demandant de permettre à Dolma de l'accompagner au temple puisqu'elle avait connu la défunte. Dans l'idée de Tzéringma, Mipam représentait le futur mari, en second, de sa belle-fille, un gendre de choix ; elle lui sourit aimablement, loua sa pieuse initiative, puis fit fondre une grosse motte de beurre dans un vase en bronze et ayant enveloppé celui-ci dans un épais morceau de feutre, elle voulut charger une servante de le porter à la suite des jeunes gens.

— Je le porterai moi-même, dit Mipam.

— Non, je le porterai, déclara poliment Dolma.

— Faites comme vous voudrez, dit Tséringma, comprenant que tous deux préféraient être seuls.

Les jeunes gens partirent.

— Dolma, te souviens-tu du jour où nous sommes allés offrir des lampes à Gahlden ?

— Je m'en souviens fort bien, Mipam.

— J'étais très triste de te quitter, Dolma.

— Moi aussi, Mipam.

— Tu savais que je reviendrais te chercher.

— Je savais que tu reviendrais.

— Eh bien, je suis revenu, Dolma. Il faut, maintenant, nous marier très promptement, et puis nous irons en Chine. Te souviens-tu, aussi, de notre voyage à pied, à travers la montagne, quand nous sommes allés à Jigatzé ?

— C'était bien beau, Mipam... bien beau... Jamais je n'ai été aussi heureuse.

— Ce sera encore plus beau maintenant. Nous ne devrons pas nous cacher, nous ne craindrons pas d'être poursuivis et battus ; nous aurons deux chevaux, des domestiques et beaucoup de provisions. Nous n'en avions pas quand nous nous sommes enfuis et tu as eu faim... L'as-tu oublié ?...

— Tu as fait sortir de la *tsampa* d'un rocher et les dieux ont jeté un sac de poudre de viande sur ton chemin... Mipam, est-ce que tu fais encore sortir de la *tsampa* des rochers et les dieux te donnent-ils toujours de quoi manger, quand tu voyages ?...

Mipam se sentait gêné. Il attribuait à une cause toute naturelle le second de ces miracles — un voyageur avait perdu ce sac — et quant au premier de ceux-ci, il y voyait une manifestation du pouvoir du *doubthob* couché dans la caverne.

— J'ai toujours eu suffisamment de nourriture, des miracles n'ont point été nécessaires, répondit-il.

La jeune fille resta silencieuse, elle semblait regretter cette absence de merveilleux dans la vie de son ami.

— Je l'ai fait savoir à ta mère, Mipam.

— Qu'est-ce que tu lui as fait savoir ?

— La femme d'un des employés de mon père est du Dougyul, elle est allée voir ses parents. Avant son départ, je lui ai raconté comment tu as enfoncé ton bras dans un rocher et que nous avons mangé la *tsampa* qui à coulé du roc après que tu as eu retiré ton bras. Je lui ai raconté, aussi, comment le sac de poudre de viande t'a été donné par les dieux et lui ai bien recommandé de tout répéter à Tcham Tchangpal. Elle l'a fait. Je le sais, parce que ton père m'a envoyé une lettre avec des biscuits que ta mère avait cuits pour moi. Dans la lettre il disait que ta mère était très heureuse, mais pas du tout étonnée, qu'elle savait bien que tu étais un dieu incarné, puisque les dieux avaient chanté dans sa chambre quand tu étais né. La femme et son mari qui se sont arrêtés chez tes parents pour leur porter des cadeaux de mon père, m'ont aussi rapporté que ta mère était très joyeuse et que ton père répétait : « Ils ont beau ne pas le reconnaître, Mipam est certainement un *tulkou.*

Du cœur de Mipam jaillit une action de grâces. Les prodiges que sa mère espérait lui voir accomplir, elle les lui avait entendu attribuer. Ils avaient acquitté la dette de reconnaissance de son fils préféré et ensoleillé les dernières années de sa triste vie de mère privée de ses enfants.

Quelle consolation pour lui !

Les deux jeunes gens accomplirent leurs dévotions devant la statue du Jowo. Mipam remit au sacristain une offrande qui lui valut d'obséquieux saluts, puis, avec Dolma, il monta sur le toit-terrasse de l'édifice et, y trouvant la solitude qu'il souhaitait, il entama le sujet de leur mariage.

— J'ai parlé hier soir avec ton père, Dolma. Il n'a pas accueilli ma demande comme je l'espérais. Il veut que tu épouses Dogyal. Tu le sais, sans doute.

— Oui, Mipam.

— Comment ton mariage a-t-il été décidé ? — Tu aurais dû parler, dire à ton père ce qui avait été convenu entre nous, ne pas le laisser s'engager avec Dogyal.

— Mon père m'a dit que depuis longtemps il avait promis au tien que Dogyal serait mon mari. Cela était décidé quand il a pris ton frère chez lui, avant que nous nous soyons rencontrés.

— Je ne te reproche rien, Dolma, pourtant si je n'étais par revenu, tu serais devenue, d'ici peu, la femme de Dogyal au lieu d'être la mienne. Est-ce cela que tu désires ?

— Tu n'as pas compris mon père. Tcham Kouchog m'a expliqué, hier soir, qu'il veut que vous soyez tous les deux mes maris.

— Non ! cria Mipam.

— Si, je te l'assure, Tcham Kouchog me l'a bien dit.

— Et tu acceptes cela, Dolma, tu veux être la femme de Dogyal en même temps que la mienne ?

— C'est la coutume, Mipam. Grand-mère, la mère de

mon père, qui vit maintenant dans un couvent, était la femme de mes trois grands-pères. Je ne pouvais rien dire, Père est le maître.

— Est-ce que tu aimes Dogyal ?

— Il est bon, il travaille beaucoup, mais ce n'est qu'un marchand.

— Moi aussi, je suis un marchand.

— Tu es un marchand parce que tu as dû gagner de l'argent pour vivre, et tu voulais aussi en gagner pour moi, mais tu es bien autre chose qu'un marchand. Le *doubthob,* dans la caverne, l'a vu et moi, Mipam, je le sais aussi. J'ai tant pensé à toi, je t'ai tant vu en rêve ; quelquefois tu apparaissais tout enveloppé de lumière, comme les bouddhas.

— Mais tu veux tout de même épouser Dogyal.

— Ce n'est pas moi qui le veux, c'est mon père. Et puis, puisque tu seras mon mari, aussi...

— Non ! cria Mipam, interrompant la jeune fille. C'est Dogyal ou moi, choisis.

— Toi, bien certainement, Mipam.

— C'est bien vrai ?

— Pourquoi ne me crois-tu pas ?

— Je veux te croire, Dolma. Puisqu'il en est ainsi, il faut que tu parles à ton père. Tu étais brave autrefois ; pourquoi as-tu changé ? Tu dois répéter à ton père ce que tu m'as promis. Tu t'en souviens ? Tu m'as dit que si tu ne pouvais pas être ma femme, tu te couperais les cheveux et deviendrais religieuse. Dîs-le-lui. Fais-lui comprendre que ce n'est pas la coutume, en Chine, qu'une femme ait plusieurs maris, que je ne veux pas accepter une pareille chose et que tu ne le veux pas non plus. Il ne faut plus attendre, parle-lui aujourd'hui. Moi aussi, je lui parlerai. A nous deux, nous le convaincrons.

Dolma ne répondit pas, elle pleurait silencieusement.

— Ne pleure donc pas, Dolma, tout s'arrangera, j'en suis sûr.

— Non, Mipam, mon père ne changera pas d'avis. Il aime Dogyal, il veut le garder près de lui pour s'occuper de ses affaires. Père devient âgé, il est toujours très bien portant, mais il pense que, dans quelques années, il ne pourra plus être aussi actif. Je sais qu'il y pense beaucoup, il parle quelquefois de la vieillesse qui vient et cela l'afflige extrêmement. Il aime tant ses affaires, son commerce, il ne veut pas qu'un autre en devienne le chef et qu'il ait, lui, à rester assis sur ses coussins, buvant de la bière et récitant « mani ». Il veut continuer à gouverner, même quand il devra donner, de sa chambre, les ordres nécessaires, et il sait qu'il pourra le faire avec Dogyal qui est soumis, patient, très respectueux.

— Qu'il garde donc Dogyal ! Moi, je t'emmènerai.

— Ah ! Mipam !

La jeune fille continuait à pleurer doucement.

Le cœur de Mipam se serra. Il ne trouvait point d'aide en elle ; elle était devenue incapable d'affirmer sa volonté de lutter.

— Ecoute, reprit-il. Il faut savoir, vouloir, c'est de notre bonheur qu'il s'agit. Je vais m'efforcer de convaincre ton père et toi, de ton côté...

Il s'arrêta, réfléchissant. L'inertie de Dolma ne lui permettait guère d'espérer qu'elle pût tenir tête à Ténzing et vaincre son obstination si lui, Mipam, n'y réussissait pas. Alors, mieux valait peut-être que Ténzing la crût résignée et obéissante. Il ne songerait pas, ainsi, à la surveiller. Et, lui, venait de prendre une résolution. Si le marchand s'obstinait à s'opposer à ce que Dolma devienne sa femme à lui seul, il fuirait avec elle en Chine. Devait-il lui faire part de son projet ? Il redoutait qu'elle ne s'en alarmât et que quelque chose dans sa conduite ne donnât l'éveil à sa perspicace belle-mère. Pourtant il voulait s'assurer que si ce départ secret devenait nécessaire, elle y serait prête.

— Tu ne me parais pas bien brave, Dolma, ni bien décidée à défendre notre bonheur, dit-il avec tristesse. Ne parle donc pas à ton père ; je m'en charge et je compte bien pouvoir le faire changer d'avis. S'il en était autrement, tu devrais le quitter en secret et m'accompagner en Chine. Tu le voudrais bien, n'est-ce pas ? Tu sais que tu as fait serment d'être ma femme, tu ne peux pas te dédire. Promets encore, par le *Jowo*.

— Jowo ! répéta Dolma, tremblante.

— Et maintenant, nous allons offrir ensemble une autre lampe pour consacrer cette promesse.

Tous deux redescendirent de la terrasse et se retrouvèrent devant l'autel resplendissant de lumière.

— Offre la lampe toi-même, Dolma, dit Mipam. C'est ta promesse que tu consacres. Moi, je n'ai pas besoin de me lier par un serment. Mon cœur te veut et je suis capable de te disputer au *Jowo* lui-même.

Les conversations que Mipam eut encore avec Ténzing ne lui laissèrent aucun espoir d'amener le marchand à ses vues. Dès la première de celles-ci il était fixé à ce sujet, mais il estima plus adroit de laisser croire à ce dernier qu'il espérait toujours parvenir à le convaincre et qu'il continuerait à lui présenter des arguments militant en faveur de ses désirs. Ce stratagème visait à occuper l'attention de l'obstiné *tsongpön*. De son côté, celui-ci pensait que Mipam finirait par se ranger à ses vues, qu'il accepterait de partager Dolma avec son frère aîné et, comme gendre en second, deviendrait une profitable acquisition pour lui.

Tout au contraire, Mipam préparait la fuite de son amie. Il avait toute confiance dans Kalzang, l'homme qu'il avait amené avec lui. De même que Tachi, son premier employé, qu'il avait laissé à Dangar, Kalzang était un métis, né d'une mère tibétaine et d'un père chinois. Il n'eut pas de peine à comprendre les raisons qui déterminaient son patron.

— Ces Tibétains du Centre sont de vrais sauvages (1), déclara-t-il. Seuls, des sauvages peuvent imaginer de donner plusieurs maris à la même femme. C'est le monde renversé. Il est logique, au contraire, que l'homme ait plusieurs femmes.

— Je partage ton opinion en ce qui concerne le premier de ces points, mais j'ai quelques doutes quant au second, répondit Mipam en riant. Après tout, certaines femmes peuvent trouver autant de plaisir à avoir plusieurs maris que les maris à avoir plusieurs femmes. Ce sont là choses sans importance. Chacun est libre de s'arranger à son gré, pourvu que personne n'en souffre. Moi, j'entends être le seul époux de Dolma et n'avoir pas d'autre femme qu'elle. Puisque son père s'entête à vouloir me donner mon frère comme associé, je suis décidé à emmener Dolma en Chine sans sa permission. Reste à savoir comment je dois m'y prendre.

(1) La polyandrie n'existe pas au Tibet oriental.

Les deux hommes tinrent un long conciliabule dans la campagne, loin des oreilles indiscrètes et envisagèrent la situation sous tous ses aspects.

Enlever Dolma nuitamment était impossible ; sa belle-mère couchait, la plupart du temps, dans la même chambre qu'elle ; la grande porte de la cour, seul accès à la demeure de Ténzing, était fermée chaque soir à la nuit tombante et, près de cette porte, se trouvaient les logements de plusieurs domestiques. D'autre part, Mipam ne pouvait guère emmener, lui-même, son amie, en plein jour Qu'elle fût aperçue par des gens de sa connaissance alors qu'elle s'éloignerait de Lhassa, à cheval, en sa compagnie, et ceux-ci trouvant le fait suspect ne manqueraient pas d'en parler dans la ville. Ténzing l'apprendrait bientôt et n'aurait pas de peine à trouver les traces des fugitifs.

Après avoir envisagé plusieurs plans, Mipam s'arrêta au suivant : Il feindrait de retourner en Chine, laisserait s'écouler quelques jours, afin que Ténzing puisse le croire déjà loin sur sa route et reviendrait dans les environs de Lhassa attendre Dolma à la date qu'il aurait fixée. Il préparerait aussi une fausse piste en annonçant à Ténzing qu'il se rendait à Tsétang pour y acheter de la *terma* (1) et, de là, gagnerait la route de Tchiamdo, sans repasser par Lhassa, ayant idée de retourner par le pays de Ga, que des bifurcations de cette route permettent d'atteindre facilement. Le père de Dolma lui ferait la conduite jusqu'au bord du Kyi tchou : après le cadeau qu'il avait reçu de lui, Ténzing ne pouvait pas s'en dispenser. Il passerait donc la rivière devant lui et prendrait, ostensiblement, le chemin de Tsétang ; au lieu de s'y rendre, il traverserait la montagne au nord de Samyé, se retrouverait dans le voisinage de Déchen, près de Lhassa, retraverserait la rivière à un autre point que celui près duquel Ténzing l'aurait accompagné et irait attendre le jour fixé dans un endroit écarté au sud de la ville. Entre-temps, il se procurerait un cheval que Dolma monterait et quelques mules pour porter les provisions. Le printemps étant venu, le voyage n'aurait plus rien de pénible, il quitterait Lhassa

(1) Une serge de laine. Les habitants de Tsétang et du pays environnant sont spécialisés dans le tissage de cette étoffe.

par une route partant derrière le monastère de Dépung et menant vers le grand lac Nam tso tchimo (le Tengri nor). Jamais Ténzing n'aurait l'idée de diriger des recherches de ce côté, il irait plutôt s'informer de lui à Tsétang, ce qui lui ferait perdre plusieurs jours que les fugitifs utiliseraient pour atteindre les *tchang thangs*.

Restait à savoir comment Dolma quitterait la maison de son père. Ce devait être dans la soirée, afin que la nuit empêche des recherches immédiates et permette aux voyageurs de mettre une distance considérable entre eux et Lhassa. Dolma, maintenant, peureuse et dénuée d'énergie, n'irait pas seule, à la nuit tombée, de Lhassa à Dépung ; probablement n'oserait-elle même pas franchir les limites de la ville. Il fallait que quelqu'un l'accompagnât depuis la porte de sa maison, quelqu'un avec qui elle pût s'éloigner sans attirer l'attention.

Kalzang trancha la difficulté.

— Une femme, dit-il, doit se charger de l'attendre près de la maison de Ténzing. Elle se munira d'un peu de *teuja* (1). Au détour d'une ruelle, dans l'embrasure d'une porte, dans n'importe quel recoin isolé, Dolma se barbouillera rapidement le visage, ce qui la rendra difficilement reconnaissable au crépuscule. Avec cette femme, elle sortira de la ville du côté de la route de Déchen, celle qui mène à Tchiamdo, que vous avez dit vouloir suivre. J'attendrai près de la route, avec un cheval pour Dolma, nous ferons mine de nous diriger vers Déchen puis, sitôt la femme hors de vue, nous contournerons Lhassa et viendrons vous rejoindre près de Dépung.

— Le plan n'est pas mauvais, déclara Mipam, mais où est la femme ?

Kalzang en connaissait une qui accepterait certainement de jouer ce rôle moyennant une rétribution suffisante. Elle était la sœur de la patronne d'un petit restaurant où, depuis qu'il était à Lhassa, il allait parfois manger. Elle paraissait passablement avide de gain et assez dénuée de scrupules. Il se donnerait comme agissant pour le compte d'un fils de famille noble, amoureux de Dolma. La crainte

_____

(1) Une sorte de laque brunâtre dont les Tibétains s'enduisent le visage pour le préserver des effets du soleil et du vent.

de ce dernier, capable de lui faire durement payer une indiscrétion, l'engagerait à s'abstenir de bavarder.

— Tu lui donneras vingt *trankas* et promettras de lui en donner cent autres lorsqu'elle te rejoindra avec Dolma, conclut Mipam. Je vais annoncer mon départ à Ténzing ; occupe-toi promptement de l'achat des bêtes dont nous avons besoin.

L'entretien était terminé. Mipam rentra chez son hôte.

— Je vais vous quitter, Akou *Ténzing,* lui dit-il, après le repas du soir. Je compte, puisque je ne suis pas loin de Tsétang, y aller acheter de la *terma.* J'en aurai le placement dans les *gompas* d'Amdo. Je ne puis rien vous dire de plus sur le sujet qui m'a amené chez vous, mais un jour viendra où vous regretterez d'avoir refusé votre fille à un gendre tel que moi.

En parlant, le jeune homme semblait vivement contrarié de son échec, mais sans en demeurer accablé. Son attitude, tout à fait naturelle, était celle d'un homme qui a pris son parti d'un événement désagréable. Ténzing en fut complètement dupe.

— Je n'ai point refusé de t'avoir pour gendre, mon garçon, répondit-il. Bien au contraire. Ton frère et toi, vous épouserez Dolma, suivant la coutume de notre pays. Elle est sage. Par elle, les biens ne se dispersent point et la famille devient riche. Les fils de Dolma prendront une femme qui leur sera commune, mes petites-filles seront demandées en mariage par de grands marchands qui verseront un bon prix à leurs parents et tous vivront dans une large aisance.

— Il y a du vrai dans ce que vous dites, Akou Ténzing. Peut-être est-ce en Chine que j'ai pris cette répugnance à partager ma femme, mais je ne puis la vaincre.

Ainsi se terminèrent les discussions de Mipam et du *Tsongpön* et le jeune homme parut s'absorber complètement dans des combinaisons commerciales. L'avant-veille de son départ Kalzang s'arrangea pour retenir longtemps l'attention de Ténzing et de Tséringma en examinant, avec eux, dans le magasin, des selles que son maître voulait acheter. Mipam, de son côté, emmenait Dolma vers l'écurie pour lui montrer les mules et le cheval dont il avait récemment fait l'acquisition.

— Ton père s'obstine, Dolma, lui dit-il. J'ai tout fait

pour le convaincre, je lui aurais payé le prix qu'il aurait voulu, mais l'idée de te faire épouser par mon frère et de m'adjoindre à lui est ancrée dans son esprit il n'y renoncera pas. Tu vas partir avec moi, j'ai tout arrangé pour cela. Regarde ce joli cheval noir, il est pour toi ; il marche merveilleusement à l'amble, toujours du même pas égal, tu ne te fatigueras pas. Je vais simuler un départ, et, dans huit jours, je serai de retour pour te prendre. J'ai combiné mon plan de façon que ton père ne songe pas à chercher sur la route que nous suivrons. Retiens bien le jour du départ, ce sera le 8 du mois, un jour favorable (1). Je ne pourrai pas me montrer par ici, puisque ton père me croira déjà loin. Une femme viendra te prendre et te conduira à l'endroit où Kalzang t'attendra avec ton cheval. Je serai près de là, mais il vaut mieux que la femme ne me voie pas. Ta belle-mère a l'habitude d'aller au temple du Jowo et d'en faire le tour en disant son chapelet, le 8 et le 15 du mois, et je l'ai entendu dire que le 8 de ce mois-ci, elle y demeurera pendant vingt-quatre heures (2), jeûnant et récitant « mani » avec quelques-unes de ses amies. C'est là, pour nous, une occasion exceptionnelle. Tu dois trouver un prétexte pour ne pas l'accompagner. Fais semblant de te blesser en descendant l'escalier et boite ; tu pourras, ainsi, prétendre qu'il t'est impossible de faire le *kora* (3) et les grandes prosternations répétées, comme d'usage. A la tombée du soir, tiens-toi à la petite fenêtre qui éclaire la sellerie et donne sur la rue. La femme viendra là et dira : « *Jowo kyéno* », tu répondras : « *Dolma kyéno.* » Puis, t'assurant d'abord qu'il n'y a personne dans la cour, tu sortiras et suivras la femme. Si même l'un de tes domestiques te voyait t'en aller avec une femme, il n'y prêterait pas grande attention, mais il vaut mieux que l'on ne te voie pas. C'est convenu, n'est-ce pas, Dolma, tu as bien compris ce que tu dois faire ? Répète-le-moi.

Dolma, tremblante, les larmes aux yeux, répéta d'une voix blanche ce que lui avait dit son ami, et Mipam s'attrista encore en constatant son manque d'enthousiasme

---

(1) Les Tibétains distinguent des jours favorables et des jours néfastes.
(2) Un exercice de piété courant, au Tibet.
(3) *Kora*. Faire dévotieusement le tour d'un édifice religieux.

et de vigueur morale en face de l'aventure qui l'aurait ravie quatre ans auparavant.

— Dolma, n'es-tu pas heureuse de partir avec moi, d'être toujours avec moi ?

— Si Mipam. Ce serait beau d'être toujours avec toi.

Ses paroles étaient empreintes d'un indéniable accent de sincérité. L'on y discernait que, de tout son cœur, la jeune fille aspirait, vraiment, à passer sa vie auprès de Mipam, mais une nuance de regret assourdissait sa déclaration. Il semblait qu'en la faisant, elle portât déjà le deuil d'un rêve cher.

— Dolma, reprit Mipam, tu es un peu troublée par l'idée de cette fuite, tu avais songé à un mariage joyeux, avec beaucoup d'invités, de grands banquets, mais qu'importe tout ce bruit. Tu seras heureuse parce que nous nous aimerons. Je ne t'emmène pas vers la pauvreté, rien ne te manquera ; la vie est agréable en Chine. Et puis, n'as-tu pas promis d'être ma femme ? Tu l'as promis plusieurs fois, et même devant le Jowo...

— Oui, Mipam.

On entendait les voix de Ténzing et de Kalzang qui sortaient du magasin, ce dernier parlait très haut, pour avertir son maître. Mipam prit fougueusement Dolma dans ses bras :

— Ma femme à moi, à moi seul... Dolma ?...

— Oui, Mipam, répondit la jeune fille s'efforçant de retenir ses larmes.

Le surlendemain Mipam quittait Lhassa avec ses gens et ses bêtes. Comme il l'avait prévu, son hôte l'accompagna jusqu'au bord du Kyi tchou et, devant lui, il prit le chemin de Tsétang.

Ténzing n'était guère enchanté de la visite de Mipam ; cet obstiné garçon se refusait à la combinaison imaginée par Tséringma. Jusque-là, le marchand avait cru avoir trouvé en Dogyal le gendre qu'il lui fallait. Mipam avait troublé sa quiétude à ce sujet. Dogyal demeurait toujours un gendre désirable, mais Mipam était, évidemment, promis à un plus brillant avenir commercial, et Dolma l'aimait, cela se voyait...

Rentrant soucieux chez lui, Ténzing y trouva sa fille écroulée sur les coussins de sa couche et tout en larmes. Décidément, Mipam avait apporté le trouble dans son paisible foyer, mais le marchand n'était pas homme à s'abandonner à des lamentations stériles ; il avait l'habitude d'atteindre son but.

— Ne pleure pas, petite, dit-il à sa fille, Mipam est le cadet, sa présence au mariage et son consentement ne sont point nécessaires pour en faire ton mari. Il suffit que l'aîné t'épouse, je ferai inscrire le nom de Mipam après celui de Dogyal, dans l'acte de mariage. Quand il reviendra de nouveau à Lhassa, il aura changé d'idée et sera très heureux d'apprendre que tu es, aussi, sa femme.

« Ton père ne veut que ton bien. Mipam est intelligent mais fantasque, on ne sait jamais de quoi peuvent s'aviser des esprits comme le sien. S'il t'abandonnait, alors qu'il serait ton seul mari, ne serait-ce pas malheureux pour toi, tandis qu'en épousant, aussi, le paisible Dogyal, tu es certaine de garder toujours, près de toi, un bon compagnon qui rendra ta vie confortable.

Son petit discours terminé, Ténzing quitta la chambre, admirant sa propre sagesse et répétant avec un sourire entendu :

— Je ferai inscrire son nom dans le contrat.

12

DANS le rectangle étroit d'une fenêtre, près de la massive porte d'entrée ouverte sur la vaste cour, s'encadre une figure pâle aux traits bouleversés. Non loin de là, une femme s'attarde à un étalage, surveillant du regard l'entrée de la maison de Ténzing. Le soleil est couché ; au ciel, qui s'assombrit, brille un premier quartier de lune. C'est le 8 du mois, selon le calendrier tibétain : un jour consacré à la bienfaisance et aux exercices de piété par la masse des fidèles, à des méditations plus prolongées par l'élite spirituelle. Les pensées de tous sont tournées vers le Bouddha et sa doctrine, chacun en empruntant ce qu'il est capable d'y discerner et de comprendre. Des pensées mystiques, puériles ou élevées, s'entrecroisent dans la grande cité lamaïque et planent au-dessus d'elle ; l'air en est saturé, des forces occultes sont à l'œuvre... Baignés, à leur insu, dans cette atmosphère spéciale, deux enfants essaient de défendre leur amour.

La femme, pour justifier sa station prolongée devant la boutique, achète une paire de jarretières, paie et s'en va frôlant les murs. Elle arrive contre la fenêtre où elle est attendue, voit, derrière les barreaux, la face pâlie, les yeux que l'effroi dilate et murmure :

— *Jowo kyéno !*
— *Dolma kyéno !* répond une voix tremblante.
— Dépêchez-vous ! Je reste contre la porte.

Elle s'éloigne un peu, puis s'arrête, faisant mine de remplacer les vieilles jarretières de ses bottes par celles qu'elle vient d'acheter. La cour est vide, ainsi que le balcon qui la domine, les fenêtres donnant sur celui-ci sont fermées. On ne pourrait souhaiter des conditions plus favorables. Voici Dolma ; elle avance au seuil de la porte, la femme lui tend la main et l'attire vers elle : la jeune fille a fait un pas, elle est au-dehors.

— Vite, dit la femme, personne ne vous a vue.

Mais Dolma résiste à la pression de la main qui cherche à l'entraîner, elle s'immobilise, le corps secoué d'un tremblement nerveux, ses traits se contractent, une lueur de folie danse au fond de ses pupilles dilatées.

— Ne restez pas là, venez, répète la femme.

Dolma paraît ne pas entendre, un bourdonnement de sons confus emplit ses oreilles, le sol lui semble osciller sous ses pieds.

— Venez, avancez, votre malaise passera, nous nous arrêterons un peu plus loin pour vous laisser reposer.

La femme tremble, maintenant, elle aussi, mais d'impatience et de crainte, quelqu'un peut venir.

— Je ne puis pas, balbutie Dolma.

Il faudrait que Mipam soit là, qu'il puisse la soulever, l'emporter dans ses bras. En voulant se tenir à l'écart a-t-il péché par trop de prudence ? Son plan a-t-il été trop sagement conçu ? Mais un homme n'emporte pas une fille dans ses bras, au cœur de Lhassa, sans attirer l'attention de la foule : « Est-ce une blessée ? Une malade ? Où l'emmène-t-on ? Qui est-elle ? » Que de questions surgiraient ! Non, le geste de Mipam serait impossible, mais la femme va le risquer. Qu'elle puisse la porter, jusqu'au coin de cette ruelle qu'elle aperçoit, toute proche, et Dolma, une fois hors de vue, aura le temps de reprendre ses esprits. C'est à cette porte qu'il faut l'arracher. Elle se baisse un peu, et saisit la jeune fille.

— Passez un bras à mon cou, je vais vous porter, dit-elle.

Mais le mouvement de Dolma n'est pas celui qu'elle attendait ; son attouchement a eu l'effet d'un choc provoquant un brusque recul de la jeune fille ; celle-ci se retrouve, maintenant, en dedans des murs. Un domestique apparaît dans la cour, venant fermer la grande porte. Voyant la fille de son maître et une femme arrêtée devant elle, une jarretière en main, il se méprend sur les intentions de l'étrangère.

— Inutile d'insister, lui dit-il en riant. Sémo Dolma ne porte que des jarretières en soie et son père en vend.

Puis il pousse lentement les lourds battants de bois épais ; Dolma s'est reculée et la porte se referme rendant un son grave, impérieux et lugubre.

Loin de la route, caché derrière un monticule, Mipam est assis. Il a planté un piquet près de lui et y a attaché son cheval ; maintenant, il attend. La nuit est venue, faiblement illuminée par le croissant de la lune, personne ne passe plus sur le chemin, aucune lumière ne brille aux fenêtres des maisons monastiques de Dépung (1), dont la masse imposante se discerne, étalée au pied de la montagne. Plus proche de Mipam, environnée d'arbres, la résidence de l'Oracle d'Etat se dissimule mystérieusement dans l'obscurité ; Mipam attend. Bientôt sa chère aimée sera là, il l'emportera, la gardera près de lui pendant toute sa vie... toute cette vie, et toutes celles qui la suivront. Il la gardera à jamais, en ce monde et dans d'autres. Mais est-ce bien la première fois qu'il l'attend ainsi pour l'emmener et en faire sa compagne ?... Un sentiment plus ténu qu'un souvenir monte en lui, venant de profondeurs insondables. Un goût de recommencement imprègne l'aventure présente. Dolma, l'a-t-il déjà aimée et déjà disputée à ceux qui voulaient la lui prendre ? Mystère des vies passées qui façonnent celle-ci.

Une cloche tinta, puis le bruit sourd d'un tambour frappé en cadence se répandit par la plaine : les disciples de l'Oracle célébraient un office nocturne.

Le temps en s'écoulant calmait plutôt qu'il n'excitait l'impatience de Mipam. Ses pensées tournées vers le passé, il s'efforçait de deviner ce qu'avait pu être Dolma avant d'être née comme la fille de Ténzing, comment ils s'étaient déjà rencontrés et quel avait été le sort de leur amour, car cet amour, il en était convaincu, ne datait pas seulement du jour où la « petite fée » lui était apparue chez son oncle l'astrologue ; il datait de loin, de très loin, du fond des âges. Mipam rêvait tout éveillé. Ce « fond des âges » lui apparaissait comme un lointain ténébreux dans lequel rien ne se discernait que l'image, rendue minuscule

(1) Le plus grand monastère du Tibet.

par la distance, d'un Mipam et d'une Dolma se tenant par la main.

Il sursauta, sans cause apparente, reprenant conscience de la réalité présente. Depuis longtemps Dolma aurait dû être là, mais aucun bruit n'annonçait, dans le grand silence, l'approche de cavaliers. Le vide de la plaine s'étendant devant le monastère l'impressionna. Il lui fut une image du vide parmi lequel s'écoulait sa propre vie, malgré le succès de ses entreprises, malgré les amis qu'il s'était faits, malgré l'amour de sa bonne mère, malgré celui de Dolma. Il se rappelait qu'un *gegén* de Lhabrang lui avait un jour cité un passage d'un livre que les *gelongs* (1) de l'Inde tiennent en grande vénération.

Je ne suis, nulle part, quelque chose pour quelqu'un.

Et, nulle part, n'existe quelqu'un qui puisse être quelque chose pour moi (2).

— Dolma! cria-t-il; mais son cri fut intérieur et ne rompit point le silence.

Dolma, pourquoi ne venait-elle pas?... Mipam frissonna. Manquait-elle à sa promesse, refusait-elle de partir avec lui?... Mais non, le bruit sourd des sabots de chevaux martelant la terre s'entendait et approchait. Dolma venait. Le jeune homme se leva d'un bond et s'avança vers la route. L'ombre d'un cavalier émergea de l'obscurité, venant dans sa direction. Un instant après, Kalzang mettait pied à terre devant lui. Il était seul.

— Dolma? questionna fébrilement Mipam.

— Elle n'est pas venue, répondit Kalzang avec embarras.

— La femme sur qui tu comptais t'a manqué de parole?

— Non pas. Elle a vu la fille du *tsongpön*, elle lui a parlé. *Sémo* (3) Dolma est même sortie un instant hors de la cour, puis elle n'a pas voulu aller plus loin; elle est rentrée, l'on est venu fermer la porte et la femme a dû partir. Mais elle est prête à recommencer sa tentative, elle m'a supplié de la conduire devant vous afin qu'elle vous explique ce qui s'est passé et vous dise aussi comment elle

---

(1) *Gelong* : vertueux mendiant, l'équivalent du titre *Bhikkou* chez les premiers bouddhistes. Au Tibet, un religieux qui a reçu l'ordination majeure.

(2) *Visuddhi Magga*, chapitre XXI.

(3) *Sémo*, respectueuse appellation désignant la fille de parents d'un rang social élevé. Elle est attribuée, ici, à Dolma par une exagération de courtoisie.

veut s'y prendre pour réussir. Elle s'accrochait à mon cheval... Elle est désespérée de perdre la récompense sur laquelle elle comptait ; je me suis décidé à l'amener. Entendez-la. On ne peut guère distinguer vos traits dans l'obscurité ; même si, par hasard, cette femme vous a vu chez Kouchog Ténzing ou ailleurs, elle ne vous reconnaîtra pas. Rabattez, seulement, votre chapeau sur votre front. Elle croira que vous êtes le jeune *koudag* dont je lui ai parlé.

— A quoi bon ? répondit Mipam avec lassitude. Enfin, qu'elle vienne ; je veux savoir ce qui s'est passé.

Kalzang s'en alla et revint quelques instants plus tard, amenant la malchanceuse envoyée et le cheval, originairement destiné à Dolma, qu'elle avait monté pour venir jusque-là.

Saluant profondément à plusieurs reprises, dès qu'elle aperçut Mipam, elle tenta tout de suite de justifier son insuccès, mais le jeune homme coupa immédiatement court au flot de paroles qui s'annonçait.

— Rien que le récit strictement exact de ce qui s'est passé. Et n'essaie pas de mentir, j'ai le moyen de savoir la vérité et de te punir si tu ne me la dis pas.

A l'accent impérieux avec lequel ces mots étaient prononcés, la Tibétaine crut reconnaître un grand seigneur ; elle salua derechef et fit un récit fidèle de son entrevue avec Dolma. Puis, comme Mipam gardait le silence, elle s'offrit, timidement, cette fois, à faire une nouvelle tentative.

— Va m'attendre plus loin, avec mon domestique, lui commanda-t-il.

La femme s'éloigna sans oser répliquer. Il était temps. Mipam ne pouvait plus contenir sa douleur. Il se rassit à la même place où il avait attendu longtemps et y demeura trop anéanti pour avoir la force de prendre une résolution quelconque.

Ainsi, le rêve caressé depuis son enfance, vers lequel, pendant des années, toutes ses pensées avaient convergé, pour la réalisation duquel il avait travaillé avec tant d'assiduité et d'énergie, ce rêve s'écroulait par la faute de Dolma ! Ce n'était point qu'elle se fût détournée de lui, qu'un autre amour eût remplacé celui qu'elle avait éprouvé pour lui. Non. De cela, il était certain. Son amie l'aimait comme elle l'avait toujours aimé et elle souffrait, en ce moment même, comme il souffrait lui-même, mais en grandissant elle avait été, peu à peu, ligotée par l'éducation, par les coutumes et les idées de son entourage ; elle avait cessé d'être elle-même pour devenir une part de la foule, une brebis cheminant, tête basse, parmi le troupeau. Dolma ne savait plus vouloir, elle ne pouvait plus que pleurer le bonheur vers lequel elle n'osait pas aller.

Oui, Dolma l'aimait, mais pas de cet amour qui brise tous les obstacles, ignore tous les liens, de cet amour exclusif qui, seul, est vraiment l'amour. Si elle l'avait aimé ainsi, elle n'aurait pas montré de faiblesse et serait joyeusement accourue vers lui, eût-elle dû, pour le joindre, traverser les flammes infernales. Et lui, l'aimait-il de cet amour absolu, sans partage, était-elle *tout* pour lui ? Ne lui arrivait-il pas de l'oublier pendant ses poursuites mystiques dont elle était absente... Misère des êtres dont le « moi » est semblable à une étoffe faite de fils multicolores. Misère des êtres en proie à des instincts contraires, qui ne peuvent aimer qu'à moitié.

Faire une nouvelle tentative, revoir Dolma, essayer de ranimer sa volonté, il le savait d'avance inutile. Quelque chose les séparait qui n'était ni la volonté de Ténzing, ni aucune autre cause extérieure. L'obstacle venait d'ailleurs, il était occulte, ancré dans les profondeurs de leur être. Souvent, depuis longtemps, Dolma avait été sa compagne de route ; elle s'attardait aujourd'hui sur le chemin, à l'entrée d'un sentier de traverse, mais elle le rejoindrait de nouveau, plus tard, un jour où ils se souviendraient, sans doute, des multiples étapes parcourues ensemble et des multiples haltes qui les avaient momentanément séparés.

Mipam se leva et appela la Tibétaine.

— Je pars, lui dit-il. Tu as voulu venir jusqu'ici, je ne puis pas te faire reconduire à la ville.

— Vous êtes très bon, Kouchog, ne vous inquiétez pas de moi, il y a tout près d'ici un *Lou khang* assez grand pour que je m'y abrite jusqu'au lever du jour. Je ne veux que vous servir. Je pourrais...

— Rien, interrompit Mipam. Voici ce que tu devras faire. Un jour ou un autre, lorsque tu trouveras l'occasion

d'aborder *Sémo* Dolma quand elle sera seule, tu lui diras :
« Celui qui m'avait envoyée est parti. Il souhaite que vous
soyez heureuse ; il ne cessera jamais de vous aimer. Il
emporte votre promesse, elle s'accomplira dans une autre
vie. » Répète ce que je t'ai dit.

La femme le répéta.

— N'oublie pas. Maintenant, voici les cent *trankas* qui
devaient récompenser ton succès. Tu ne les as pas gagnés,
mais je ne veux pas que tu t'affliges et penses à la fille de
Ténzing avec amertume.

— Je suis votre reconnaissante servante, Kouchog,
murmura la femme avec une déférence craintive, je
rapporterai à *Sémo* Dolma ce que vous m'avez dit.

— Va !

Mipam la suivit des yeux autant que l'obscurité le
permettait, puis monta à cheval et, avec Kalzang, s'éloigna
de Dépung, s'enfonçant dans la nuit.

Au bord de la piste, les trois *trapas* de Dangar, au
service de Mipam, attendent leur maître. Conformément à
ses instructions, ils n'ont ni dessellé, ni déchargé les bêtes,
afin d'être prêts à partir dès son arrivée. Ils n'ont point,
non plus, allumé de feu et, ainsi, sont privés du thé qui
tient si agréablement compagnie pendant les veilles. La
conduite de Mipam leur semble anormalement bizarre,
mais ils n'en soupçonnent pas le motif ; leur camarade, qui
en est instruit, s'est montré strictement discret. Enfin,
voici Mipam qui émerge de l'ombre. Ils ne peuvent guère
distinguer l'expression dont sa physionomie est empreinte,
mais le bref : « Partons ! » qu'il leur lance au passage, sans
même arrêter son cheval, a une résonance qu'ils ne
connaissaient pas à sa voix. Kalzang est presque aussi
laconique que le *tsongpön*.

— Dépêchons-nous, dit-il à ses camarades, mais à vrai
dire, il ne sait pas pourquoi il faut se dépêcher et pourquoi
son patron se hâte, chevauchant tout seul en avant.
Puisque son amie n'est pas avec lui, il n'a pas à craindre
d'être poursuivi. Il serait plus sage de camper auprès du
premier ruisseau qu'ils rencontreront, de faire du thé et de
dormir, mais le brave garçon comprend que Mipam est
triste et malheureux et qu'il ne faut pas, pour le moment,

exiger de lui une conduite raisonnable. Il le plaint et fait taire les questionneurs qui l'interrogent.

— Ne bavardez pas, ne faites pas de bruit, notre maître a besoin de tranquillité.

Comme tous aiment Mipam, ils obéissent sans comprendre et la petite troupe chevauche, en silence, dans le grand silence de la nuit, laissant derrière elle Lhassa, Dolma et, plus loin au sud, le pays de Tromo et le cimetière sur la montagne où, sous deux branches entrecroisées, demeure un peu des cendres de la douce Tchangpal (1)... toute la jeunesse de Mipam...

Le voyage se poursuivit ; il fut encore plus morne que celui de l'hiver précédent, lorsque Mipam s'était rendu à Lhassa. L'excitation qui l'animait alors était tombée, il ne pressait plus ses hommes, n'ayant aucune hâte d'arriver, n'éprouvant même plus aucun désir d'arriver quelque part. Pourquoi retournait-il à Dangar ? Il n'en savait rien, ne se le demandait même pas. Il obéissait, simplement, à l'impulsion machinale qui pousse hommes et bêtes à retourner à leur gîte. Le printemps avait rendu la température plus douce, les pistes étaient libres de neige et l'herbe abondante fournissait ample nourriture aux chevaux et aux mules. Parfois Mipam ordonnait, subitement, une halte et s'arrêtait une journée entière, s'en allant hors de vue du camp et restant pendant des heures couché sur le sol, inerte, ne pensant à rien. Certains jours, il arrivait aussi qu'il entendît, autour de lui, les voix distantes d'un chœur invisible, répétant inlassablement une même phrase musicale, douce et lente. Bercé par elle, Mipam perdait contact avec son entourage, avec son propre moi et s'évadait dans un monde singulier où il se sentait flotter sur un océan paisible d'une lumineuse blancheur.

Kalzang veillait à ce que nul ne troublât la solitude d'esprit dans laquelle son maître se refermait, mais, bon élève de celui-ci, il lui semblait impossible de renoncer à introduire un élément de commerce dans le voyage. Mipam n'apportait pas de cargaison de Lhassa, des mules

---

(1) Il est d'usage, dans cette région, de laisser deux branches d'arbre à l'endroit où un corps a été incinéré. Les cendres, elles-mêmes, sont le plus souvent jetées dans une rivière, à moins qu'on ne les pile et, en les mélangeant à de la terre glaise, on en fabrique, à l'aide d'un moule, des pagodes (chörtens) miniatures que l'on dépose dans des cavernes sur les montagnes.

se trouvaient disponibles, Kalsang avait donc sollicité la permission de chercher des fourrures à acheter chez les *dokpas ;* son patron la lui avait donnée, lui-même se désintéressant de tout. Kalzang avait ainsi trouvé un but pour son activité et celle de ses compagnons, tandis que leur chef s'absorbait dans ses étranges contemplations.

Si lente que fût leur marche, les voyageurs finirent pourtant par arriver à proximité de Dangar. Alors, durant le cours d'un après-midi que, selon son habitude, il passait, seul, loin du camp, Mipam eut un rêve ou une vision. Il n'eût pu dire lequel, n'étant point certain s'il était éveillé ou dormait lorsque le fait se produisit. Il se sentit attiré par une force irrésistible, comme aspiré par elle, et amené dans la chambre du *doubthob* de Dangar. Celui-ci lui posait les deux mains sur les épaules, ainsi qu'il l'avait fait lors de leur dernière entrevue, et répétait, en même temps, les paroles mystérieuses qu'il avait prononcées, alors : « La dernière veille de la nuit. »

Des yeux du vieillard émanaient des rayons lumineux qui pénétraient Mipam, il lui semblait sentir se consumer, sur lui, une enveloppe qui le recouvrait ; il s'agitait, cherchant à se débarrasser des restes carbonisés qui tenaient encore à lui, mais n'y parvenait pas.

— La dernière veille de la nuit ! répétait encore le vieillard. L'éveil et l'aube sont proches, va au-devant d'eux, ne reviens pas à Dangar !

En retournant à son état de conscience ordinaire, Mipam y apporta la résolution de ne pas rentrer chez lui avec ses serviteurs et de ne point reprendre le cours de sa vie de marchand. Amasser une fortune lui était devenu inutile, puisqu'elle ne pouvait pas lui servir à obtenir Dolma. L'énigme de la déclaration du *doubthob* lui paraissait aussi s'être éclaircie. « La dernière veille de la nuit », ce pouvait être une dernière étape dans les ténèbres dont l'ignorance couvre notre esprit et « l'aube proche » pouvait être entendue comme une illumination qui dissiperait la fantasmagorie d'une vie qui n'était pas la sienne. Dans toutes ses poursuites, ses espoirs, ses craintes, sa joie triomphante et sa douleur présente, avait-il été autre chose qu'une ombre se mouvant parmi des ombres. Allait-il s'éveiller, petit enfant, dans la forêt, après avoir dormi et rêvé au pied d'un arbre au cours de son voyage vers le « Pays où tous sont amis ». Oh ! cette fois, il ne se laisserait pas convaincre de rebrousser chemin, de retourner partager l'agitation pénible de ceux que mille soins préoccupent, hormis le seul qui soit nécessaire : celui d'être bon, d'aimer.

L'avant-veille du jour où les voyageurs devaient atteindre le monastère de Dangar, Mipam appela Kalzang et lui donna ses instructions.

— Je vais vous quitter, lui dit-il, vous continuerez votre voyage ensemble : toi et tes trois compagnons qui vont rentrer à leur *gompa*. Tu porteras au *niérpa* Paldjor la lettre que je te donnerai et, jusqu'à ce que j'aie décidé autre chose, tu te mettras à son service. Il continuera à s'occuper de mes affaires avec Tachi qui est demeuré à Dangar pendant notre absence. J'ai l'intention de faire un pèlerinage autour du *Tso nyönpo* (1) et de visiter, aussi, d'autres lieux saints de la région. Je ne puis pas savoir combien de temps je resterai en route.

Mipam écrivit la lettre informant son ami Paldjor de l'échec qu'il avait subi à Lhassa, il lui disait son désir de ne pas reprendre immédiatement la direction de ses affaires et le priait de continuer à s'en charger. Il n'envoyait aucun message au *doubthob,* convaincu que celui-ci n'ignorait rien de ce qui lui était arrivé à Lhassa, l'avait même connu d'avance et le lui avait fait voir en lui montrant l'image de Dolma s'effaçant, s'engloutissant sous une impalpable marée de brumes. Il obéissait à l'ordre qu'il lui avait donné, il ne rentrait pas à Dangar ; il partait, en pèlerin, non point vers les dieux du grand Lac bleu, comme il l'avait annoncé à Kalzang, mais vers « l'aube » et « l'éveil ».

A Charakouto, le premier village que l'on rencontre au sortir des *tchang thangs* déserts, Mipam avait un agent commercial, un petit marchand chinois qui entretenait des relations avec les tribus de pasteurs campant sur les territoires environnants. Il se ravitailla chez lui, se fit donner de l'argent sur son compte et prit le chemin du lac.

_____

(1) Nom tibétain du grand lac inscrit sur les cartes sous son nom mongol : Koukou-nor. Ces noms signifient tous deux : Lac bleu.

— Qu'a donc notre *tsongpön* ? demandèrent les trois *trapas* à Kalzang qu'ils supposaient mieux informé qu'eux.

Et ce dernier, estimant que sa discrétion avait été d'assez longue durée et heureux de s'en libérer, répondit :

— Il est allé à Lhassa pour chercher la fille qu'il aime ; son père la lui a refusée et elle n'a pas osé s'enfuir avec lui.

— N'est-ce que cela, il se consolera, dit l'un des *trapas*. Quand la belle saison sera passée et que la neige couvrira de nouveau le pays, il retournera dans la jolie maison, et alors, revoyant ses magasins, ses marchandises et ses clients, il redeviendra vite le malin *tsongpön* que nous avons connu.

— A moins qu'il ne devienne un saint, répondit lentement Kalzang. Ses pensées sont toutes tournées vers la religion, il se plonge dans la méditation... Il m'est arrivé de le voir nimbé de lumière dorée.

— *Kyab sou tchiwo !* s'exclamèrent les *trapas* au comble de l'étonnement. Alors il ne reviendra pas.

Et tous, très graves, saisis de respect, joignirent leurs mains, les paumes pressées l'une contre l'autre, les doigts étendus, et les élevant à la hauteur de leur front (1), ils demeurèrent immobiles, les yeux fixés sur la piste par où le jeune homme s'en était allé. Les amours humaines comptent pour peu au Tibet, et la seule passionnante aventure qu'y courent les héros admirés par la foule est d'ordre spirituel.

Dolma, devenue prisonnière, monta dans sa chambre. Elle savait que, le lendemain, les lourdes portes de la cour s'ouvriraient de nouveau et que, chaque jour suivant, des possibilités matérielles d'évasion s'offriraient à elle, mais, avec une certitude plus grande encore, elle savait que son hésitation et son recul au seuil de la maison venaient de briser irrémédiablement les liens qui l'attachaient à Mipam. Plus clairement qu'elle ne l'eût fait avec ses yeux, elle le voyait s'éloignant de Lhassa dans la nuit : jamais elle ne serait sa femme. Comment une chose si contraire à son désir s'était-elle produite ? Un démon jaloux de son bonheur, l'avait-il ligotée ? — Qui donc s'était interposé entre elle et la femme envoyée pour l'emmener et l'avait,

(1) Une forme de salutation religieuse empruntée à l'Inde.

soudainement, repoussée dans la cour ? — Elle ne réussissait pas à le comprendre. En proie à la fièvre, des images confuses et terrifiantes surgissaient devant elle.

Quand Tséringma retourna chez elle, le lendemain matin, après avoir passé la nuit en accomplissant des pratiques de dévotion, elle trouva sa belle-fille délirant. Un son paraissait l'obséder, le son grave de quelque chose de lourd qui choit, ou celui d'un *radong*. La malade l'imitait, il paraissait la torturer, et ni son père ni sa belle-mère ne pouvaient deviner que ce qui hantait sa pensée était le bruit des battants de la porte massive se refermant sur elle, la séparant, pour toujours, de celui qu'elle aimait.

La singulière et soudaine maladie de Dolma devait, pensait Ténzing, être causée par un démon ou par un *Lou* que, soit elle, soit lui, avait inconsciemment offensé. Ces êtres sont excessivement susceptibles et, pour se venger du plus léger manque d'égard, accablent les hommes de maux épouvantables. Certains de ces invisibles ennemis s'y complaisent même par pure méchanceté, sans attendre d'avoir quoi que ce soit à reprendre à la conduite de leurs victimes.

Ténzing fit appeler un docteur en renom et requit respectueusement les bons offices d'un lama *gyudpa*. C'était surtout sur ce dernier qu'il comptait, car les attaques des mauvais esprits ne se repoussent pas avec des médicaments. La bataille, contre eux, se livre à l'aide d'exorcismes, de conjurations, de menaces et de complaisances. Discerner la personnalité de l'ennemi et les moyens de l'apaiser ou de réduire à l'impuissance demande une perspicacité et un savoir que seuls les grands *gyudpas* possèdent. Ténzing, capable d'offrir des honoraires élevés, s'était adressé à l'un des plus éminents d'entre eux. Dans une pièce mise à sa disposition, le lama installa une vingtaine de *trapas,* ses élèves, et la célébration des rites commença. De temps en temps le maître venait y présider, assis sur une sorte de trône. La maison de Ténzing retentit du son des clochettes et des tambours, des tonitruants cris rituels et du bourdonnement des psalmodies. Pour Dolma, brûlante de fièvre, la tête douloureuse, ce vacarme représentait, amplifié au centuple, le bruit lourd des vantaux pesants de la porte qui se refermait devant elle. La plupart du temps, elle demeurait à peu près inconsciente, revivant perpétuellement le drame de son bonheur perdu. Un jour, un peu plus lucide, elle avait supplié son père de faire cesser le tapage qui la torturait. Ténzing en avait référé aux acolytes du *gyudpa ;* ceux-ci, moitié de bonne foi, moitié par crainte de voir écourter une période de plantureux repas et réduire les honoraires espérés, en proportion de l'abréviation des offices, déclarèrent avec vigueur que la souffrance éprouvée par la jeune fille était un signe excellent dénotant l'efficacité de leurs pratiques. Le démon, ayant causé la maladie, s'irritait, expliquaient-ils, en voyant contrecarrer ses desseins, et en sentant qu'il allait être vaincu. Il s'efforçait donc de faire cesser la célébration des rites qui brisaient son pouvoir et, pour y parvenir, il infligeait à la malade des douleurs que celle-ci attribuait, à tort, au bruit produit par les instruments rituels et les récitations des moines. En fait, ce n'était pas elle, mais le démon que ce bruit tourmentait, les sons des clochettes et des tambours, la mélodie des *gyalings* et les voix des officiants formaient un concert agréable à l'oreille et bienfaisant pour la malade ; il fallait bien se garder de l'en priver.

Qu'eût pensé à ce sujet le lama *guydpa* lui-même ? — Ténzing, vivement rembarré par des élèves de ce dernier, n'osa pas le lui demander. Il conseilla la patience à sa fille, lui répétant les explications qui lui avaient été données et, l'assurant que les effets heureux de l'intervention des *guydpas* ne tarderaient pas à se manifester. Le tapage continua donc et, avec lui, les souffrances de la triste Dolma.

Malgré tout, après plusieurs semaines de fièvre et de semi-conscience, la jeune fille se trouva mieux ; toutefois sa faiblesse était très grande et les plus grands ménagements lui étaient nécessaires.

Dogyal revint de l'Inde pendant la maladie de Dolma. Il ne pouvait être question de célébrer le mariage projeté, celui-ci fut remis à une date indéterminée. Le jeune homme dut en informer son père qui se proposait de venir assister aux noces. D'ordinaire, les réjouissances qui accompagnent celles-ci ont lieu dans la maison de l'époux, mais dans le cas de Dolma, il devait en être autrement. La jeune mariée ne quitterait pas la maison paternelle pour s'en aller vivre chez son mari, c'était, au contraire, ce dernier qui, devenant en même temps que le gendre de Ténzing son fils adoptif, entrait dans la famille de sa femme, au lieu que sa femme entrât dans la sienne. Pour cette raison, les noces devaient être célébrées chez Ténzing.

Puntsog éprouva une vive contrariété en apprenant que le mariage de Dogyal était remis à un « plus tard » indéfini et que Dolma, après avoir été très sérieusement malade, paraissait se rétablir difficilement. Qu'elle vînt à mourir avant d'être la femme de Dogyal pouvait compromettre la situation du jeune homme. Sans doute, Ténzing lui portait de l'affection, mais ce à quoi il visait, surtout, c'était d'assurer à Dolma, son unique enfant, la jouissance des revenus considérables qu'il tirait de son négoce. Il la voulait dame et maîtresse de sa maison après sa mort ; Dogyal lui était un moyen d'assurer ce plan, mais si Dolma mourait, Ténzing s'intéresserait-il suffisamment à son employé pour vouloir en faire son héritier ? — Il avait des neveux qui ne pouvaient, actuellement, émettre leurs prétentions (1), mais Dolma disparue, Ténzing les préférerait peut-être, à un étranger. Il importait donc que le mariage eût lieu le plus tôt possible. Si Dolma mourait ensuite, la situation de Dogyal, définitivement adopté, n'en souffrirait pas, surtout si sa femme lui avait donné un enfant, un petit-fils de Ténzing.

Puntsog écrivit donc à son fils, lui faisant part de ces réflexions et ce dernier ne manqua point d'en reconnaître la justesse. Cette année-là était celle du grand pèlerinage à Tsari, qui n'a lieu que tous les douze ans. Cette circonstance fournit à Dogyal un prétexte excellent pour presser Ténzing de hâter la célébration du mariage. Il désirait, disait-il, conduire Dolma à Tsari, où, certainement, elle retrouverait la santé et, pour pouvoir voyager avec elle, il était nécessaire qu'ils fussent mariés. L'idée plut beaucoup à Ténzing et à Tséringma qui étaient pieux et avaient grande foi dans l'efficacié des pèlerinages. Dolma paraissait se rétablir peu à peu. Tous trois convinrent de fixer l'époque du mariage peu avant celle du départ du pèlerinage, et ils s'accordèrent pour ne point communiquer leur

_____

(1) Ils ne pouvaient pas épouser leur cousine. Les mœurs du Tibet interdisent formellement le mariage entre parents, même à un degré éloigné.

décision à la jeune fille. Ténzing avait des raisons pour s'en abstenir. Sans rien soupçonner de l'enlèvement avorté, ses réflexions l'avaient conduit à penser que le chagrin ressenti par Dolma en voyant Mipam quitter Lhassa, pouvait être, tout autant que la méchanceté des démons, la cause de sa maladie. Il fallait éviter une rechute. Quant à Dogyal, satisfait de la décision de son futur beau-père, il ne s'informa pas du motif auquel il obéissait en lui demandant de la tenir secrète. L'état de santé de Dolma justifiait, du reste, certaines précautions, l'émotion que suscitent, chez une fiancée, les préparatifs de son mariage pouvait lui être nuisible.

Mipam fuyait au grand trot à travers les *tchang thangs*. Il fuyait en vain. La douleur qui le déchirait l'accompagnait, voletait autour de lui, l'encerclait, s'agrippait à lui ou le devançait pour se dresser devant les pas de son cheval, sous la forme de Dolma se rejetant en arrière et la vision des vantaux de la grande porte se refermant sur elle.

Il la connaissait, cette lourde porte ; pendant son séjour chez Ténzing, il avait entendu chaque soir le bruit sourd de ses battants se heurtant en se joignant et, comme Dolma, il l'entendait résonner sans trève, sonnant le glas de son juvénile amour.

Il fuyait jusqu'à ce qu'il sentît son cheval las ; alors il s'arrêtait au bord d'un ruisseau, mangeait un peu de *tsampa,* buvait de l'eau, trop indifférent à lui-même pour allumer du feu et faire du thé. Souvent même, il négligeait de planter sa petite tente et dormait sous le ciel tandis que son cheval paissait autour de lui.

Il y eut des nuits claires illuminées par la féerie des étoiles, des nuits de lune où les solitudes baignées dans une clarté bleue, se peuplent d'ombres mystérieuses. Il y eut des nuits de tempête et, sur les hauteurs, de soudains ouragans de neige qui amenaient les loups hurlant à proximité de Mipam, et l'obligeaient à veiller jusqu'à l'aube, tenant en main la bride de son cheval apeuré.

Sans but, le jeune homme allait, de-ci de-là, revenant sur ses pas, tournant autour des montagnes verdoyantes. Il se ravitaillait chez les *dokpas* qu'il rencontrait, il lui fallait peu de chose : il n'avait jamais faim.

Il avait passé plusieurs jours au bord du Koukou-nor,

regardant fixement l'île où des ermites vivent séparé. du monde par la vaste étendue du lac (1). Lointaine, celle-ci élevait la crête de son pic au milieu des eaux bleues. Peut-être en une retraite semblable pouvait-on trouver la paix, mais Mipam ne cherchait pas la paix. La misère des êtres, leur impuissance, leurs pitoyables tentatives pour saisir le bonheur s'imposaient de nouveau à sa pensée et plus fortement que jamais. Le naufrage de Dolma et le sien n'étaient qu'un épisode parmi des millions d'autres drames aussi poignants. Misère ! Douleur ! Lui, le compatissant, n'écrasait-il pas chaque jour, sous les pieds de son cheval, des milliers de fleurettes, de brins d'herbe et d'insectes qui aspiraient à la vie... au bonheur, selon leur humble voie.

Un soir, il s'arrêta près d'un grand camp de pasteurs dans le voisinage duquel se trouvait une *banag gompa*. Le lendemain, un sentiment de pitié pour sa monture fatiguée le porta à différer son départ. Son arrivée à la nuit tombante n'avait point été remarquée, mais le matin, à l'aube, des hommes de la tribu aperçurent sa tente et vinrent le voir, curieux de savoir qui il était et ce qui l'amenait dans le voisinage.

— Je suis le *tsongpön* Mipam de Dangar, leur répondit simplement Mipam.

Un *tsongpön* de Dangar : le voyageur n'était donc pas un étranger suspect. Quelles transactions commerciales avait-il en vue ?

— Aucune pour le moment, déclara le jeune homme J'accomplis un pèlerinage au lac et aux lieux saints de la région.

— Très bien.

Les pèlerinages sont en grand honneur au Tibet et les pèlerins sont toujours bien accueillis, surtout lorsque — comme dans le cas de Mipam — ceux-ci sont des gens aisés qui ne mendient pas en cours de route. Les *dokpas* voyaient avec plaisir ce marchand faire connaissance avec leur tribu. Bien que son présent voyage eût pour but la dévotion, il pourrait se souvenir d'eux et revenir les voir

(1) De la rive la plus proche de cette île, la distance est d'environ 40 kilomètres. Il n'y a pas de bateaux sur le lac. Les ermites sont ravitaillés par les fidèles pendant l'hiver, alors que le lac est profondément gelé et qu'on peut le traverser en traîneau.

en acheteur de la laine et des autres produits de leurs troupeaux. Ne serait-il pas habile de le retenir pendant quelques jours afin de nouer avec lui des relations amicales, se demandaient les chefs du camp. Ils se décidèrent à le prier d'être leur hôte au moins pendant une semaine. Le repos ferait du bien à son cheval, disaient-ils. Cet argument qui cadrait avec la pensée de Mipam l'engagea à accepter l'invitation qui lui était faite, mais il y mit la condition qu'il resterait sous sa propre tente plantée à quelque distance du camp afin de n'être pas troublé dans ses exercices de piété. Cette requête, tout à fait conforme aux usages tibétains, sembla parfaitement naturelle. Les *dokpas* emmenèrent le cheval de Mipam pour le placer parmi ceux qui paissaient sous leur garde et le jeune homme fut laissé à ses méditations. Tous les jours des femmes lui apportaient du thé, de la viande bouillie, du beurre et du lait caillé, et Mipam avait, dans ses sacs, une provision de *tsampa*.

Avec cette compréhension de la vie spirituelle que même les plus grossiers des Orientaux possèdent, les *dokpas* se gardaient d'importuner leur invité. Bien que peu capables, eux-mêmes, de penser profondément, tous savaient que, par-delà les préoccupations banales de leur vie, il existe un autre champ d'activité pour l'esprit et que le silence et la tranquillité sont nécessaires à ceux qui veulent l'atteindre. L'exemple de leurs ermites et de ceux, très nombreux, qui vivent occasionnellement dans la retraite pour des périodes de temps plus ou moins longues, apprend cela aux Tibétains, dès leur enfance.

Les pasteurs s'abstenaient de rendre visite à Mipam, mais, de sa tente, celui-ci les voyait vaquer à leurs occupations journalières. Ce spectacle, qu'il avait d'abord regardé machinalement, finit par le tirer des rêveries douloureuses qui l'avaient absorbé depuis son départ de Lhassa. Des pensées adéquates à la vie matérielle ordinaire, rétrécies à sa mesure, inspirant des actes appareillés aux faits auxquels ils doivent répondre, se présentaient à son esprit. Auprès de ces pasteurs animés d'une énergie robuste visant directement le but très simple d'assurer leur subsistance et leur humble bonheur, Mipam redescendait dans le monde des réalités terre à terre et, de là, il jugeait sévèrement sa conduite. Plus encore, elle lui paraissait inexplicable. De même que Dolma s'était demandé si un démon ne l'avait point rejetée dans la maison de son père alors qu'elle en avait déjà franchi le seuil pour aller rejoindre son ami, lui aussi se demandait, maintenant, si un démon ne l'avait point poussé à fuir Lhassa dans la nuit, en y laissant Dolma, au lieu de renouveler sa tentative et d'aller, au besoin, prendre sa chère aimée, lui-même, dans la maison paternelle pour l'emporter au grand galop de son cheval. D'ailleurs, sans imaginer des prouesses de ce genre, il existait bien des moyens de faire fuir son amie ; elle n'était point prisonnière chez son père. La femme qu'il avait vue ne lui avait-elle pas dit, à Dépung, après son échec, qu'elle savait comment s'y prendre pour que celui-ci ne se renouvelât plus ? Pourquoi ne l'avait-il pas écoutée ? C'était là chose vraiment inexplicable. Inexplicable, aussi, son retour à la frontière chinoise et ses présentes courses, sans but, à travers les *tchang thangs*. Qui donc s'était ainsi joué de lui en égarant son esprit et sa volonté ? — Mais voici qu'il se reprenait. Bien tardivement hélas ! Plus de trois mois s'étaient écoulés depuis qu'il avait quitté Lhassa. Que s'y était-il passé pendant ce temps ? — Dolma avait-elle épousé Dogyal ? — Peut-être, mais ce mariage ne l'arrêterait pas. Il était un vol. Dolma s'était promise à lui, nul n'avait le droit de la lui prendre.

Il était décidé à repartir immédiatement pour Lhassa, mais une difficulté surgissait devant lui. En quittant Charakouto, il s'était fait donner par son agent chinois, dans cet endroit, une somme d'argent suffisante pour subvenir, pendant quelque temps, à ses besoins, très minimes, dans un pays de *dokpas,* mais tout à fait insuffisante pour entreprendre un voyage à Lhassa. Allait-il lui falloir retourner chez lui, à Dangar, pour y prendre ce qui lui était nécessaire et se faire accompagner par le dévoué Kalzang ? C'étaient bien des jours de perdus, mais Mipam ne voyait aucun moyen d'éviter ce retard.

Comme il réfléchissait encore, un vol d'oies sauvages passa, en criant, au-dessus de sa tête, volant dans la direction du nord.

« C'est un présage, pensa-t-il. Il doit se rapporter à mon voyage, puisqu'il coïncide avec le moment où j'ai résolu de partir. Est-il bon ou mauvais ? Il serait utile d'en connaître le sens, mais qui pourra me l'expliquer? Y aurait-il, par chance, dans cette *banag gompa* un *mopa* qui en serait capable? Je vais m'en informer. »

Une grande tente noire en étoffe épaisse, tissée avec du poil de yak, servait de temple au primitif monastère et de salle de réunion pour ses moines. Un autel construit en pierres équilibrées les unes sur les autres, sans mortier, y supportait les statues du Bouddha, de Tsong Khapa, le vénéré fondateur de la secte des Gelougspas et du Yidam protecteur de cette secte : Dordji Djigsdjé, le « Grand Terrible ». Sur les côtés de l'autel, un certain nombre de volumes des Saintes Ecritures étaient rangés. Etendues, de l'autel à l'entrée de la tente, deux bandes d'étoffe à rayures noires et blanches, tissées aussi avec du poil de yak, servaient de tapis sur lesquels les *trapas* s'asseyaient en deux rangées se faisant face, laissant, entre eux, un passage qui aboutissait au milieu de l'autel. Proches de ce dernier, en tête des bandes de tapis, se trouvaient les sièges du chef du monastère et de l'*oumdzé*, formés par quelques coussins posés les uns sur les autres. Autour de cette tente-temple, celles des moines étaient dressées.

Comme Mipam s'approchait, l'un de ceux-ci, qui causait avec des confrères, le remarqua et vint avec empressement au-devant de lui.

— Soyez le bienvenu, Kouchog, dit-il. J'ai eu le plaisir de vous rencontrer au monastère de Dangar où vit un de mes oncles. Vous souvenez-vous de moi? Nous avons bu du thé ensemble chez le secrétaire de votre ami le *niérpa* Paldjor.

Mipam ne se le rappelait pas, mais, par politesse, il affecta de reconnaître son interlocuteur. Tandis que ce dernier, très fier d'être en relations avec un riche marchand, continuait à pérorer, le chef du monastère survint et invita Mipam à entrer chez lui. Tous ceux présents se considérèrent comme inclus dans l'invitation, et suivirent Mipam dans la tente de leur supérieur où du thé fut servi.

Après un bavardage général touchant divers sujets sans importance, Mipam en vint à celui qui l'amenait. Il désirait un *mo;* un *mo* concernant une affaire extrêmement sérieuse, qui devait être fait par un expert *mopa* capable, aussi, d'interpréter les signes auguraux. Y en avait-il un parmi l'honorable compagnie des membres de la gompa?

Les *trapas* s'entre-regardèrent, hésitants, puis le chef prit la parole :

— Plusieurs d'entre nous obligent couramment les *dokpas* des environs en faisant des *mos* pour eux ; mais si l'affaire au sujet de laquelle vous désirez des prédictions et des conseils est aussi importante que vous le dites, je vous engage à consulter *alak* (1) Wangtchén. C'est un *ngagspa ralpatchén* (2), un *nieunchés* (3) hors pair, il discerne les choses les plus cachées et il n'est pas une de ses prédictions qui ne se réalise. Il vous éclairera parfaitement sur tout ce que vous voulez savoir.

— Je veux le voir. Où vit-il ?

— Assez loin d'ici. Même en ne s'attardant pas en route, un bon cavalier mettra trois jours pour arriver à son camp.

— Oh ! oh !

— Je vous accompagnerai volontiers pour vous montrer le chemin, proposa le *trapa* qui avait précédemment rencontré Mipam à Dangar.

— Très obligeant de votre part, répondit Mipam, puis il resta silencieux, réfléchissant.

Trois jours pour aller, trois jours pour revenir faisaient six jours. Le *nieunchés,* s'il était sérieux et capable, comme on venait de le lui affirmer, ne se bornerait pas à compter les grains de son chapelet ou à jeter les dés et à se rapporter, d'après le nombre qu'ils amèneraient, à la division correspondante d'un livre divinatoire. Certainement non. Il invoquerait ses déités tutélaires, solliciterait leur présence et leur aide. La célébration de ces rites prendrait au moins trois jours. En tout, c'était neuf à dix jours qu'il fallait consacrer à ce voyage.

D'autre part, il devait se munir d'argent pour retourner à Lhassa ; il y avait déjà songé, mais il entrevoyait, maintenant, le moyen de ne pas ajouter au délai que causerait sa visite au *nieunchés* un second délai occasionné par un voyage à Dangar. Il lui déplaisait, aussi, de se retrouver à Dangar, et d'y être en butte à des questions.

(1) Au nord-est du Tibet le titre *alak* équivaut à celui de *lama*.
(2) « A la grande crinière. » Un religieux qui porte les cheveux longs, à la manière des yogins hindous. Les *ralpatchéns* sont principalement des ermites, ils n'appartiennent pas au clergé officiel.
(3) Nieunchés : « celui qui sait d'avance ». Un voyant.

Paldjor et Tachi menaient bien ses affaires commerciales, il pouvait se fier à eux et ce qui importait, c'était de réparer, sans retard, les effets du coup de folie qui lui avait fait quitter Lhassa sans emmener Dolma.

— Y a-t-il dans le camp un très bon cavalier disposant d'un cheval vigoureux et à l'allure rapide, qui consentirait à aller porter une lettre à Dangar. Il faudrait aller vite.

— Si vous le payez bien pour sa peine, Léndoup ira volontiers, j'en suis sûr, répondit l'un des *trapas*.

— Combien de jours restera-t-il en route ?

— Quatre jours au plus. Il changera sa bête en route s'il le faut. Une de ses sœurs est mariée dans un camp qui se trouve à peu près sur le chemin de Dangar, il pourra prendre un cheval frais chez son beau-frère.

— Cela va. L'un de vous aurait-il la bonté de demander à cet homme de venir jusqu'à ma tente pour me parler. J'y retourne à l'instant pour écrire la lettre qu'il portera.

— J'y vais, j'y vais, crièrent à la fois plusieurs *trapas* comptant être récompensés de leur zèle.

— Je compte sur vous pour me conduire chez le *ralpatchén*, dit Mipam au moine qui s'était offert comme guide.

— Certainement, Kouchog, avec grand plaisir. Si vous le voulez bien nous partirons demain à l'aube.

— Entendu.

— Tandis que vous serez dans cette région, suggéra le chef des moines, allez donc jusqu'à Ngarong gompa. Il n'y a qu'à continuer, plus loin, vers le nord, le chemin est bon. Avez-vous entendu parler de Ngarong gön (1), Kouchog ?

— Vaguement, je crois, répondit Mipam. Une gompa de *riteupas*, n'est-ce pas ?

— Précisément. La plupart des *trapas* de Ngarong sont des ermites qui ne se réunissent que de temps en temps. N'avez-vous pas entendu parler des miracles de Ngarong, des bêtes familières et des tombeaux, des *tulkous* du monastère dans le temple de roc ?

— Non. Excusez-moi, je vous prie, je dois aller écrire la lettre que j'envoie à Dangar. Il n'est pas tard ; peut-être le messager pourra-t-il encore partir aujourd'hui.

En d'autres temps, Mipam aurait volontiers écouté ce

_____

(1) *Gön*, abréviation de gompa.

que l'aimable chef de la *banag* gompa voulait lui raconter. Bien qu'il en eût entendu beaucoup, les histoires de prodiges l'intéressaient toujours. Il s'en fallait qu'il ajoutât aveuglément foi à tous leurs détails, mais il était loin, aussi, d'être totalement incrédule à leur égard. Toutefois, son esprit était présentement occupé de son prochain départ pour Lhassa, des arrangements à prendre pour le voyage et, surtout, des plans à former pour assurer la fuite de Dolma. Avoir son amie trottant bon train à côté de lui, franchir, avec elle, la frontière du territoire chinois et l'amener à Dangar, dans sa maison, était le seul miracle qui l'intéressait, le seul auquel il aspirait.

De retour dans sa tente, Mipam se mit immédiatement à écrire à son associé et ami le *niérpa* Paldjor. En quelques mots il lui expliqua qu'il regrettait amèrement d'avoir si soudainement abandonné la partie à Lhassa et qu'il était décidé à obtenir, cette fois, ce qu'il souhaitait. Il le priait de continuer à veiller à ses affaires commerciales et de lui envoyer, par Kalzang, une aussi forte somme d'argent qu'il lui serait possible et d'abondantes provisions. Kalzang l'accompagnerait de nouveau à Lhassa et il serait heureux que l'un des *trapas* qui y était précédemment allé avec lui voulût bien encore être du voyage. Kalzang et le *trapa* devaient être pourvus de bêtes vigoureuses et amener avec eux trois fortes mules pour porter les bagages, un bon cheval pour Dolma et un autre pour lui, le sien n'ayant point eu de repos depuis son retour de Lhassa. Chevaux et mules pouvaient être choisis dans son écurie et dans celle du *niérpa,* les provisions seraient immédiatement trouvées dans le monastère même ; un jour ou deux suffisaient pour les préparatifs. Kalzang et le *trapa* repartiraient avec le *dokpa,* qui les amènerait au camp où il les attendrait.

Tout étant, ainsi, bien réglé, Léndoup partit pour Dangar ce jour même et Mipam s'en alla le lendemain à l'aube.

13

Alak (1) Wangtchén est un Khampa que les péripéties d'une vie errante et mouvementée ont amené à s'établir, loin de son pays natal, parmi les pasteurs du Koukou-nor. Depuis une dizaine d'années il exerce chez eux, un ministère composite de *ngagspa* — magicien et médecin — et, par une combinaison judicieuse de ses doubles talents, il a acquis une certaine aisance Le prestige de sa personne a peut-être contribué dans une bonne mesure à sa réussite. Wangtchén est un beau géant à la physionomie altière, les femmes tremblent lorsqu'il arrête sur elles le regard volontaire et dur de ses grands yeux noirs et les hommes se sentent mal à l'aise devant lui. Le *ngagspa* est marié et n'a point d'enfants, ainsi qu'il convient aux adeptes des doctrines qu'il professe. Sa femme participe à la célébration des rites qu'il pratique ; ses occupations de ménagère se bornent à surveiller le travail de deux couples de serviteurs qui soignent le bétail. Les dons renouvelés des clients de Wangtchén et les naissances dans le troupeau, au cours de dix années, ont donné à ce dernier une certaine importance. Il se compose d'un millier de têtes, tant moutons que yaks et chevaux, et les revenus que les époux en tirent sont appréciables. Les tentes de Wangtchén se dressent loin de tous campements,

(1) Au nord-est du Tibet région d'Amdo, du Koukou nor, etc., le titre « alak » correspond à peu près à celui de lama. Les simples moines y sont dénommés « aka » au lieu de « tcheupa » qui est l'appellation courante au Tibet central.

en pleine solitude ; elles sont trois, de dimensions différentes et faites d'étoffe noire comme celles des *dokpas*. Dans la plus grande vivent les époux, une autre abrite leurs domestiques et dans la troisième, plus petite, le *ngagspa* célèbre des rites magiques et se retire pour communiquer avec ses dieux tutélaires ou se livrer à la méditation.

Suivant la coutume, lorsqu'ils furent arrivés à proximité du camp, le guide de Mipam le devança pour annoncer son arrivée. Il ne manqua point de dépeindre sous les plus brillantes couleurs le visiteur qu'il précédait et de mettre en relief la principale de ses qualités : celle d'être riche.

Le *ngagspa* se sentit flatté de ce qu'un citadin, marchand opulent, s'en vînt requérir son ministère et, sans toutefois se départir de son air majestueux, il fit bon accueil au voyageur :

— Je ne veux pas entendre, ce soir, les questions que vous désirez me poser, déclara-t-il à Mipam, dès que celui-ci lui eut offert une écharpe lestée de lingots d'argents noués dans l'une des extrémités et que les politesses d'usage eurent été échangées. Réfléchissez bien pendant la nuit. Rappelez-vous les détails qui peuvent modifier la direction de ces questions ou en motiver d'autres, puis, demain matin, vous viendrez me revoir et les formulerez très nettement... »

Ce début impressionna le jeune homme. « Voici un homme sérieux et entendu », pensa-t-il.

Le repas du soir fut servi, la conversation porta sur divers sujets sans intérêt direct pour Mipam et ce dernier se retira dans la tente qu'il avait apportée.

Il considéra de nouveau les questions qu'il avait préparées, elles ne semblaient pas donner lieu à des modifications. Il n'avait qu'à les répéter au *ngagspa* comme il les avait conçues.

Le lendemain, il se retrouvait devant son hôte.

— Veuillez, lui dit-il, répondre aux questions suivantes :

« Les circonstances sont-elles favorables pour entreprendre le voyage que je projette ?

« Ce voyage aura-t-il le résultat que je souhaite ?

« La personne qui m'a donné ce reliquaire, une jeune fille née dans l'année Oiseau de Terre (1), est-elle mariée ?

« Il y a quatre jours, au moment où je venais de me décider à entreprendre mon voyage, un vol d'oies sauvages est passé au-dessus de ma tête, se dirigeant vers le nord. Quel est le sens de ce présage ?

— Est-ce tout ? demanda le *ngagspa*.

— Oui.

— Très bien. Vous m'avez dit, hier, que le résultat de ce voyage était de la plus haute importance pour vous.

— C'est ainsi.

— Je ne me contenterai donc pas d'exercer ma seule clairvoyance. Je ferai appel à celle de mes puissantes déités tutélaires. Quant à la question concernant le mariage de cette fille, je puis aussi vérifier ma clairvoyance en envoyant un des génies qui me servent s'assurer, sur place, que je n'ai point commis d'erreur. Ce sont de simples précautions dont j'userai pour vous donner la certitude qui vous est nécessaire, mais, en réalité, elles sont inutiles. Je ne me trompe jamais.

« Allez maintenant, lorsque je serai renseigné, je vous ferai appeler.

Mipam se trouvait donc immobilisé pour un temps indéterminé. Il informa le *dokpa* qui lui avait servi de guide qu'il ne pouvait savoir quand il s'en retournerait au camp, et ce dernier, qui y avait de la besogne, prit congé de lui.

Le *ngagspa* se retira, alors, dans sa petite tente, et Mipam flâna aux alentours pour tromper son impatience. Trois jours s'écoulèrent, Wangtchén ne reparaissait pas. Sa femme lui portait ses repas dans sa tente ; il y couchait, aussi, ou peut-être veillait, car, pendant la nuit, l'on entendait le bruit sourd du martèlement rythmé de son tambour. Sans aucun doute le *ngagspa* se livrait à une besogne sérieuse, elle inspirait confiance à Mipam, mais il trouvait qu'elle durait bien longtemps. Kalzang allait bientôt arriver au camp des *dokpas* avec de l'argent, des bêtes et des provisions, le temps pressait.

Obéissant machinalement aux coutumes de son pays,

_____

(1) Dénomination se rapportant au *Lo khour* ou cycle de soixante années du calendrier tibétain.

Mipam avait tenu à consulter le sort avant de se mettre en route, mais il était bien décidé à partir, quelles que fussent les réponses du *nieunchés*.

Le quatrième jour après son arrivée, au coucher du soleil, Wangtchén le fit appeler et lui communiqua ce qu'il avait découvert :

— Premièrement : le voyage que vous projetez n'a aucune raison d'être. Ceci répond à vos deux premières questions.

« Secondement : La fille n'est pas mariée.

« Troisièmement : Les oies vous montraient le chemin.

Mipam demeurait abasourdi.

— Cela n'a pas de sens ! s'exclama-t-il. Mon voyage a un motif très clair. Je n'ai pas demandé d'avis à ce sujet. Il a d'autant plus de raison d'être que la fille n'est pas mariée. Ces deux réponses sont tout à fait contradictoires. Et quel chemin me montraient ces oies ? Elles se dirigeaient vers le nord et l'endroit où mes affaires m'appellent, est au sud. Tout cela est parfaitement absurde !

— Mes réponses ne sont jamais absurdes ! vociféra Wangtchén devenu soudainement rouge de colère. Vous êtes le premier qui ose me contredire ainsi. Tant pis pour vous si vous n'êtes pas capable de discerner la vérité qui vous est présentée. Quelque démon doit causer votre aveuglement.

Mipam n'était pas habitué à s'entendre parler sur ce ton. Il se fâcha.

— Dites ce que vous voudrez, moi je connais le but de mes demandes et les faits auxquels elles se rapportent, je sais que vos réponses n'ont aucun lien avec eux.

— Bien ! Allez donc questionner de plus savants que moi, s'il vous est possible d'en trouver... Tenez, allez donc à Ngarong *gompa*, ce n'est pas loin d'ici ; vous pourrez y passer la nuit au pied du trône de Yéchés Nga Dén, devant les tombeaux des *tulkous* de sa lignée spirituelle. On dit que ces lamas envoient des rêves ou des visions à ceux qui sollicitent leur avis. Mais oui, allez-y donc. Les défunts *tulkous* vous inspireront sans doute plus de confiance que moi ; mais ce que je puis vous assurer, c'est que si leurs réponses diffèrent des miennes, elles seront fausses. Je ne me trompe jamais... Tenez, allez-vous-en ! Il est heureux pour vous que je sois animé de sentiments charitables. Si cela n'était, j'aurais déjà appelé les démons à qui je commande et leur aurais ordonné de me venger de votre insultante incrédulité.

— Je n'ai pas eu l'intention de vous offenser, Kouchog, répliqua Mipam qui, sans être le moins du monde poltron, préférait, cependant, éviter de s'attirer l'inimitié d'un *ngagspa*. Je pense seulement que vos réponses ne s'appliquent pas à ce que j'ai demandé et...

— C'en est assez ! interrompit le *nieunchés* dont la colère croissait. Je ne veux pas en entendre davantage. Puissiez-vous ne pas supporter les effets de votre stupidité !

Il n'était point possible d'insister. Mipam salua et se retira. « J'ai perdu mon temps et mon argent, se disait-il tandis qu'il se dirigeait vers sa tente ; je n'ai obtenu aucun éclaircissement, sauf celui-ci : Dolma n'est point mariée. C'est, en somme, le point qui m'intéresse le plus. Je m'en veux d'avoir irrité ce *nieunchés*. C'est fâcheux. Quoi qu'il en ait dit, il pourrait bien lui venir à l'idée de s'en venger, sur moi ou sur Dolma. Ah ! non, pas cela !... » La pensée que son amie pourrait courir un danger bouleversait le jeune homme. Il voulait coûte que coûte apaiser l'irascible *ngagspa* : lui offrir un cadeau était le meilleur moyen d'y parvenir.

Mipam changea de direction et s'en alla au-devant d'un des domestiques qui ramenait les moutons au camp.

— Il faudra que tu amènes, ce soir, mon cheval près de ma tente ; je partirai demain avant le jour, lui dit Mipam. Va aussi prier *Youm Kouchog* (1) de venir me voir pendant un instant ; j'ai à lui parler. Je te donnerai ta gratification ce soir et tu diras à ton camarade de venir avec toi pour recevoir la sienne.

— *Lags so, Kouchog,* dit l'homme. Je vais faire ce que vous me dites dès que j'aurai enfermé les moutons dans le parc.

— Où donc est Ngarong *gompa* ? Le sais-tu ?

— Oui, Kouchog.

— Est-ce loin ?

— En partant d'ici à l'aube, ne s'arrêtant pas longtemps

(1) Appellation très polie désignant l'épouse d'un lama. Littéralement elle signifie : « Madame mère. »

pour le repas de midi et faisant de même le lendemain, on peut aller à Ngarong en deux jours.

— Comment trouver le chemin ?

— Je vous accompagnerais volontiers, mais il faudrait la permission d'*alak*.

— Ne la lui demande pas, dit vivement Mipam. Je n'ai pas l'intention d'aller à Ngarong, pour le moment. On m'attend au camp d'où je suis venu.

— Ah ! bien. Vous pourriez trouver le chemin tout seul. Il n'y a qu'à tourner derrière la colline que vous voyez là, à droite, et remonter la vallée jusqu'à un col. De ce col on aperçoit une rivière qui coule à l'extrémité d'un très grand *thang* (plateau), il faut le traverser et gagner le bord de la rivière, il y a des *dokpas* de ce côté, on peut leur demander le chemin.

— Bon, bon, dit Mipam. Il n'avait guère prêté attention aux explications du bonhomme, son esprit était occupé d'autre chose. Ne ferait-il pas mieux de partir immédiatement ? Il pouvait encore, avant la nuit, fournir une petite étape qui raccourcirait d'autant le trajet qu'il avait à parcourir. Plus tôt il serait de retour au camp, mieux cela vaudrait. Ses gens allaient y arriver le surlendemain ou le jour suivant, il partirait immédiatement pour Lhassa.

Dans ces dispositions il regagna sa tente et y attendit l'épouse du *nieunchés*. Celle-ci tarda beaucoup. Mipam lui exprima les regrets qu'il éprouvait de ce qu'Alak Wangt-chén se fût mépris sur ses sentiments qui n'avaient rien d'offensants pour lui. Il ajouta qu'il ne mettait nullement en doute son grand savoir de devin et appuya ses excuses du poids d'une écharpe à l'une des extrémités de laquelle quelques lingots d'argent étaient noués. La dame se montra, alors, extrêmement gracieuse ; elle insista longue-ment pour que Mipam ne parte pas sans revoir son mari et l'invita à venir souper avec lui. Mipam résista poliment à ses instances et la compagne du *ngagspa* finit par le laisser, mais beaucoup de temps s'était écoulé en attente et en conversation. Il était trop tard pour partir. Mipam se résigna à remettre son départ au lendemain.

Il dormit peu, retournant dans son esprit les réponses incohérentes qu'il avait reçues du *nieunchés* et s'efforçant vainement de les accorder. Se pouvait-il que le voyage qu'il était sur le point d'entreprendre et les moyens qu'il songeait à employer pour emmener Dolma en Chine ne fussent pas la bonne voie à suivre pour arriver à ses fins ? Fallait-il agir autrement que comme il se le proposait ? Obtiendrait-il des éclaircissements à ce sujet s'il les demandait à Ngarong ? Voilà deux fois qu'on lui parlait de ce monastère. Le chef de la *banag gompa* avait mentionné son nom, il s'en souvenait, mais ce qu'il lui avait dit à ce propos, il ne se le rappelait pas. Devait-il voir un signe dans cette insistance, et l'avis qu'il cherchait lui viendrait-il de Ngarong s'il allait l'y demander, ou bien, une aberration analogue à celle qui l'avait saisi le soir où il avait quitté Lhassa était-elle de nouveau à l'œuvre, l'attirant de-ci, de-là, retardant son départ. Tandis qu'il s'attardait, Dolma qui « n'était pas encore mariée » pouvait épouser Dogyal. Il semblait même, d'après ce que Ténzing lui avait dit, que ce mariage aurait déjà dû avoir lieu. Non, il ne consentirait plus à de nouveaux délais.

La nuit touchait à sa fin, Mipam replia sa petite tente, alla chercher son cheval attaché à un piquet par une longue corde qui lui permettait de circuler et de paître, le sella, le chargea de ses légers bagages, l'enfourcha, et partit dans la direction d'où il était venu. Il avançait au petit trot, l'obscurité qui régnait encore ne lui permettait pas de distinguer clairement la piste qui traversait des terrains herbeux et, parfois, n'était même plus marquée.

Les pensées qu'il avait agitées pendant la nuit lui revenaient ; son indécision croissait, il essayait de peser le pour et le contre de cette alternative : s'entourer de plus de lumière avant de partir pour Lhassa, ou bien partir sans s'attarder davantage, comme il l'avait décidé. La perplexité à laquelle il était en proie affolait Mipam, il ne doutait plus que quelque démon n'essayât d'égarer son esprit pour se jouer de lui.

— Non ! cria-t-il soudainement. Je n'écoute rien, je n'ai pas besoin de *mos*. Peu importe les obstacles que l'on cherche à me susciter, mon amour les vaincra. Je partirai immédiatement pour Lhassa.

Et, sortant de sa rêverie, il donna un coup de talon (1) dans le ventre de son cheval qui partit au galop. La

(1) Les cavaliers tibétains ne se servent pas d'éperons.

secousse que ce brusque changement d'allure imprima au cavalier lui rendit la pleine conscience de son entourage qui lui avait échappé tandis qu'il s'abstrayait dans ses pensées.

Il faisait grand jour, le soleil se levait. Il se trouvait dans une vallée étroite qu'il ne se souvenait pas d'avoir parcourue en venant chez le *ngagspa*. On arrivait à son camp, il se le rappelait bien, par une vaste plaine. Il aurait dû, aussi, voir le soleil se lever à sa gauche, tandis que les rayons qui l'annonçaient émergeaient des cimes se trouvant à sa droite. Par manque d'attention il avait laissé son cheval prendre une fausse direction. Devait-il rebrousser chemin ? Derrière lui, trois vallées convergeaient vers celle qu'il suivait maintenant. Par laquelle de celles-ci était-il venu ? Il n'en avait pas la moindre idée.

Qu'allait-il faire ? Un cavalier ne se perd pas irrémédiablement dans les *tchang thangs*, surtout en été alors que les *dokpas* campent en terrain découvert. Tôt ou tard, il apercevrait des tentes où il pourrait aller demander son chemin. Tôt ou tard, mais l'idée de ce « tard » déplaisait fortement à Mipam. Il était venu par l'une des trois vallées qui s'ouvraient, au-dessous de l'endroit où il se trouvait, cela était un fait certain. Il pouvait donc redescendre l'une d'elles, au hasard, et si elle ne le ramenait pas en vue du camp d'Alak Wangtchén, il n'aurait qu'à revenir sur ses pas et à tenter la chance par une autre des trois vallées, quitte, s'il se trompait encore, à revenir de nouveau pour prendre la troisième de celles-ci qui, alors, infailliblement, le conduirait au lieu d'où il s'était écarté de sa route. Toutefois, la perspective de ces allées et venues n'était guère plaisante, elles lui prendraient peut-être toute une journée.

Quelle malchance le poursuivait donc ?

Le sentier à peine marqué sur lequel il s'était engagé montait en pente douce vers une arête de montagne. Qui sait si, de ce sommet, il ne pourrait pas distinguer la direction suivie par les vallées divergentes et la plaine d'où il venait. La distance qui l'en séparait ne semblait pas très considérable, il pouvait y avoir avantage à la parcourir plutôt que de tenter l'épreuve des vallées. Tout ennuyé qu'il fût de s'écarter encore davantage de son chemin, Mipam continua en avant.

Il s'était passablement trompé dans l'évaluation de la longueur du sentier menant au sommet. De l'endroit d'où il l'avait regardé, celui-ci paraissait s'élever graduellement sur un même versant. Un repli de la montagne produisait cette illusion. En réalité, après avoir atteint le haut d'une première pente, le sentier descendait dans une vallée, d'où il remontait en zigzaguant sur un second versant que Mipam avait cru être la continuation ininterrompue de celui qu'il voyait devant lui. Il mit deux heures à gagner la crête de la montagne. Le chemin y passait par un col. De là, Mipam vit, loin au-dessous de lui, un immense plateau. A l'extrémité de celui-ci, vers le nord, une rivière coulait au pied d'une autre chaîne de montagnes. La description faite par le serviteur du *nieunchés* lui revint soudainement à la mémoire : « Un large *thang,* une rivière coulant à son extrémité... » Il était sur le chemin de Ngarong.

En pareille circonstance, pas un Tibétain n'eût douté que la conduite de son cheval, changeant de direction, et son propre manque d'attention qui ne lui avait pas permis de s'en apercevoir, n'eussent été provoqués par une puissance occulte. Mipam, pétrifié par la surprise, voyait, dans cet incident, l'œuvre du même pouvoir qui semblait régir sa vie et contrecarrer tous ses projets. Sa fuite de Lhassa et les retards qu'il faisait lui-même subir au voyage qui devait l'y ramener, étaient dus à une volonté différente de la sienne et dont il était le jouet. Voulait-elle son bien ou son malheur ? Un être, déité ou démon, était là, sans doute, invisible pour lui, le guettant, épiant les sentiments que lui causait la surprise de se trouver à cet endroit, ricanant méchamment, peut-être, parce qu'il avait éloigné, encore davantage, le moment où il retrouverait Dolma.

Qu'allait-il faire ? Irait-il à Ngarong comme *on* l'y poussait ou lutterait-il encore en revenant sur ses pas et tentant de revenir au camp d'Alak Wangtchén par l'une ou l'autre des trois vallées. Mipam se sentait faible, environné d'un mystère inquiétant.

— Dolma ! murmura-t-il, ma petite, chère Dolma !...

Ses yeux s'emplissaient de larmes.

« Allons à Ngarong, décida-t-il avec lassitude. Peut-être y aurai-je l'explication des réponses obscures du *nieunchés.* Les plans que j'ai formés peuvent n'être point ceux qui doivent m'assurer le succès

Il avait déjà mille fois examiné, ou cru examiner ces mêmes pensées ; en vérité, il les subissait. Elles se déroulaient automatiquement, passant et repassant dans son esprit, le harassant, le brisant.

Au bord de la rivière, il trouva les camps dont lui avait parlé le domestique d'Alak Wangtchén et s'y informa du chemin conduisant à Ngarong.

— Je puis y arriver demain, n'est-ce pas ? demanda-t-il aux *dokpas*.

— Demain ! s'exclamèrent ceux-ci. Non certes, Kouchog. Après-demain soir, peut-être, ou le jour suivant.

Mipam ne fit point de remarque. Il lui semblait bien que le berger du *nieunchés* avait dit que le trajet ne prenait que deux jours, mais il pouvait avoir mal compris, ou bien l'homme s'était trompé. Mipam s'attendait au pire.

Sur l'autre rive de la rivière, le sentier montant, descendant et remontant continuellement, s'enfonçait au cœur de la montagne. Mipam passa la nuit près d'un tout petit lac serti au fond d'un cirque minuscule. La journée suivante s'écoula sans que rien n'annonçât la proximité d'un monastère et, à la tombée du soir, Mipam s'arrêta en face d'une grande caverne à quelque distance de laquelle coulait un ruisseau. L'herbe était abondante, son cheval aurait de quoi paître, et, lui-même, trouverait un abri sous le toit de rocher.

Mipam dessella sa bête, la laissa libre tandis qu'il soupait puis, ayant transporté ses bagages dans la caverne, il attacha l'animal à un fort piquet, lui laissant une liberté suffisante au bout d'une longue corde pour qu'il puisse continuer à brouter l'herbe pendant la nuit. Ayant vaqué à ces soins Mipam se coucha et s'endormit presque aussitôt.

Le bruit de pas mous tournant autour de lui et un souffle chaud passant sur sa figure le réveillèrent. La nuit était claire, il vit près de lui un ours qui, la tête penchée vers lui, l'examinait. C'était un ours au pelage couleur isabelle, de l'espèce dénommée *démo*. Les ours sont nombreux dans les *tchang thangs*. Lors d'une rencontre analogue, l'hiver précédent, Mipam avait cru que la bête s'était rendu compte de la sympathie qu'il éprouvait pour elle et y avait répondu en regagnant, non loin de son camp, la tanière dont la peur l'avait fait fuir. Toutefois, en cette occasion, il ne se trouvait pas dans l'antre même de l'animal, une distance très appréciable l'en séparait et quatre hommes armés l'accompagnaient. Le *tsongpön* n'était plus le petit garçon candidement prêt à jouer avec un léopard ; il avait, plus d'une fois, entendu raconter que des voyageurs solitaires s'étant abrités dans le repaire d'un ours, en l'absence de ce dernier, avaient été mis à mal par lui à son retour dans son logis. Il savait que ces histoires étaient vraies, mais il n'était pas de ceux qui attaquent par crainte d'être attaqués ; l'ours ne semblait pas menaçant, l'immobilité de l'intrus qu'il trouvait chez lui pouvait le rassurer et l'engager à s'éloigner. Après l'avoir flairé pendant quelque temps, l'animal alla se coucher contre le roc, de l'autre côté de la caverne. Mipam demeurait toujours immobile, incapable de se rendormir si près de cet inquiétant compagnon. Et, comme il ne dormait pas, la similitude de la situation réveilla dans sa mémoire son tête-à-tête dans la forêt avec le léopard et son geste instinctif pour lui sauver la vie quand la flèche empoisonnée de son frère menaçait de le tuer. Il se rappelait, dans ses moindres détails, cette aventure singulière de son enfance, il se rappelait aussi les sentiments qui l'animaient alors, son rêve d'universelle amitié. Il avait aimé l'ami à la robe tachetée qui était venu se coucher auprès de lui. L'aimait-il aussi, ce gros ours qui dormait ou, peut-être, songeait à quelques pas de lui ? Serait-il prêt à renouveler le geste d'autrefois, si le même danger menaçait le pesant animal qui l'avait si attentivement examiné. Il s'interrogea, scrutant les plus secrètes profondeurs de son être et, répondant à cette investigation, la flamme mystique ancienne, qui sommeillait en lui, jaillit, l'envahit, le brûla divinement. Oui, il aimait cet ours poilu et lourd comme il avait aimé le svelte léopard, au péril de sa vie, et comme il avait aimé ses yaks, bravant, pour eux, la misère, leur épargnant la mort au prix de tout ce qu'il possédait. Il aimait tous les êtres : les faibles et ceux qui paraissent forts et sont souvent les plus faibles de tous. Bonheur à tous ! Que n'était-il un dieu puissant, capable d'inonder le monde d'un flot de bonheur !

Près de lui, l'ours sommeillait ; le bruit égal de sa respiration et le babillage continu du ruisseau voisin berçaient la rêverie de Mipam.

— Ils m'ont pris Dolma, murmura-t-il, parlant à lui-même, et je l'aime, Dolma ; mais qu'elle soit heureuse, heureuse loin de moi, si son bonheur doit y être plus grand que celui que je pourrais lui donner. Je ne te veux pas captive, Dolma ; j'ouvre les bras qui voulaient se serrer sur toi, te saisir, t'emporter, te garder. Dolma, ce n'est pas moi que j'aime en t'aimant, c'est toi, toi seule, petite fée de mon enfance...

Confusément, le jeune homme discerna une procession de figures lumineuses entrant dans la caverne, un chœur de voix lointaines chantait des paroles qu'il ne pouvait saisir... Il s'abîma dans l'extase.

Quand il reprit conscience de ce qui l'entourait, le jour commençait à poindre. L'ours dormait toujours. Mipam le regarda amicalement et quitta doucement la caverne. Près du ruisseau, il mangea un peu de *tsampa,* but de l'eau, sella son cheval et se remit en route.

Vers la fin de la matinée, tandis qu'il descendait, à pied, une pente très raide, quelques gazelles bondirent devant lui et, au lieu de fuir, le suivirent jusque dans la vallée. Voyant un petit cours d'eau serpenter au fond de celle-ci, Mipam décida d'y prendre son repas du milieu du jour. Il s'assit donc près du ruisseau et déballa ses vivres, tandis que les gazelles continuaient à le regarder.

Cette région doit être peu fréquentée et les chasseurs n'y viennent certainement pas, pensa Mipam. Nulle part je n'ai vu les animaux sauvages se montrer aussi familiers. Ayant fini de manger, il humecta de la *tsampa* avec de l'eau, en forma un certain nombre de boulettes et déposa celles-ci sur des pierres.

— Je vous invite à ce petit repas, dit-il en souriant, s'adressant aux gentils animaux. Puis il s'éloigna, gravissant les pentes qui bordaient la vallée. Il avait à peine fait quelques pas que toutes les gazelles accoururent et mangèrent l'offrande qu'il leur avait laissée ; puis elles se mirent à paître et à folâtrer dans les prairies. Le sentier suivi par Mipam devenait de plus en plus mal marqué, le jeune homme commençait à craindre de s'égarer, lorsque, peu avant le coucher du soleil, un défilé qu'il suivait s'élargit, fit un brusque coude et Ngarong *gompa* lui apparut soudainement.

Le site était singulier. Le monastère lui-même se dressait sur une crête formée par des rocs blancs, affectant l'aspect de bâtiments faits de main d'homme. De l'endroit où il se trouvait, Mipam distinguait des colonnades, des portiques, des pyramides et des murailles crénelées. Les constructeurs de la *gompa* avaient utilisé ces édifices naturels, se bornant à des compléter. Devant le monastère, au pied de la falaise sur laquelle il était perché, s'étendait un vaste *thang* où aboutissaient cinq vallées. De-ci, de-là, blottis au fond de celles-ci, ou perchés haut, sur les pentes qui les bordaient, de nombreux ermitages s'apercevaient, beaucoup d'entre eux ayant utilisé, comme le monastère, lui-même, des cavernes ou des rocs formant des chambres naturelles. Des ruisseaux descendaient le long des flancs des montagnes, et se jetaient dans une rivière coulant paisiblement parmi les alpages. L'ensemble du paysage respirait un calme heureux et dégageait une impression d'extrême solitude.

Ainsi, il était arrivé à Ngarong ; il ne lui restait qu'à monter vers la *gompa*. Celle-ci n'était pas abordable par la falaise, mais un sentier s'engageant dans la vallée qu'elle dominait paraissait y conduire en la contournant. Mipam traversa le *thang*, rétréci dans la partie où il avait abouti, passa la rivière peu profonde et gravit le sentier qu'il avait aperçu de loin. Comme il l'abordait, un gong résonna dans le monastère, puis le silence retomba.

En cours de route, Mipam passa au-dessous d'un ermitage. Celui-ci était hermétiquement clos et nul bruit ne s'entendait décelant les mouvements d'un habitant. Le chemin finissait sur un plateau dont le monastère occupait l'extrémité, coupée à pic. Personne n'était visible aux alentours. Mipam s'approcha d'une porte rustique, très massive, encastrée dans une muraille rocheuse et, la trouvant fermée, y frappa. Un temps assez long s'écoula, puis les verrous de bois furent tirés et un vieux *trapa* apparut. Il ne proféra pas une parole pour questionner le voyageur, mais l'interrogea du regard, sans le laisser entrer.

— Je suis un marchand de Dangar, mon nom est Mipam. Je désire poser une question devant les tombes de vos lamas, les *tulkous* de Yéchés Nga Dén, afin d'en obtenir la réponse par un signe ou par un rêve. L'avis dont j'ai besoin concerne une chose qui m'est plus chère que la vie. Pourrais-je, aussi, être admis en présence de votre lama lui-même ?

Le *trapa* regarda curieusement le solliciteur. Sans

répondre, il se recula et ouvrit plus largement la porte pour donner passage au cheval. Mipam comprit qu'il lui était permis d'entrer.

Il fut guidé à travers des rues tortueuses singulièrement bordées de rocs transformés en habitations. Leurs formes bizarres qui n'avaient point été altérées par les constructeurs du monastère donnaient à ce dernier une apparence fantastique. Mipam fut introduit dans une chambre irrégulièrement voûtée, éclairée par une large ouverture dans le roc. A travers celle-ci, on apercevait le vaste *thang* s'étendant au-dessous de la falaise, son prolongement dans le lointain, du côté opposé à celui par où Mipam était arrivé et, juste en face, le débouché de la gorge qu'il avait suivie.

— Déposez vos bagages, dit laconiquement le *trapa,* je vais vous montrer l'écurie.

Mipam obéit puis suivit de nouveau son taciturne guide. Trois chevaux se trouvaient dans l'écurie, mais celle-ci ne devait pas être unique parce que, à quelque distance d'elle, on entendait d'autres chevaux frapper du pied et une odeur *sui generis* de fumier venait du même côté. Les trois chevaux étaient libres et lorsque Mipam voulut attacher le sien, le *trapa* lui fit signe de s'en abstenir. Il lui montra ensuite, dans une chambre voisine, des sacs de grain, de pois et de fèves, puis touchant à celle-ci, une longue voûte sous laquelle de la paille et du foin étaient amoncelés.

— Nourrissez votre bête, dit le moine. En continuant le chemin qui passe ici, vous arriverez à un ruisseau où elle pourra boire.

« Vous retrouverez facilement votre chambre, je pense.

Sans laisser à Mipam le temps de répondre, ou de demander des explications, s'il avait des doutes sur la direction à prendre dans ce dédale, le moine s'en alla et disparut derrière un *chörten*.

Le jeune homme n'avait jamais vu de *gompa* de ce genre.

Lorsqu'il entra dans sa chambre il vit qu'on y avait apporté un brasero plein de cendre rouge sur lequel reposait une grande théière pleine de thé beurré. Un sac de *tsampa,* une motte de beurre et un pot en bois contenant de la *cho* étaient déposés sur une projection du rocher façonnée pour servir de table.

Lorsque la nuit fut venue, le même gong qu'il avait déjà

entendu en montant vers la *gompa* sonna par trois fois, puis ce fut de nouveau le silence, un silence plus silencieux que tous ceux qu'il avait connus au cours de ses voyages à travers les solitudes, un silence qui s'imposait avec une force irrésistible et éteignait jusqu'au bruit, non perçu par les humains ordinaires, que produit la pensée.

Le lendemain matin, Mipam alla faire boire son cheval et lui donna à manger. Par l'effet d'une sollicitude semblable à celle qui s'était manifestée la veille, quand il revint à sa chambre, le brasero refroidi avait été remplacé par un autre sur lequel fumait une théière pleine de thé frais. Cependant personne ne se montrait. Le gardien de la porte ne l'avait-il pas compris ? — Devait-il sortir pour essayer de rencontrer un autre *trapa* et lui exposer le but de sa visite ? — Mipam hésitait à entreprendre des investigations dans cette étrange *gompa,* son lama s'en offenserait peut-être.

Dans le courant de la matinée, un moine enveloppé de la toge jaune des ermites entra dans sa chambre.

— Soyez le bienvenu à Ngarong, dit-il avec une amicale courtoisie. L'on m'a dit ce qui vous y amène. Peu de pèlerins sont admis à demander des avis ou à poser des questions devant les tombeaux de nos lamas. Pour y être autorisés, il faut que le but qu'ils poursuivent ait, vraiment, une importance majeure. Un *trapa* des nôtres s'est livré à quelques calculs astrologiques à votre sujet ; ils ont donné des résultats étonnants. Je n'ai pas à vous les communiquer. Sachez seulement qu'il vous est permis de tenter l'épreuve que vous désirez ; mais auparavant, il vous faudra tranquilliser votre esprit, scruter vos intentions et les purifier au cours d'une retraite de dix jours. Telle est la règle.

« Vous êtes prêt à vous y soumettre, n'est-ce pas ? Dans le cas contraire, nous vous fournirions des provisions et vous prierions de quitter notre monastère demain matin.

Un nouveau retard ! Dix jours ! Le temps d'avoir rejoint ses hommes et d'être déjà loin sur la route de Lhassa Pourquoi était-il venu à Ngarong ? — Dans quel piège venait-il encore de tomber ?... S'en aller le lendemain paraissait à Mipam le parti le plus sage, mais il éta incapable de le prendre. La *gompa* fantastique s'emparai de lui. De tous les *gyaltséns* taillés dans le roc qui hérissaient ses toits, de tous les recoins de ses rues tortueuses, de toutes les baies déchiquetées de ses édifices étranges, des liens, pareils à des tentacules, s'élançaient et l'enserraient. L'évasion n'était pas possible, une fusion mystérieuse s'opérait. Mipam sentait Ngarong pénétrer en lui, devenir partie intégrante de son être, tandis que lui-même, se dilatant, s'incorporait à chaque pierre du monastère.

— Je ferai la retraite, répondit-il à voix basse.

— Bien. Vous demeurerez dans votre chambre. Ne prenez plus la peine de soigner votre cheval ; on s'occupera de lui.

Et sans rien ajouter, le moine le quitta.

Ce jour même, Kalzang, muni d'argent et de provisions pour un long voyage, arriva au camp des *dokpas*. Le *trapa* de Dangar, Thartchin, qui avait déjà accompagné Mipam à Lhassa, était avec lui. En plus de leurs montures, ils amenaient deux chevaux et trois mules.

D'après ce que lui avait dit le messager envoyé par Mipam, Kalzang croyait trouver ce dernier au camp, mais les jours passèrent sans que le jeune homme revînt. Kalzang et Thartchin commençaient à s'inquiéter et parlaient d'aller à sa recherche. Les *dokpas* à qui le *tsongpön* était sympathique et qui escomptaient, pour l'avenir, de profitables transactions avec lui, auraient volontiers coopéré aux recherches, mais le fait que Mipam s'était rendu chez Alak Wangtchén les rendait hésitants. Le *ngagspa* pouvait avoir des raisons spéciales pour retenir Mipam. Il célébrait peut-être un *doubthab* à son intention et, dans ce cas, des interventions inopportunes, mêmes indirectes, provoqueraient sa colère. Or, les *dokpas* ne se souciaient pas de s'attirer l'animosité redoutable d'un magicien. Mieux valait, leur semblait-il, demander des directives à un *mo,* avant de rien entreprendre. Plusieurs *mos* faits, séparément, par différents *trapas* de la *banag gompa* s'accordèrent pour déconseiller de rechercher Mipam et, en présence de cette unanimité, personne n'osa passer outre.

Les chefs de la tribu avaient accaparé Kalzang. Tout en le régalant de bière et de viande bouillie, ils lui vantaient l'excellence toute particulière de la laine et de la chair de leurs moutons, la qualité remarquable du beurre que donnait le lait de leurs *dis* (1), et la solidité hors pair des étoffes en poil de yak, propre à confectionner des sacs, que tissaient les femmes de leur tribu. Ils espéraient que par les rapports favorables de son employé, Mipam pourrait être amené à se fournir chez eux.

Quant à Thartchin, il passait son temps en compagnie de ses frères-moines de la *banag gompa*. La conversation revenait souvent sur la singulière absence de Mipam et chaque *trapa* y apportait sa part de conjectures.

— Le *tsongpön* doit être allé à Ngarong, dit un jour le chef de la *gompa*. Alak Wangtchén ne le retiendrait pas aussi longtemps.

— Et pourquoi s'attarderait-il davantage à Ngarong ? demanda Thartchin.

— Pourquoi ?... Je ne le sais pas, mais Ngarong est un endroit bizarre et ses *trapas* ne sont pas des *trapas* comme nous tous.

— Qu'est-ce que Ngarong a de particulier ?

— C'est un monastère d'ermites qui portent des *zen* (toges) jaunes. Ce n'est pas cela qui est curieux, il y a d'autres *gompas* d'anachorètes, mais Ngarong est un mystère, un miracle.

— Comment cela ?

— D'abord le monastère n'a pas été bâti par des hommes, il est *rangdjeune* (2).

— Oh !

— Et puis, toutes sortes de prodiges surviennent autour de Ngarong et ses lamas *tulkous* sont toujours des gens extraordinaires.

« On dit que l'avant-dernier de ceux-ci : Yéchés Nga Dén, le dix-septième *tulkou* de la lignée, était un véritable bouddha. Son savoir et sa bonté dépassaient toute mesure. Il suffisait aux malades, hommes ou bêtes, de le regarder pour être guéris et les plus méchants des êtres devenaient bienveillants et charitables s'ils passaient seulement quelques jours auprès de lui. Nombre de démons qui, autrefois, se complaisaient à faire le mal, habitent maintenant dans les montagnes proches de la *gompa* et y vivent en anachorètes, pratiquant la méditation de la compassion

(1) La vache du *yak*.
(2) « Surgi par lui-même. » Comme les œuvres de la nature.

infinie et protégeant les habitants des régions voisines. Dans un large rayon de territoire, autour du monastère, les animaux sauvages sont devenus familiers. Ils ne craignent pas l'homme, ne se font pas la guerre entre eux et il est impossible à un chasseur de les tuer. Par bravade, certains l'ont essayé, mais sans succès. Leurs chiens se mettaient à jouer amicalement avec les gazelles, les *kyangs* et les loups ; leurs fusils ne partaient pas, ou bien leur tombaient des mains et quelques efforts qu'ils fissent pour persévérer dans leur endurcissement, ils finissaient par s'asseoir près des bêtes qu'ils étaient venus pour tuer et les caressaient.

— C'est merveilleux ! s'écria Thartchin. Et, interrogeant son interlocuteur :

« Avez-vous vu ces animaux sauvages s'approcher de vous ?...

— Je n'ai jamais été à Ngarong.

— Pourquoi ? N'avez-vous jamais été tenté de contempler la *gompa* surgie miraculeusement, ou de voir toutes ces bêtes familières ?

— Si, mais il me paraît plus prudent de ne pas s'approcher des lieux hantés par les dieux et par les démons. A moins d'être un grand *naldjorpa*, très profondément versé dans les choses de la religion, il vaut mieux se tenir à l'écart des prodiges et de ceux qui en opèrent.

— Est-ce que notre *tsongpön* connaît Ngarong ?

— Je lui en ai dit quelques mots, mais j'ai vu qu'il ne m'écoutait pas, il avait autre chose en tête.

— Quoi !

— Il voulait trouver un *nieunchés* très savant pour lui demander de faire un *mo* à propos de quelque chose qui, nous a-t-il dit, est d'une importance extrême pour lui.

« La fille du *tsongpön* Ténzing », pensa Thartchin.

— Nous lui avons conseillé d'aller consulter Alak Wangtchén qui est un grand *nieunchés*. Je voulais aussi lui dire que ceux qui posent leurs questions devant les tombeaux des lamas de Ngarong en reçoivent la réponse par le moyen d'une vision ou d'un rêve ; mais, il suivait ses propres idées et ne prêtait pas attention à mes paroles.

— Cet *alak* lui a peut-être conseillé d'aller à Ngarong.

— C'est douteux. Il n'aime pas les ermites de Ngarong.

Mais votre *tsongpön* a pu penser à la *gompa*. Il en avait entendu parler, m'a-t-il dit.

— Mais pourquoi y resterait-il si longtemps ?

Le chef de la *banag gompa* fit un geste indiquant qu'il n'en avait pas la moindre idée.

Thartchin rapporta cette conversation à Kalzang, dès qu'il se trouva seul avec lui, dans leur tente. Ce dernier ne connaissait même pas de nom le monastère de Ngarong, mais après avoir entendu ce qui se disait au sujet des animaux devenus familiers et des démons ramenés au bien, il déclara :

— Sans aucun doute, Kouchog Mipam est là, de tels prodiges sont précisément ceux dont il rêve. Je vous l'ai dit, à toi et à ton ami, lorsqu'il nous a quittés à Charakouto, en revenant de Lhassa. Il est capable de devenir un saint. A Lhassa, quand nous étions chez le *tsongpön* Ténzing, ses employés m'ont dit que notre patron est magicien.

— C'est un racontar absurde.

— Peut-être pas. Il a été, plus ou moins, le disciple d'un lama de Kham qui était l'hôte d'un petit *gyalpo* du pays de Tromo. Notre patron est Tromopa. Ce lama s'est brouillé avec le *gyalpo* et le *gyalpo* a voulu le faire tuer par un sorcier, mais on a trouvé le sorcier étranglé dans la hutte murée où il célébrait les rites qui tuent. Puis il y a autre chose. Ce n'est pas très clair : le fils de ce *gyalpo* et Kouchog Mipam avaient eu une querelle et le jeune prince a été trouvé mort en même temps que le sorcier, à quelques pas de sa hutte.

— Et Kouchog Mipam était là ?

— Non, on dit qu'il était alors à Jigatzé chez le *tsongpön* Tseundu, l'ami de Kouchog Ténzing.

— Eh bien, s'il n'était pas là...

— Cela prouve qu'il a tué le prince par magie. On a trouvé un de ses gilets dans les fourrés, tout près de l'endroit où le prince gisait, une flèche dans le cœur.

— Un gilet ne peut pas tirer une flèche.

— Ah ! tu crois cela... Tu n'es pas bien savant pour un membre du clergé. Certainement il le peut si son maître a le pouvoir de l'animer en lui communiquant sa volonté.

— Je ne vois pas bien cela, dit Thartchin en hochant la tête.

— Tu as l'esprit peu ouvert.

— Mais ne disais-tu pas que Kouchog Mipam avait certaines tendances à devenir un saint...

— Précisément, un très grand saint, pas un pauvre brave saint vulgaire. Ce jeune prince était méchant — cela se devine facilement —, il allait faire du mal, Kouchog Mipam le prévoit, il le tue par charité. Il lui épargne les conséquences pénibles que ses mauvaises actions auraient entraînées et il sauve ceux que ces mauvaises actions auraient fait souffrir. Est-ce que tu n'es pas capable de comprendre cela ?

— Euh ! fit le *trapa* sans conviction. Pourquoi n'irions-nous pas jusqu'à Ngarong, voir si Kouchog Mipam s'y trouve et s'il n'a pas besoin de nous ?

— Non, répondit Kalzang. Ce que tu m'as appris au sujet de Ngarong me rend certain que nous ne devons pas y aller chercher notre patron. Kouchog Mipam est très bon, mais il n'aime pas que l'on se mêle de ses affaires. Il y a plusieurs années que je le sers, je sais cela. Il reviendra quand cela lui plaira et s'il a besoin de nous, il nous fera appeler. Il n'est pas bon d'intervenir dans ce qui concerne la religion.

— Rien ne prouve qu'il s'agisse de religion... J'aurais bien voulu voir le monastère que personne n'a bâti...

— Il est plus prudent de s'en tenir à distance. Le saluer d'ici suffira à nous faire acquérir des mérites.

— L'on pourrait faire encore un *mo*.

— Dans quelques jours, si Kouchog n'est pas encore de retour.

La nuit était venue, les deux hommes étendirent chacun une couverture sur le sol, fermèrent les rideaux de leur tente et se couchèrent. Kalzang s'endormit bientôt. Alors, Thartchin se mit sur son séant, les jambes croisées, et prit son chapelet qu'il avait posé près du sac qui lui servait d'oreiller.

— Au nom du Triple Joyau... murmura-t-il.

Puis il partagea les grains du chapelet, les compta d'une certaine manière pour faire des *mos* et s'éclairer directement, sur la personnalité inquiétante de son patron, le mystère de l'aventure qu'il poursuivait et les risques que lui, Thartchin, courait en le suivant.

14

DIX-HUIT *chörtens*, en argent massif, ornés d'incrustations en or, et de pierres précieuses, sont rangés en ligne, sur un autel, au fond du temple de roc. Le dernier de ceux-ci, vers la droite, est pourvu d'une niche dans laquelle est placée une statuette représentant un lama. Ces chörtens dont la hauteur égale celle d'un homme de taille moyenne, sont les tombeaux contenant les cendres des lamas qui se sont succédé, par voie de réincarnation, comme seigneurs spirituels du monastère de Ngarong, depuis qu'au onzième siècle, un fils de famille noble, Mipam Rintchén, disciple de Jowo Atiça (1), s'étant établi dans une des chambres naturelles de la cité de rocs, a fondé le monastère actuel.

Etrange est l'histoire de Mipam Rintchén devenu, après avoir embrassé la vie religieuse, le Lama aux Cinq Sagesses : Yéchés Nga Dén (2).

Un jour, par l'effet de circonstances dont il ne discernait pas les causes, Mipam Rintchén fut introduit dans la pièce où Jowo Atiça enseignait, à quelques-uns de ses disciples, la doctrine concernant les Cinq Sagesses.

(1) Jowo, djé paldén Atic (« le noble et illustre seigneur Atiça ») était un érudit philosophique hindou, né au Bengale vers 980. Il appartenait à la famille royale de Gaur, il devint religieux et, ayant presque atteint la soixantaine, il se rendit au Tibet comme missionnaire bouddhiste. Il y mourut environ quinze ans plus tard (dix-sept ans, selon certaines chroniques). Son tombeau se trouve dans un petit monastère à Nyéthang, un village situé à quelques kilomètres au sud de Lhassa. Atiça est l'auteur d'un grand nombre d'ouvrages philosophiques.

(2) Abréviation de *Yéchés nga tang dénpa.*

Il nommait la Sagesse, semblable à un miroir, qui reflète les perceptions — la Sagesse, acquise par la Contemplation, qui perçoit l'identité foncière de toutes choses — la Sagesse qui discerne, différencie et classe les choses suivant leurs propriétés particulières — la Sagesse appliquée aux œuvres, qui en assure le succès — la Sagesse universelle qui pénètre tout, découvrant les éléments dont les choses sont composées, les éléments qui composent ces éléments eux-mêmes et, ainsi, à l'infini et, par ce procédé, dissipe l'illusion de la réalité durable des formes et de la personnalité.

Mipam Rintchén, en tant que laïque, n'avait jamais entendu disserter des lamas philosophes. Il fut ravi de posséder la connaissance d'une si haute doctrine, mais la satisfaction vaniteuse et égoïste qu'il en ressentit agit à la façon d'un voile qui couvrit, pour lui, le sens des enseignements qu'il avait entendus et l'empêcha d'apercevoir qu'ils n'ont de valeur pratique que s'ils sont unis à la bonté. Rentré chez lui, il déclara à sa femme, tout récemment épousée, qu'il allait la quitter pour devenir anachorète, désirant passer sa vie à méditer sur les Cinq Sagesses.

La nouvelle mariée était une fille de bonne famille, peu instruite mais intelligente. Elle supplia son mari de ne pas l'abandonner, puis comme il ne l'écoutait pas, elle lui dit qu'elle était disposée à se retirer du monde et le conjura de lui permettre de vivre en religieuse, à proximité de son ermitage afin qu'elle puisse le voir de temps en temps et être instruite par lui des précieuses doctrines qu'il avait apprises de Jowo Atiça.

Mipam Rintchén repoussa hautainement sa demande. Une femme, disait-il, était incapable de comprendre un enseignement aussi élevé. Quant à lui, il faisait vœu de renaître un nombre illimité de fois, devenant religieux-ermite dans chacune de ses vies, jusqu'à ce qu'il ait parfaitement pénétré le sens de la doctrine des Cinq Sagesses et fût devenu capable de la répandre dans le monde, pour le bien des êtres.

— Vous voyez loin, Kouchog, lui répondit sa femme. Pensant au bien d'êtres à venir, vous négligez celui de votre fidèle et aimante épouse. Je fais aussi un vœu : celui de renaître aussi souvent que vous et de vous rejoindre dans chacune de vos vies pour vous empêcher d'atteindre votre but.

Ils se séparèrent. Mipam Rintchén quitta son pays, et, voyageant vers le nord, il arriva à l'endroit où convergent les cinq vallées (1). Leur nombre correspondant à celui des Cinq Sagesses, lui parut être un signe marquant ce lieu pour celui où il devait s'arrêter. D'après certaines traditions, la fantastique cité rocheuse n'existait pas à cette époque, le plateau se terminait par des roches pleines et les génies de la montagne les auraient évidées de mille façons bizarres pour fournir des logements aux disciples futurs de Mipam Rintchén.

Parmi les successeurs de ce dernier, deux lamas abandonnèrent leur siège abbatial pour se marier et moururent presque immédiatement après leurs noces. Malgré leur défection, ils demeuraient des « incarnations » de Mipam Rintchén. Les moines de Ngarong réclamèrent leurs corps et, les ayant incinérés, ils en placèrent les cendres dans des chörtens-reliquaires, à leur rang respectif, dans le temple du monastère.

Le dernier en date des *tulkous* « aux Cinq Sagesses » eut une fin étrange.

Il avait l'habitude d'aller, chaque année, camper deux mois au bord du Koukou-nor (2), avec tous ses moines. Il consacrait ce temps à leur expliquer la Doctrine des Cinq Sagesses qu'ils méditeraient ensuite, chacun en particulier, dans leurs ermitages respectifs.

Yéchés Nga Dén, dix-huitième réincarnation du fondateur de Ngarong, se trouvait donc sur le rivage, prêchant à ses *trapas*, lorsqu'il interrompit son discours et leur dit :

— Je vous ai souvent parlé de la cinquième, de la plus haute sagesse ; la posséder est indispensable pour que soient efficaces la compassion, le don, et tous les actes que nous accomplissons en vue du bonheur d'autrui. Voici des années que je m'efforce d'écarter la souffrance des hommes, des bêtes et des autres êtres. Je sais qu'au cours de mes incarnations précédentes, j'ai poursuivi le même but, mais il s'en faut que je l'aie complètement atteint.

(1) Ngarong signifie « cinq vallées ».
(2) Le grand Lac Bleu, au nord-est du Tibet.

J'attribue ce fait à ce que je n'ai pas entièrement pénétré le sens de la Cinquième Sagesse.

« Or, j'ai décidé que, dans huit jours, lorsque nous lèverons le camp pour retourner à la *gompa,* je m'enfermerai dans un ermitage pour y vivre strictement en reclus sans parler à personne, sans voir qui que ce soit, pendant trois ans, trois mois, trois semaines et trois jours (1).

« Si, à l'expiration de cette période de méditation, j'ai conquis la connaissance que je poursuis, je vous enseignerai ce que j'aurai appris : le moyen d'être véritablement et efficacement bienfaisant. Si je n'y suis point parvenu, je ne sortirai pas de mon ermitage et y continuerai ma réclusion.

Les *trapas,* surpris et peinés à l'idée de ne plus voir leur lama parmi eux, demeuraient muets, hésitants, par respect, à le prier de renoncer à son projet.

Tout à coup, Yéchés Nga Dén se leva, regardant vers le lac.

— Oh ! la pauvre chèvre ! dit-il. Que fait-elle là, dans la prairie ? elle semble blessée... Je vais voir ce qu'elle a...

Et il se mit à courir. Les *trapas* affolés criaient :

— Kouchog ! Kouchog ! arrêtez-vous... Ce n'est pas une prairie, il n'y a pas de chèvre... Vous allez dans le lac !...

Mais si vite qu'ils courussent pour le saisir, il les devança. Pendant quelques instants, il marcha sur l'eau, puis, soudain, il s'engloutit en criant ! « Je reviendrais !... »

Parmi les témoins oculaires de ce drame, certains racontèrent qu'au moment où le lama disparaissait sous les eaux, ils avaient distingué une figure de femme se tenant à cet endroit. Ceci fit beaucoup parler. Les uns disaient que la femme était une *nâgî* qui avait emmené le lama au palais des déités du lac où celles-ci le réclamaient pour accomplir une œuvre charitable ; mais d'autres, se rapportant à l'histoire de Mipam Rintchén, le disciple d'Atiça, croyaient que la femme entrevue était l'épouse de ce dernier qui le poursuivait de vie en vie. Elle avait créé la fausse vision d'une chèvre blessée dans une prairie pour attirer le lama et le faire périr, afin de l'empêcher d'acquérir la possession complète de la Cinquième Sagesse

---

(1) Une période de retraite courante, au Tibet.

pendant la retraite qu'il projetait. C'était elle aussi, disait-on, qui, précédemment, avait rendu amoureux d'elle deux des lamas en qui Mipam Rintchén, s'était réincarné et les avait induits à quitter le monastère pour l'épouser.

Le corps du lama ne fut jamais retrouvé, mais plusieurs mois après sa disparition dans le lac, les vagues apportèrent sa toge monastique sur la rive de l'île des anachorètes. Ceux-ci la montrèrent à des *trapas* de Ngarong qui, au cours de l'hiver suivant, traversèrent le lac sur la glace pour aller les ravitailler et ces derniers reconnurent la toge comme étant celle de leur Maître.

Après s'être livrés à divers calculs divinatoires, les *tsipas* de Ngarong déclarèrent que la volonté du lama disparu et celle des dieux étaient que la toge demeurât dans l'île des ermites. Ceux-ci l'enfermèrent alors, comme une relique, dans un chörten qu'ils bâtirent à l'abri d'une caverne.

Un chörten en argent fut cependant construit à Ngarong en mémoire du défunt, et les moines, à défaut des cendres du lama, y placèrent une statuette le représentant.

Mipam ignorait l'histoire des *tulkous* de Ngarong et, l'eût-il connue, elle ne l'eût sans doute guère intéressé dans la période de préoccupations angoissantes qu'il traversait.

Les dix jours assignés, par les chefs de Ngarong, à la retraite de leur hôte sont écoulés. A la tombée du soir, Mipam est conduit dans le temple de roc dont, jusqu'alors, il ne lui a pas été permis de s'approcher. Son guide ouvre, en silence, un des battants de la lourde porte, se prosterne sur le seuil et fait signe au jeune homme d'entrer, puis il referme la porte et va rejoindre un autre *trapa* qui doit veiller, avec lui, sous le péristyle, selon l'usage établi à Ngarong de ne point laisser les pèlerins complètement isolés tandis qu'ils consultent l'oracle.

Resté seul, Mipam s'assied sur un coussin placé pour lui, face aux mausolées, au pied du haut siège abbatial sur lequel repose le manteau des *tulkous* de Ngarong, auquel est cousu un morceau de celui d'Atiça, leur Père spirituel. Il se sent ému et las à la fois. Une semaine passée sous la voûte de pierre de sa cellule a calmé l'agitation de son esprit. Un singulier détachement, une bizarre indifférence l'envahissent ; il lui semble qu'il « sort » de lui-même, qu'il examine, du dehors, la forme du Mipam assis en suppliant devant ces tombeaux.

Les questions dont il souhaite obtenir les réponses, il faut qu'il les formule. Il est venu pour cela. Mais son désir est affaibli, presque éteint. Ses pensées se tournent vers d'autres objets. Les chörtens-mausolées, que les pierres précieuses enchâssées dans leurs corps, parsèment d'yeux de couleurs diverses, le fascinent. En y reflétant leurs flammes vacillantes, les lampes de l'autel animent ces multiples regards, ils se posent sur Mipam, se détournent, puis le fixent de nouveau ; ils le fouillent, l'interrogent et lui confient un secret qu'il ne peut saisir. La figurine dorée du lama, ornant le dix-huitième chörten, a détaché ses petits yeux de cristal de roche du livre, posé sur ses genoux, qu'elle lit depuis plus de vingt ans et c'est Mipam, son homonyme, que considère, maintenant, du haut de sa tombe vide, le dernier *tulkou* intronisé de Ngarong : Mipam Yéchés Nga Dén rimpotché.

Le jeune homme se trouble. Combien de temps s'est-il déjà écoulé depuis qu'il est là ? Il n'a que cette nuit devant lui. Le lendemain il devra quitter le monastère, les chefs de la *gompa* ne permettent pas un plus long séjour. D'ailleurs, ne doit-il pas partir pour Lhassa ; Kalzang l'attend, là-bas, au camp des *dokpas*. Pourra-t-il, avant son départ,, obtenir la bénédiction du lama actuel de Ngarong ? Il l'a demandé au moine qui l'a conduit au temple. Celui-ci l'a regardé de façon singulière et n'a pas répondu.

Ses questions, il faut qu'il les énonce d'abord à haute voix, lui a-t-on dit. Puis qu'il concentre ses pensées sur elles et attende.

Devant Alak Wangtchén il les a formulées de façon à ne pas lui en laisser connaître directement le but : « Le voyage que je projette », a-t-il dit, et il n'a pas nommé Dolma. Mais dans ce temple solitaire ces précautions sont superflues et l'effet de questions directes peut être plus puissant.

Mipam se lève, se prosterne trois fois et prononce à voix haute :

— Les circonstances sont-elles favorables pour mon voyage à Lhassa ?

« Dolma est-elle déjà mariée à Dogyal ?

« Me suivra-t-elle à Dangar ?

« Que signifiait ce vol d'oies sauvages qui est passé au-dessus de ma tête, se dirigeant vers le nord, alors que je songeais à partir pour Lhassa ?

Il se prosterne, de nouveau, trois fois, se rassied et attend... Les heures passent, Mipam demeure assis, immobile. Il s'efforce de concentrer ses pensées sur les questions qu'il a posées. Rien n'y répond, mais voici que surgit, du fond de lui-même, une personnalité aux traits imprécis qui sourit avec une bienveillance mêlée de pitié et de douce raillerie. Elle écarte ses questions, comme l'on écarte, avec la main, un objet matériel, et celles-ci, prenant forme, s'éloignent en flottant, se dissipent, pareilles aux brumes qui errent au creux des montagnes, sont chassées par le vent et bues par le soleil. Mipam veut les retenir, les imposer par sa concentration d'esprit à la Présence occulte qui habite le sanctuaire, mais ses efforts sont vains. Il sent sa pensée et la notion du monde où elle se meut lui échapper ensemble. Est-ce la mort qui vient ?... Va-t-il mourir et abandonner Dolma ?

— Dolma !...

A-t-il crié à haute voix ou bien son cri de détresse et d'appel a-t-il été intérieur ? Il ne s'en rend point compte, mais la force de cet appel a opéré. Debout à l'extrémité gauche de la rangée de chörtens, Dolma est apparue. Non plus la petite fée, vêtue de robes chatoyantes, qui hante la mémoire du jeune homme, mais une Dolma à la physionomie grave, portant le costume religieux.

Parle-t-elle d'une façon perceptible par l'oreille, ou Mipam l'entend-il avec son cœur ?... Elle dit :

— Mipam, je suis ta femme des temps anciens, tous deux nous avions fait un vœu et nous l'avons accompli de vie en vie. Dans celle-ci je t'ai juré, devant le Jowo, que je me ferais religieuse si je ne t'épousai pas ; je vais être fidèle à mon serment. Pendant longtemps j'ai été un obstacle sur ta route, maintenant je te libère pour cette vie et à jamais. Demain je mourrai à Lhassa. Toi, accomplis les rites qui me procureront une prompte renaissance dans ce monde afin que nous nous retrouvions pendant ta présente vie et, qu'ayant obtenu un corps masculin, je devienne ton disciple.

« Mipam, tu es le *tulkou* de Mipam Rintchén, le disciple de Jowo Atiça, reprends ta place sur ce siège qui est tien.

Dolma s'avance vers son ami, le prend par la main et lui fait gravir les degrés du trône abbatial. De là, Mipam étend les bras et pose ses deux mains sur la tête de la jeune fille inclinée devant lui.

— Sois bénie, dit-il à haute voix. Tu m'as libéré, et moi, au nom du Triple Joyau et de mon maître Jowo Atiça, je te libère aussi.

« Parce que je t'ai refusé le don de ce que je possédais de la Doctrine, je suis demeuré, depuis des siècles, incapable de la saisir tout entière. Sois délivrée du désir de vengeance qui t'a ramenée dans ce monde pour de nombreuses incarnations douloureuses et que je sois délivré de l'égoïsme et de l'orgueil, causes initiales de ce désir.

« Repose-toi pour un court moment au Paradis de la Grande Béatitude, puis choisis d'honorables parents dans une région voisine de celle-ci, mais avec un corps mâle et, dans dix ans, viens me rejoindre à Ngarong pour y être mon élève et mon fils bien-aimé.

Les deux *trapas* qui veillaient au-dehors étaient entrés doucement, en entendant un bruit de voix et se tenaient sur le seuil, trop effrayés par ce qu'ils voyaient pour oser avancer. Mipam siégeait sur le trône de leur défunt lama, enveloppé dans le manteau de chœur des abbés de Ngarong qui, depuis plus de vingt ans, était demeuré sur le trône vide, attendant le dix-neuvième *tulkou* de la lignée de Yéchés Nga Dén, que l'on n'avait pu découvrir.

Mipam ne semblait pas les voir : il commençait un discours et l'un des *trapas*, qui était âgé, reconnaissait, dans ce qu'il disait, les enseignements que leur dernier lama avait coutume de leur exposer et jusqu'aux termes mêmes dont il se servait.

— Sonne la conque yéguir (1), commanda-t-il au jeune moine qui se tenait près de lui. Notre Lama est revenu !

La précieuse conque yéguir n'était sonnée que dans

_____

(1) Une conque dont les spirales au lieu de tourner de gauche à droite, ainsi que celles de la grande majorité des conques, tournent de droite à gauche. Ces conques, sont extrêmement prisées par les Tibétains. Il n'est pas rare de les voir payer l'équivalent de 3 000, 4 000 francs, ou même davantage.

quelques très rares occasions solennelles et urgentes pour convoquer les ermites vivant aux alentours. La règle, à Ngarong, ne permettait la présence, à la *gompa* même, que de quelques *trapas* qui y séjournaient, à tour de rôle, pour s'y occuper de son administration matérielle. Le Lama *tulkou*, Seigneur du monastère, y vivait, lui-même, en ermite, dans une partie écartée de celui-ci, complètement séparée des autres habitations. Il possédait, en plus, dans la montagne, son ermitage particulier où il résidait pendant des périodes de retraite encore plus sévères. Si un événement spécial exigeait la présence immédiate des anachorètes au monastère, en dehors des époques habituelles de leurs assemblées, l'on sonnait la grande conque yéguir dont le son portait loin. Alors, quelle que fût l'heure du jour ou de la nuit à laquelle ils l'entendaient, quel que fût l'état des chemins ou du temps, par les tempêtes de grêle, lorsque la neige profonde nivelait les sentiers et les abîmes, comme par la belle saison, tous les ermites, quel que fût leur vœu concernant la durée de leur réclusion, devaient répondre à l'appel, abandonner immédiatement leur ermitage et se hâter de gagner la *gompa*.

C'était le son grave de cette conque qui résonnait maintenant dans la nuit. Le temps était clair, le ciel plein d'étoiles, les chemins secs. Bientôt, les anachorètes vivant le plus près de la *gompa* arrivèrent et entrèrent dans le temple. Mipam continuait à discourir, inconscient de ce qui se passait autour de lui, s'adressant à des auditeurs visibles pour lui seul.

De même que le vieux *trapa* qui les avait fait convoquer, les plus âgés des ermites reconnaissaient les doctrines habituellement prêchées par le dernier de leurs lamas, les termes dont il se servait, ses gestes et le son de sa voix. Un à un, ils tombaient à genoux et au fur et à mesure que survenaient d'autres moines ayant connu le dix-huitième Yéchés Nga Dén, ceux-ci reconnaissaient aussi leur ancien maître en sa nouvelle incarnation et se prosternaient devant lui.

— ... Posséder la sagesse pénétrante qui découvre en toutes choses les éléments dont elles sont composées, puis perçoit les éléments dont sont composés ces éléments eux-mêmes, ainsi à l'infini ; posséder la sagesse qui dissipe l'illusion de la réalité durable des formes et de la personnalité est indispensable pour que soient efficaces la compassion, le don et tous les actes que nous accomplissons en vue du bonheur d'autrui, disait Mipam. Voici des années que je m'efforce d'écarter la souffrance des hommes, des bêtes et de tous les êtres. Je sais qu'au cours de mes incarnations précédentes j'ai poursuivi le même but et ne l'ai pas atteint. Le règne de l'universelle amitié ne peut venir que de la possession de cette Sagesse qui brise les limites illusoires du « moi » nous faisant voir les « autres » existant en nous et « nous » existant dans les autres.

« Cette sagesse, je ne fais que l'entrevoir, je ne puis ni vous l'enseigner, ni vous rendre capables de la répandre dans le monde. Or, donc, voici ce que j'ai résolu. Je vais m'enfermer dans mon ermitage pour une stricte retraite de trois ans, trois mois, trois semaines et trois jours. Si à l'expiration de cette période j'ai conquis la connaissance que je poursuis, je vous en ferai part. Si je n'y suis point parvenu, je ne sortirai pas de mon ermitage et continuerai ma réclusion. C'est pour obtenir cette connaissance *que je suis revenu.*

Ce discours, sauf sa conclusion : *Je suis revenu,* reproduisait textuellement celui que le défunt lama de Ngarong avait tenu à ses *trapas,* au bord du lac, avant d'être victime de la singulière illusion qui avait amené sa mort. L'agitation des assistants était extrême, pas un de ceux qui avaient connu Yéchés Nga Dén ne concevait le moindre doute quant à l'authenticité de sa réincarnation en Mipam et les autres, mis au courant par eux, du miracle de ce discours identique à celui, prononcé vingt ans auparavant, partageaient leur foi.

— *Je reviendrai,* avaient été les dernières paroles prononcée par Yéchés Nga Dén en disparaissant sous les eaux. *Je suis revenu,* venait de dire Mipam assis sur le trône abbatial.

Tous voulaient acclamer leur Seigneur de retour dans son domaine, leur Maître, revenu pour les instruire. Mais Mipam s'évanouissait, laissant tomber sa tête en arrière contre le dossier de son trône. Quelques *trapas* s'empressèrent auprès de lui, l'enlevèrent de son siège et l'étendirent sur des coussins.

Le jeune homme fut long à reprendre connaissance. Lorsque la conscience lui revint, il regarda avec étonnement les *trapas* qui emplissaient le temple. Il se rappelait qu'il y était venu pour formuler des questions en vue de son voyage et... et qu'il avait eu un rêve, un rêve singulier et terrible. Il avait vu Dolma, elle lui avait conté une histoire, dont il ne se souvenait plus bien, mais il se rappelait clairement qu'elle était vêtue d'habits monastiques et lui avait dit : « Je mourrai demain. » Puis elle l'avait pris par la main, il avait distinctement senti la pression affectueuse de sa chère petite main sur la sienne... Ensuite, c'était la nuit. Il ne se souvenait de rien.

Que voulait dire cette troupe de moines autour de lui ? — Etait-ce l'usage, à Ngarong, de se réunir autour du pèlerin venu pour solliciter des réponses de l'oracle invisible siégeant dans les tombes des *tulkous* ?... Mais pourquoi les *trapas* murmuraient-ils : « Notre Précieux Seigneur », « Notre Maître spirituel ». Où était le Lama ?... Allait-il le voir, il voulait lui demander sa bénédiction.

— Vous sentez-vous mieux, *Rimpotché ?*

— Je ne sais ce que j'ai eu ; il me semble que je sors d'une nuit noire où je suis demeuré longtemps... Mais pourquoi m'appelez-vous *rimpotché ?*...

— Il faut vous remettre d'abord, vous remettre tout à fait, dit l'un des dignitaires du monastère. Pouvez-vous marcher ? Si cela vous fatigue, on vous portera. Allons ailleurs, vous boirez du thé.

— Du thé, merci, je veux bien. Je suis très capable de marcher. Je me sens seulement un peu faible, je ne sais pourquoi.

Mipam se mit debout. Avant de quitter le temple, son regard se porta inconsciemment vers le *chörten* contenant les cendres du premier Yéchés Nga Dén, près duquel il avait vu Dolma habillée en religieuse.

Au-dehors, l'aube blanchissait le ciel ; sous sa lumière blafarde le monastère de rocs prenait un aspect fantomatique. L'image de Dolma dans ses habits monastiques hantait la mémoire du jeune homme. Dans son « rêve », elle lui avait dit : « Je mourrai demain. » Ce « demain » venait de commencer avec cette aube blanche et Mipam sentit que quelque chose se glaçait dans son cœur.

C'était à l'appartement du lama de Ngarong que les fonctionnaires du monastère et les plus anciens de ses membres conduisaient Mipam. Du thé fut servi. L'effet physique de la bonne boisson chaude se fit rapidement sentir, Mipam sortit de l'état de demi-rêve dans lequel il se trouvait. Il reprenait clairement conscience de lui-même et de son entourage, il savait qu'il s'était évanoui dans le temple, après y avoir eu un songe, ou une vision concernant Dolma. Les bienveillants *trapas* de Ngarong l'avaient charitablement soigné, mais il se sentait remis de son trouble. Il était temps pour lui de rejoindre Kalzang, bien que, si son rêve affreux était vrai, le voyage à Lhassa fût devenu inutile, ainsi que l'avait déclaré Alak Wangtchén.

— Je vous remercie de votre bonté, dit-il aux moines qui l'entouraient. Je suis, maintenant, capable de partir et je ne veux pas vous importuner plus longtemps. Je ne sais si la réponse que j'ai obtenue dans votre temple se rapporte à un fait réel, si elle est un produit de mon imagination ou si un mauvais esprit a voulu se jouer de moi, m'empêcher de donner suite à mon projet de voyage et causer le malheur de ma vie. Je m'en assurerai à Lhassa.

— Kouchog nous vous prions de rester avec nous, répondit le chef du monastère. Vous avez retrouvé votre demeure, et nous avons la joie d'avoir retrouvé notre lama dont nous avons cherché la réincarnation pendant vingt ans. Souvenez-vous, Kouchog, du discours que vous nous avez adressé dans le temple, du haut de votre trône. Tous ceux de nous qui vous ont connu dans votre incarnation précédente ont constaté la parfaite ressemblance de doctrines et d'expressions de ce discours et de celui que nous a tenu notre révéré Père spirituel sur le point de nous quitter. Comment, vous qui jusqu'ici avez été un marchand, auriez-vous pu connaître ses enseignements si vous n'en aviez pas eu connaissance dans votre vie antérieure ?

— Je ne vous ai pas tenu de discours.

— Votre mémoire est, pour le moment, voilée à ce sujet, mais elle s'éclaircira et vous vous souviendrez. Vous vous êtes assis sur le trône de Yéchés Nga Dén, vous avez revêtu son manteau, celui qui se transmet de lama à lama et sur lequel est cousu un morceau du manteau religieux de Jowo Atiça, le Maître de notre fondateur.

— J'ai fait cela ! s'écria Mipam terrifié. C'est un abominable sacrilège ! Je vous assure que je ne m'en souviens pas. Un accès de folie a dû me prendre dans le temple.

Jamais, étant dans mon bon sens, je n'aurais commis un acte semblable.

— De votre part, Kouchog, il était légitime. Tout autre que la véritable incarnation de notre lama serait tombé mort sur place s'il s'était permis de revêtir ce manteau et de s'asseoir sur ce siège. En le faisant, vous vous êtes fait reconnaître.

— J'étais seul dans le temple, je m'en souviens très bien, puis que s'est-il passé, je vous ai vus tous autour de moi.

— Il est de règle de laisser veiller deux *trapas* derrière la porte close, lorsqu'un pèlerin est admis à consulter l'oracle. Ils vous ont entendu parler.

— Et je prononçais un discours ?...

— Pas immédiatement. Vous parliez à quelqu'un.

Le *trapa* qui avait fait sonner la conque pour rassembler ses frères moines s'approcha, se prosterna trois fois et s'adressa respectueusement à Mipam :

— *Rimpotché*, vous bénissiez quelqu'un, vous lui disiez : « Sois libérée et que je le sois aussi. » Vous disiez : « Je t'ai refusé le don de la Doctrine que je possédais... » et à cela j'ai reconnu que vous étiez ce même Yéchés Nga Dén, notre fondateur, dont l'histoire est relatée dans nos chroniques et qui, avant de devenir ermite, s'appelait Mipam, comme vous, Kouchog... Mipam Rintchén.

Le vieux *trapa* se prosterna de nouveau et reprit :

— « Rimpotché... » sa voix tremblait un peu, *Rimpotché*, c'était votre femme d'autrefois que vous bénissiez, celle qui, par une illusion magique, a causé votre mort dans le lac, lors de votre précédente incarnation. Vous lui avez dit d'aller au Paradis de la Grande Béatitude, puis de renaître, près d'ici, dans un corps masculin pour venir vous rejoindre. Elle doit vivre, pour le moment, quelque part dans ce monde, sans que vous en ayez connaissance. C'est moi qui ai fait sonner la conque pour appeler les membres du monastère.

Les ombres fantastiques de son rêve environnaient de nouveau Mipam. « Aller au Paradis de la Grande Béatitude », signifiait une mort...

— Dolma ! s'exclama-t-il, se réfugiant, une fois de plus, dans son amour qui s'acharnait à vivre.

— Dolma, dit le chef du monastère. C'était le nom de la

femme de Mipam Rintchén qui s'établit à Ngarong il y a plus de huit cents ans. Il avait refusé de lui communiquer les enseignements qu'il avait reçus de son Maître Atiça.

« Kouchog, faites-nous la grâce de lire nos chroniques. Je vais vous les faire apporter.

Il fit un signe et tous se retirèrent à sa suite. Quelques instants plus tard, de jeunes moines déposaient cinq gros volumes sur une table, près du siège de Mipam et, s'étant prosternés devant lui, sortaient en silence.

Mipam restait seul dans l'appartement privé des lamas *tulkous* de Ngarong, en face des livres où était écrite l'histoire de ses vies passées.

A Lhassa, dans la maison de Ténzing, la consternation règne. Depuis trois jours, des femmes se relayent pour veiller dans la chambre où Dolma est étendue, insensible, sur sa couche, absente de son corps, mais non point morte.

La jugeant guérie du mal qui avait failli l'emporter après le départ de Mipam et cédant aux instances réitérées de Dogyal et de son père, Ténzing avait permis le mariage de sa fille.

Les noces furent somptueuses ; la moitié des habitants de Lhassa découvrirent, soudainement, que des liens de parenté ou d'amitié les unissaient au grand marchand et les autorisaient à aller banqueter chez lui. Ténzing ne repoussa personne. Les milliers de *trapas*, membres des trois monastères d'Etat : Séra, Gahlden et Dépung, furent amplement fournis par ses soins, de beurre, de thé, de viande et des autres éléments nécessaires à la confection d'un plantureux repas. Il offrit des présents de valeur aux Grands Lamas, fit allumer des milliers de lampes sur les autels du Jowo et des déités ; les mendiants et, même les *rogyapas* (1) ne furent pas oubliés par lui.

Pâle et amaigrie, Dolma était demeurée indifférente à tout, lointaine, semblable à un fantôme. Elle n'avait fait aucune objection à la célébration de son mariage, ni témoigné du déplaisir ou de la satisfaction lorsque son père, qui tenait à son idée, lui avait fait remarquer que, dans l'acte de mariage, le nom de Mipam suivait celui de Dogyal et que Mipam devenait, ainsi, de même que son

_____
(1) Ceux qui transportent les cadavres des hommes et des animaux et forment une caste méprisée.

aîné, son légitime époux. Il semblait, vraiment, que ce mariage fût celui d'une autre et ne la concernât en rien. Cependant, comme l'attitude passive de la jeune fille pouvait être attribuée à la timidité, nul ne s'en inquiéta, pas plus le marié que Ténzing.

Le soir des noces, Dolma, toujours aussi inerte, se laissa conduire dans la chambre nuptiale. Les convives continuaient à boire dans la salle du festin et dans la cour, lorsque des cris retentirent appelant à l'aide. Dogyal qui venait de rejoindre sa femme l'avait trouvée étendue inanimée sur les coussins de sa couche !

— Dolma est morte ! cria-t-il affolé.

Ténzing, Tséringma et, à leur suite, tous leurs hôtes, se précipitèrent vers la chambre des mariés Dolma paraissait morte comme son mari l'avait crié.

Un médecin, mandé en hâte, constata qu'elle vivait encore et, l'ayant attentivement examinée, déclara :

— Ce cas ne relève pas de la science médicale. C'est un lama qu'il faut ici. Le corps subtil et la conscience de la jeune fille se sont séparés de son corps matériel. Qui sait où ils voyagent ? Seul, un expert *gyndpa* est capable de discerner le lien, invisible pour nous, qui les rattache à ce corps matériel et de l'empêcher de se rompre, ce qui causerait la mort.

Dès l'ouverture des portes du monastère, au lever du jour, Ténzing avait fait prévenir le Grand Lama du Collège des Gyudpas et celui-ci, intéressé par ce qui lui était rapporté, s'était rendu, en personne, chez le marchand, accompagné par quelques gradués du Collège. Le Lama avait confirmé le diagnostic du médecin, indiquant, de plus, les rites qu'il convenait de célébrer pour protéger la jeune fille contre des accidents d'ordre occulte. Le bruit des clochettes et des tambours, les lamentations des *gyalings,* le bourdonnement des récitations liturgiques emplirent, de nouveau, la demeure de Ténzing. Dolma demeurait dans le même état.

Enfin, le quatrième jour, à l'aube, elle fit un mouvement et, peu après, elle se souleva et demeura assise sur sa couche :

— Appelez mon père, commanda-t-elle à la femme qui la veillait.

Ténzing accourut.

— Je suis *délog* (1), lui dit-elle. Je reviens des *tchang thangs*, Mipam se trouve au monastère de Ngarong, au nord du Tso Nieunpo (2). Il en est le *tulkou*, la dix-neuvième réincarnation du Mipam qui s'établit, autrefois, comme ermite à cet endroit et dont j'ai été la femme, alors que je m'appelais Dolma, comme à présent. Mipam m'a appelée et je suis allée vers lui. Je lui ai parlé, mais il doute de mes paroles. Pour le convaincre, il faut lui envoyer, comme « signe » (3) la turquoise qu'il m'a donnée quand il est venu ici, me demander en mariage.

« Maintenant, apportez-moi, sans retard, des habits de religieuse, coupez-moi les cheveux et appelez un lama pour qu'il me donne l'ordination. Je mourrai ce soir et je dois mourir dans l'Ordre religieux. Le corps que je vais quitter est mon dernier corps féminin, je renaîtrai prochainement comme un mâle et deviendrai un *trapa* de Ngarong et un disciple de Mipam, afin d'apprendre de lui la Doctrine qu'il a refusé de m'enseigner autrefois.

Le pauvre Ténzing, sa femme, Dogyal et les autres habitants de la maison qui s'étaient hâtés de venir dès qu'ils avaient appris que Dolma reprenait ses sens, pleuraient tous à chaudes larmes.

— Ne meurs pas, ma chère fille, implorait Ténzing. Si ton mariage avec Dogyal te cause tant de peine, je te permettrai d'aller vivre à Dangar avec Mipam qui est aussi ton mari. Dogyal ne s'y opposera pas.

— Non, affirmait Dogyal, je te laisserai aller, Dolma. Depuis longtemps tu es comme une petite sœur pour moi ; je t'aime beaucoup, Dolma, je ne veux pas que tu meures.

Le brave Dogyal parlait en toute sincérité. Il n'avait jamais soupçonné que son mariage avec Dolma pût donner lieu à un drame.

— Vous êtes très bons, répondit la jeune fille, mais le

---

(1) Littéralement « qui revient de l'au-delà ». Il arrive, au Tibet, que des gens demeurent pendant plusieurs jours dans un état cataleptique et, en revenant à eux, racontent qu'ils ont voyagé dans les enfers, les paradis ou en divers pays de notre monde.

(2) Nom tibétain du Koukou-nor, la signification est identique, elle est : Lac bleu.

(3) Les « signes » qui peuvent consister en nombre de choses diverses : événements, rêves, visions, objets matériels, etc., sont considérés soit comme des avertissements mettant en garde contre des faits grandement susceptibles de se produire, soit comme témoignages confirmant des déclarations.

temps est venu pour moi de vous quitter. Ne tardez donc pas davantage à faire ce que je vous ai demandé

Ténzing se refusait à accepter que sa fille le quittât. Les lamas trouveraient bien, pensait-il, un moyen de l'empêcher de mourir et il espérait dans l'art magique du *kémpo* chef du Collège des Gyudpas. Mais quand celui-ci eut entendu la jeune fille, il commanda avec autorité à Ténzing de ne pas opposer d'obstacle à ses désirs. En pleurant, Tséringma, assistée par les servantes de la maison, aida Dolma à enlever ses robes de soie et ses bijoux. Ensuite, elles coupèrent ses longs cheveux et la vêtirent de l'habit monastique fait de trois pièces. Alors, de nombreuses lampes ayant été allumées sur l'autel dans le *lhakang* de la maison, Dolma se prosterna devant les statues du Bouddha, de Tsong Khapa et des déités symboliques, puis devant le *kémpo* des gyudpas et celui-ci, ayant esquissé le geste de couper sa chevelure, l'admit dans l'Ordre religieux.

Dolma enveloppa, elle-même, dans un long *kadag* de soie blanche, la turquoise que Mipam lui avait donnée ; elle y joignait un simple mot : « Bientôt, je serai à vos pieds », et commanda que le messager portant la turquoise parte pour le Tso Nieunpo, dès qu'elle serait morte.

Ensuite, elle s'étendit de nouveau sur sa couche, enveloppée dans sa toge monastique et demeura silencieuse, sans bouger. Au coucher du soleil, elle éleva ses mains, les paumes jointes, dans l'attitude d'une salutation respectueuse.

— Mipam ! murmura-t-elle.

Ses mains retombèrent doucement sur sa robe de religieuse. Dolma était morte.

Suivant son ordre, deux serviteurs de Ténzing, emportant la turquoise et des présents envoyés par le marchand, partirent immédiatement par la route du nord.

A Ngarong, Mipam s'absorbait dans la lecture des chroniques du monastère, mais, plus que les biographies des lamas, les écrits de ceux-ci l'intéressaient. Il y découvrait une gradation singulière de sentiments. Tandis que Mipam Rintchén et ses premiers successeurs n'avaient laissé que des dissertations purement scolastiques, les plus récents *tulkous* envisageaient dans leurs ouvrages, la diffusion d'un enseignement efficace, propre à démontrer aux hommes la fausseté de leurs conceptions religieuses et sociales et les effets néfastes de ces vues erronées. Le dernier des Yéchés Nga Dén préconisait la sagesse qui fait discerner qu'aucun bonheur durable, aucune sécurité pour aucun être ne peuvent exister alors que d'autres êtres sont en proie à la souffrance. Il écrivait : « Lorsque le vent froid de l'hiver glace les lacs et dessèche l'herbe qui nourrit les troupeaux, lorsqu'il se déchaîne en rafales amenant les tourmentes de neige, hommes et bêtes ressentent ses effets. De même, lorsque souffle le vent mauvais de l'injustice et de la haine, nul ne peut se dire à l'abri de ses effets. »

Au cours de sa lecture, Mipam rencontrait des pages qui l'émouvaient, dépeignant la grande misère des êtres en butte à la maladie, proies inéluctablement promises à la vieillesse et à la mort et qui ajoutaient à ces maux cent mille autres maux dus à leur égoïsme aveugle. « Insectes enfermés dans un vase », disait le dernier lama, « qui, au lieu de s'efforcer de sortir de leur prison, s'y battent, se mordant, s'entre-perçant de leurs dards, se massacrant, se causant des douleurs intolérables. » Ces pensées cadraient avec celles qu'il avait nourries depuis son enfance. Comme lui, ces lamas avaient rêvé du « Pays où tous sont amis », mais il ne s'ensuivait point, se disait Mipam, qu'il fût leur réincarnation. Malgré sa vision, malgré les paroles de Dolma, malgré la transe pendant laquelle il avait, lui, assurait-on, répété les paroles identiques du dernier des *tulkous,* Mipam doutait toujours de la nouvelle identité que les ermites de Ngarong s'efforçaient de lui imposer. Il résistait à leurs instances, mais par probité, seulement, se refusant à prendre avantage de ce qui pouvait être une illusion de leur part. Dolma ne se dressait pas comme un obstacle entre lui et le siège abbatial des Yéchés Nga Dén ; la mélancolique conviction qu'il ne reverrait plus la chère aimée s'était ancrée en lui. Précédant sa vision dans le temple, n'en avait-il pas eu une autre, dans la chambre du *doubthob* de Dangar, avant son départ pour Lhassa ; assis aux pieds du vieux *trapa,* n'avait-il pas vu l'image de Dolma s'effacer, se dissoudre, s'engloutir dans un océan de brumes blanches. Dolma était perdue pour lui.

Pourtant, au moment même où il acceptait cette certitude douloureuse, une flamme d'espoir jaillissait encore de son cœur. Et si toute cette fantasmagorie n'était que l'œuvre d'un démon ennemi? — Tant de fois cette possibilité lui était venue à l'idée. Dangar n'était pas si loin qu'il n'y puisse aller consulter le *doubthob*. Oui, le lendemain il s'arracherait à ce Ngarong où des sortilèges l'avaient amené, où des sortilèges le retenaient.

Le lendemain, Mipam pâle, abattu, s'accoudait à la balustrade de la terrasse naturelle sur laquelle sa chambre ouvrait. Au-dessous de lui, de l'autre côté de la vallée, il distinguait le sentier par où il était venu dans la citadelle enchantée où il demeurait prisonnier. Il ne tenait qu'à lui de seller son cheval et de s'en aller par ce même chemin. Il retrouverait le camp du *ngagspa*, puis celui des *dokpas* où Kalzang l'attendait, il se délivrerait de l'emprise de Ngarong, de l'attraction de ce trône de *tulkou* sur lequel, disaient ses hôtes, il s'était assis et qui semblait attendre, avec le calme de la certitude, le jour où il s'y assoirait de nouveau.

Il pouvait partir et pourtant Mipam savait qu'il ne partirait pas, l'ensorcellement se faisait de plus en plus fort, l'enserrait de plus en plus étroitement. Pendant la nuit qui venait de finir, Mipam avait eu un rêve.

Il s'était vu à la *gompa* de Dangar, dans le logis délabré du *doubthob*.

— Tu es encore malhabile, mon fils, à voir à travers les murs que tu bâtis toi-même, devant toi, avec des idées en guise de pierres, lui disait celui-ci. La dernière veille de la nuit, t'ai-je prédit. Le moment du réveil vient, aie patience ; tu es où tu dois être.

— J'attendrai, prononça tout haut Mipam dominé et vaincu. J'attendrai un signe.

L'intérêt que Mipam trouvait dans la lecture des ouvrages écrits par les *tulkous* de Ngarong lui procurait des heures de calme, des trêves reposantes de ses douloureuses hésitations. En plus des cinq volumes des chroniques, il s'était fait apporter, dans son appartement, des manuscrits qui avaient attiré son attention lorsqu'il avait visité la bibliothèque. L'un de ceux-ci, reprenant le thème commun à tous les Lamas de Ngarong : répandre la connaissance des Cinq Sagesses, y avait ajouté une sorte de plan laconique : « Arriver par la méditation à une juste compréhension de la nature des êtres et des liens étroits qui les rattachent les uns aux autres. — Se préparer à pouvoir la démontrer avec toutes les conséquences qu'elle comporte. — A l'exemple du Bouddha, de Jowo Atiça et de tous les Sages qui ont prêché la Doctrine du Salut par les Vues justes, prêcher cette même doctrine dans toutes les régions aussi loin que nos pieds peuvent nous porter, afin de diminuer la souffrance et, finalement, de la détruire. »

Mipam, enthousiasmé par ce programme, ne se lassait pas de le méditer. Combien il est regrettable, pensait-il, que celui qui l'a conçu n'ait pas eu de successeur pouvant réaliser un tel projet Le successeur, c'était lui, assuraient les ermites, mais, contre cette idée, le jeune homme continuait à s'insurger.

Deux jours après avoir rêvé du *doubthob* de Dangar, Mipam fit appeler le chef du monastère.

— Ne m'avez-vous pas dit, lui demanda-t-il, qu'il existe, ici, un ermitage particulier réservé aux Lamas de Ngarong ?

— Il en est ainsi.

—' Voulez-vous me permettre de m'y retirer ?

— Vous êtes chez vous, Rimpotché ; l'ermitage vous appartient.

Mipam eut un geste d'impatience. Il n'était pas Yéchés Nga Dén ; pourquoi voulait-on le forcer à jouer ce rôle ? — Mais, s'il se confirmait que Dolma soit morte, il souhaitait d'être admis comme *trapa* parmi les ermites de Ngarong.

Il y avait environ six semaines que Mipam vivait en reclus dans l'ermitage, lorsqu'un après-midi, deux cavaliers guidés par des *dokpas* auxquels s'étaient joints Kalzang et Thartchin frappèrent à la porte de Ngarong.

— Nous venons de Lhassa, dit l'un d'eux au gardien de la porte. La fille de notre maître, le grand marchand Ténzing, a été *délog* puis est morte. Elle a commandé qu'une turquoise soit apportée au *tsongpön* Mipam de Dangar qui, a-t-elle dit, est devenu votre Lama. Est-il ici ?

— Il est ici, répondit le gardien en ouvrant largement la porte.

— Un message de Lhassa, de la part de Ténzing le *tsongpön,* annonça le chef du monastère parlant à Mipam à travers la porte close.

La réponse se fit attendre ; enfin Mipam tira le verrou. Les serviteurs de Ténzing se prosternèrent.

— De la part de Sémo Dolma, dit l'aîné des deux en tendant un paquet à Mipam.

— Elle est morte, n'est-ce pas ? demanda le jeune homme avec un calme émouvant.

Les deux hommes inclinèrent la tête.

— Etait-elle religieuse quand elle est morte ?...

— Vous le saviez ! s'exclamèrent le *trapa*-chef et les envoyés de Ténzing.

— *Kyab sou tchivo !* Rimpotché, vous êtes un Bouddha !

Tous deux racontèrent, alors, tout ce qui s'était passé à Lhassa.

Pendant qu'ils parlaient, Mipam avait ouvert le paquet, reconnu la turquoise et lu les quelques mots écrits par Dolma.

— Faites sonner la conque yéguir, commanda-t-il au *trapa.*

Et tandis que ce dernier s'empressait d'obéir, Mipam, quittant l'ermitage, regagna l'appartement du lama. Dans un coffre se trouvaient, soigneusement pliés, les habits monastiques du dernier *tulkou* Yéchés Nga Dén que les *trapas* avaient plusieurs fois montrés à Mipam, le priant de s'en vêtir.

Résolument, le jeune homme passa la *teugag* en drap d'or, plissa la large *chamthab* grenat sombre autour de lui, la serrant avec une ceinture de soie jaune, chaussa les hautes bottes et se drapa dans la toge jaune des ermites, puis attendit. La conque continuait à résonner et l'on entendait, au-dehors, les pas des moines qui se hâtaient vers le temple. Enfin, le silence se fit, tous devaient être arrivés. Mipam sortit. Seul, il entra dans le temple, se prosterna devant l'autel sur lequel les statues du Bouddha et de Tchénrézigs dominaient les mausolées des Lamas de Ngarong. En se relevant, il porta un instant ses regards vers la tombe de Mipam Rintchén près de laquelle Dolma lui était apparue.

— Je t'obéis, Dolma, murmura-t-il.

Puis d'un pas ferme il s'avança vers le trône des *tulkous*. Parfaitement maître de sa pensée, Mipam ne cherchait plus à élucider le mystère d'une réincarnation selon les croyances populaires. Le *doubthob* de Dangar avait dit vrai, le mur qui bornait sa vue était tombé. De la turquoise envoyée par Dolma mourante, une lumière avait jailli qui illuminait son esprit. Réincarnation des Lamas de Ngarong il l'était, puisque le même esprit de bonté, le même désir de combattre la souffrance qui avaient été leurs vivait en lui, puisqu'il était, là, pour continuer leur œuvre.

Sur l'assemblée des *trapas* immobiles, osant à peine respirer, il promena son regard empreint d'une bienveillance grave.

— Mes fils, dit-il, votre Lama est revenu !

Et silencieusement, dans son cœur, il ajouta :

« Tchangpal, ma douce mère, ton enfant a réalisé ton rêve. »

GLOSSAIRE

AKOU : oncle paternel. Ce terme est employé, dans le langage courant, non seulement pour désigner un véritable oncle, mais aussi comme un titre courtois donné à un homme du peuple ayant quelque importance.

ALAK : au nord-est du Tibet, région d'Amdo, le Koukou-nor, etc. le titre *alak* correspond à peu près à celui de lama. Les simples moines y sont dénommés *aka* au lieu de *tcheupa* qui est l'appellation courante au Tibet central.

AMPHANG : espèce de poche que forme, sur la poitrine, l'ample robe des Tibétains qui est d'abord légèrement relevée, puis serrée sous la taille par une ceinture. Leur costume ne comporte pas d'autre poche.

ANGKOUR : initiation ; plus exactement : « communication de pouvoir ».

ANI : tante. Nom donné aussi aux religieuses du clergé inférieur qui n'ont pas droit au titre de Tétsung Kauchog ou, par abréviation : Jétsunma. Par une extension de politesse ce titre est donné aux épouses des *trapas* mariés. Celles des Lamas de haut rang sont appelées *sang-youm* mère secrète.

BANAG GOMPA : Banag : tente noire, dans le dialecte de la région. Il s'agit d'un monastère qui, au lieu de comprendre des bâtiments en pierre, est formé par des tentes et se déplace suivant les saisons.

BARDO : d'après les Tibétains, pendant le temps, d'une durée variable, qui s'écoule entre la mort et la réincarnation d'un être, l'esprit du défunt demeure plongé dans un état de demi-inconscience. Il contemple des visions fantastiques. Il voit s'ouvrir devant lui divers chemins dont il ne peut discerner le terme et qui conduisent à des mondes différents. En proie à l'incertitude et à la torpeur, l'esprit erre parmi cette fantasmagorie, gardant la mémoire confuse des sensations éprouvées dans sa vie passée et ayant soif de les éprouver de nouveau. Ainsi, parmi ses hallucinations, cherche-t-il la voie qui le conduira à une réincarnation le pourvoyant encore une fois de sens. Les lamas instruits déclarent que les visions contemplées et tout le drame de la traversée du Bardo sont de nature purement subjective. Leurs divers épisodes et leurs formes reflètent les croyances et les sentiments qui furent ceux du défunt pendant sa vie passée. La traduction esprit des morts est d'ailleurs inexacte, ici. Le terme esprit n'est employé que faute d'en trouver un autre en français. Il s'agit, en réalité, de la facilité d'avoir conscience des choses : *rnamchès,* abréviation de *rnampar chéspa.* C'est cette conscience qui devient obscurcie et hallucinée chez la plupart des morts. Elle demeure, au contraire, parfaitement claire chez ceux qui ont pratiqué un entraînement spirituel approprié et qui sont morts sans perdre connaissance, pleinement conscients. *Bardo* signifie entre deux, c'est-à-dire entre la mort et une nouvelle naissance.

BODHISATVA : un être très avancé dans la perfection spirituelle, capable de devenir un Bouddha dans son incarnation suivante et aussi de produire des incarnations de lui-même, des *tulkous* qui sont ses instruments pour l'accomplissement d'une œuvre contribuant au bonheur des êtres.

CHAPÉ : ministre, membre du Conseil d'Etat. Littéralement, *chapé* est une abréviation signifiant : un homme dont les pieds sont des lotus.

CHÉLINGO : le chef élu d'un monastère, qui en assume la direction. Les Grands Lamas, seigneurs de monastères, ne s'occupent point de leur administration.

CHORTENS : monuments religieux.

DAKINIS : des fées.

DJAGSPAS : voleurs de grand chemin opérant à cheval, souvent en troupe nombreuse, et bien armés.

DJAMPÉYANG : le mystique seigneur de la science et de l'éloquence, patron des lettrés. Les *tankas* sont des peintures sur étoffe souple, que l'on peut rouler, comme les kakémonos japonais.

DJÉ RIMPOTCHÉ : appellation honorifique de Tsong Khapa, le fondateur de la secte des bonnets jaunes.

DJOUWA : bouse sèche employée comme combustible.

DOKPAS : pasteurs vivant sous la tente parmi les troupeaux.

DORDJI ou DORJEE : petit spectre rituel.

DOUBTHOB : un sage qui accomplit des miracles.

ETRE ABSOLU : le *Parabrahm* de la philosophie Vedanta. L'histoire de Satyakâma est rapportée dans le Chandogya Oupanishad, chap. IV, section IV et suivantes.

GARBA : nom donné par les Tibétains de cette région aux demeures souvent princières que les lamas Tulkous possèdent dans l'enceinte des monastères.

GARPON : agent commercial et chef des marchands dans les villes étrangères où les marchands tibétains ont des comptoirs.

GÉCHÉS : un grade universitaire tibétain équivalent au doctorat.

GEGÉN : moine professeur.

GOMCHÉNS : ermites contemplatifs.

GOMPA : monastère.

GOURMAS : chants religieux.

GOUROU : directeur spirituel.

GYAI : part revenant, à chaque membre d'un monastère, des revenus de celui-ci et des dons faits par les fidèles.

GYALINGS : une sorte de hautbois.

GYALMO : reine : ce titre est très libéralement attribué aux femmes de tous les chefs qui s'intitulent *gyalpo*.

GYALPO : roi, titre de certains chefs tibétains. Littéralement *gyalpo* : victorieux.

GYALSÉ : fils de *gyalpo,* prince.

GYALTSÉN : signifie signe de victoire. Ce sont généralement des ornements dorés et de forme conique ou cylindrique se rétrécissant vers le sommet que l'on place sur les toits des temples ou ceux des palais des Grands Lamas.

GYUDPA : un moine qui appartient au collège de rituel et de magie.

JOWO : seigneur. Un titre moindre que celui de *rimpotché,* qui est parfois donné à des ermites et à des magiciens appartenant au clergé. Il équivaut à peu près à celui de *swâmi* utilisé dans l'Inde, mais est d'un emploi beaucoup moins fréquent.

KABZÈS : pâtisserie frite dans du beurre ou dans de l'huile.

KADAG : écharpe que l'on offre en témoignage de respect ou de simple politesse pour souhaiter bon voyage, accueillir des hôtes, solliciter une faveur, etc.

KANDJOUR : en orthographe tibétaine *Bkah Hgyur,* prononcer Kah gyur, ce qui signifie : paroles traduites. C'est la collection des écritures canoniques du Tibet, traduites du sanscrit.

KANGLING : proprement, le *kangling* est la flûte faite d'un fémur humain dont se servent certains *naldjorpas;* toutefois, ce nom est donné, par extension, à des flûtes ou des espèces de cornets construits en métal.

KARZÈS : régime blanc, c'est-à-dire pur ; qui exclut la viande et le poisson.

KOUDAG : noble.

KUNTCHOG SOUM : Les Trois rares, équivalent du terme sanscrit *Tri Ratna,* les Trois Joyaux, c'est-à-dire le Bouddha, sa doctrine et l'ordre religieux, ou suivant son acceptation plus généralement admise parmi les lettrés, non pas la masse de tous les moines, indistinctement, mais l'élite des véritables disciples qui ont atteint la compréhension de la doctrine et l'illumination spririituelle, ou, du moins, marchent vers elle.

KUNTOU ZANGPO : le Tout bon. Un Bouddha mystique appelé, en sanscrit, Samantâbhâdra. D'après la légende il a visité le mont Omi, en voyageant sur un éléphant blanc.

KYABGON RIMPOTCHÉ : le Précieux Protecteur, c'est-à-dire le Dalaï Lama.

KYANG : âne sauvage, onagre, dont il existe deux espèces au Tibet. L'une d'elles a le pelage strié de bandes noires comme le zèbre, l'autre est de couleur fauve unie. La première se trouve surtout au sud du Tibet, la seconde au nord et à l'est.

KYILKHOR : diagramme.

LAGS THONG : littéralement *voir davantage,* un terme très en évidence chez les mystiques tibétains.

LHAKHANG : pièce où se trouve l'autel familial portant une ou plusieurs statuettes ou des tableaux représentant le Bouddha, des saints lamas ou des déités symboliques du panthéon lamaïste. Sur cet autel, construit en forme de bibliothèque, sont aussi rangés les livres saints que possède la famille. Littéralement, *lhakhang* signifie *maison d'un dieu.*

LOTSAWAS : traducteurs.

LOU KHANG : maisonnette dédiée aux Lous (sanscrit nâgâs), divinités des eaux.

MANTRAM : courte invocation considérée comme véhicule d'un pouvoir spirituel.

MI MA YINS : littéralement les non-hommes, une des six classes d'êtres cataloguée par les Tibétains. Elle comprend des génies, esprits, fées, démons, etc., les uns amicaux, les autres hostiles aux humains, ou alternativement l'un et l'autre suivant qu'on leur plaît ou leur déplaît.

MI NAG : homme noir, homme obscur, c'est-à-dire non éclairé concernant les choses religieuses.

MOMOS : hachis de viande assaisonné, enveloppé dans une pâte, puis cuit à la vapeur.

MOPA : un devin inférieur à un *tsipa* dans l'art de la divination et qui n'est pas, comme ce dernier, un astrologue.

NAGAS : divinité des eaux. D'après la légende, le grand ouvrage appelé Prâjna Pâramitâ a été apporté à Nâgârjuna par des Nâgas qui l'avaient conservé dans leur palais, sous l'Océan.

NAGI : déité féminine des eaux.

NALDJORPA : littéralement celui qui a atteint la paix, mais dans son sens courant la signification de ce terme est à peu près semblable à celle donnée, dans l'Inde, au terme *yogi,* c'est-à-dire un mystique, un ascète, ou un initié à des doctrines secrètes.

NAMBOU : drap serge très épais d'une qualité inférieure au *pourouc.*

NARAKA : un mot sanscrit signifiant enfer ou plutôt purgatoire. Ni les bouddhistes ni les hindous ne croient à l'existence de peines éternelles. *Naraka* est utilisé par les Tibétains comme une sorte de serment avec imprécation dont le sens est : Que j'aille dans les *narakas* si je me parjure.

NÉMO : maîtresse de maison. Appellation polie en usage parmi les villageois et les autres gens du peuple.

NGASGPA : celui qui connaît les *ngags* — paroles et formules secrètes — qui est expert dans l'art de s'en servir : un magicien.

NOUB DÉOUA TCHÉN : le Paradis occidental de la Grande Béatitude, ou réside Tchénrézigs.

La secte des NYINGMAPAS, c'est-à-dire des anciens, est une de celles qui n'ont point accepté la réforme opérée par Tsong Khapa, le fondateur de la secte des Gelougspas (bonnets jaunes). Les Nyingmapas, bien qu'ils se déclarent bouddhistes, n'ont pour ainsi dire rien conservé de la doctrine et de la discipline bouddhiques et présentent de nombreux points de ressemblance avec les Bönpos, les sectateurs de l'ancienne religion du Tibet. Ils pratiquent souvent les rites de ces derniers conjointement avec ceux du lamaïsme. Le mariage et les boissons alcooliques sont permis à leur clergé. (Le titre de *Lama* donné, dans ce texte, aux religieux mandés par Puntsog, est de pure politesse, suivant l'usage courant. En fait, ils ne sont que des *trapas,* appartenant aux rangs inférieurs du clergé. Un *Lama* est un dignitaire ecclésiastique.)

OUMDZÉ : titre du moine qui conduit le chœur en entonnant le premier les diverses parties des récitations, pendant les offices.

PA : boulette de farine d'orge — le grain ayant été grillé avant d'être moulu — que l'on fait en humectant légèrement la farine avec du thé beurré, ou, si l'on manque de thé, avec de l'eau. Certains Tibétains font aussi des *pas* avec de la bière.

PO LHA : dieu des ancêtres de la lignée paternelle.

POMPO : chef.

POURAN : de la mélasse de canne à sucre comprimée de façon à former des boules ou des gâteaux plus ou moins gros.

POUROUK : drap.

RAGDONGS : une immense trompette tibétaine ; certains d'entre ces instruments ont plusieurs mètres de longueur. Au repos, leur extrémité est appuyée par terre ; en marche, leur long tube repose sur l'épaule de plusieurs hommes placés, à distance, l'un derrière l'autre.

RIMPOTCHÉ : signifie précieux. C'est le plus haut titre honorifique qui existe au Tibet.

RITEU : ermitage.

RITEUPA : ermite.

SANG : une once d'argent. La valeur que les étrangers appellent en Chine un taël.

SONGDUS : Étroit morceau d'étoffe qu'un lama a noué par le milieu en y incorporant une vertu magique qui garde de la maladie et des accidents celui qui le porte attaché à son cou.

TACHA : maison particulière d'un moine dans un monastère. Celui-ci en est le propriétaire ou la loue à un de ses confrères.

TANKA : peinture sur étoffe souple, que l'on peut rouler, comme les kakémonos japonais.

TCHÉNRÉZIGS : nom d'un Bodhisatva qui symbolise la bonté et la compassion infinie. Il occupe, dans le panthéon lamaïque, un rang infiniment plus élevé que celui des dieux. Il est le patron du Tibet. Le Dalaï Lama est tenu pour être un de ses avatars.

TCHEU KYONGS : les protecteurs de la religion, souvent des démons qui ont été subjugués par un magicien et contraints de s'engager par serment à protéger les fidèles.

TCHEUPA : membre du clergé. Littéralement un homme de religion.

TÉS : mesure.

TORMAS : pyramides, faites en pâte, employées dans les rites magiques.

TOUMAS : racines farineuses dont le goût ressemble à celui de la châtaigne.

TOUPA : soupe.

TRANKA : monnaie tibétaine valant plus d'un quart d'une roupie de l'Inde.

TRAPAS : voir secte des *Nyingmapas*.

TSAMPA : Farine faite avec de l'orge dont le grain a été grillé avant d'être moulu. Elle est l'aliment principal des Tibétains.

TSHAMPAS : celui qui est en retraite, en *tshams*.

TSHAMS : sens de *retraite*. Il existe plusieurs variétés de *tshams*. Pour les détails sur cette pratique, très en honneur au Tibet, voir : A. David-Néel, *Mystiques et magiciens du Tibet*.

TSIPA : littéralement *tsipa* signifie un *calculateur*. L'homme portant ce titre peut être comptable ou professeur de calcul, mais lorsqu'il s'agit d'un membre du clergé, le *tsipa* est un astrologue.

TSONGPA : marchand.

TSONPON : *chef marchand*, le patron. Les *tsongyogs, serviteurs de marchand*, sont ses employés.

TULKOUS : hommes ou femmes qui sont considérés comme des réincarnations d'éminentes personnalités défuntes ou des avatars de déités, ceux que les étrangers appellent improprement des Bouddhas Vivants.

YAMEN : bureaux d'un fonctionnaire chinois.

YIDAGS : les Tibétains de même que les Hindous croient à l'existence de certains êtres misérables dont le corps est gigantesque, le cou filiforme et la bouche de la grandeur d'un trou d'épingle. Ces misérables sont nés sous cette forme à cause de certaines mauvaises actions commises par eux dans des vies précédentes. Leur énorme corps, presque tout en ventre, réclame une grande quantité de nourriture qu'il leur est impossible d'avaler avec leur bouche en trou d'épingle et leur cou filiforme. De plus, l'eau qu'ils veulent sucer se change en flamme quand ils s'en approchent. Ainsi, jusqu'à ce qu'ils renaissent de nouveau dans une autre condition, sont-ils constamment torturés par la faim et la soif. Par pitié pour eux, les Lamas et les pieux laïques leur offrent, chaque matin, de l'eau et des aliments. Ceux-ci, par l'effet des paroles rituelles prononcées par le donateur, ne se changent pas en flammes et peuvent être absorbés par les malheureux affamés. Ces êtres fantastiques sont dénommés *yidags* er tibétain et *prêtas* en sanscrit.

YOUM : les épouses des Lamas adeptes des doctrines tantriques, à qui le mariage est permis et même, en certains cas, enjoint, sont dénommées *sang-youm*, mère secrète ou, par abréviation, youm, mère. Le mot *youm* appartient au langage honorifique ; en langage ordinaire, mère se dit *ama* ou, plus correctement, *ma*. Les cérémonies ordinaires du mariage n'ont point lieu pour unir ces lamas à leurs épouses. Leur union est consacrée par le *gourou* (guide spirituel) du lama qui confère une initiation spéciale à chacun des époux. Tous deux sont, alors, unis par un lien sacramentel et tandis que les mariages ordinaires peuvent être dissous par le divorce, le leur est indissoluble. Le but de ce mariage est d'ordre mystique et ne consiste pas à fonder une famille.

YOUM TCHÉNMO : serment par le livre sacré le *Prâjnâ Pâramitâ* auquel les Tibétains appliquent l'épithète déférente de Grande Mère (Youm tchénmo), c'est-à-dire Sagesse qui engendre l'illumination spirituelle des Bouddhas.

ZEN : le manteau monastique en forme de toge.

ZOMO : femelle provenant du croisement d'une *di* avec un taureau de la race des bœufs à poil ras. *Di*, femelle du *yak*, le bœuf grognant à long poil.

Achevé d'imprimer en septembre 1993
sur les presses de l'Imprimerie Bussière
à Saint-Amand (Cher)

POCKET - 12, avenue d'Italie - 75627 Paris Cedex 13
Tél. : 44-16-05-00

— N° d'imp. 1918. —
Dépôt légal : février 1982.
Imprimé en France